JOHN GRISHAM
DOMEN

John Grisham

Domen

Översättning av
Sam J. Lundwall

ALBERT BONNIERS FÖRLAG

JOHN GRISHAM

På Albert Bonniers Förlag har utkommit:

De utvalda 1996
Partners 1997
Försvararen 1998
Testamentet 1999
Brödraskapet 2000
Det målade huset 2001
Domarens brev 2002
Julfritt 2003
Uppgörelsen 2003
Coachen 2004

På annat förlag har utkommit:

Firman 1992
Pelikanfallet 1993
Juryn 1994
Klienten 1994
Dödscellen 1995
Regnmakaren 1996

www.albertbonniersforlag.se

ISBN 91-0-010381-0
Amerikanska originalets titel:
The Last Juror (New York 2004)
Copyright © 2004 by Belfry Holdings, Inc.
Sättning: Fakta & Fantasi AB, Stockholm
WS Bookwell, Finland 2004

I

I

Efter årtionden av tålmodig vanskötsel och kärleksfull försummelse gick The Ford County Times i konkurs 1970. Ägaren och utgivaren, miss Emma Caudle, var nittiotre år gammal och sängbunden på ett vårdhem i Tupelo. Redaktören, hennes son Wilson Caudle, var i sjuttioårsåldern och hade en metallplåt i skallen sedan första världskriget. En perfekt cirkel av mörk transplanterad hud täckte plattan högst uppe i hans långa, sluttande panna, och hela sitt vuxna liv hade han levt med öknamnet Fläcken. Fläcken gjorde det. Fläcken gjorde det där. Kom hit, Fläcken. Såja, Fläcken.

Den enda riktiga krisen i hans journalistiska karriär inträffade 1967, ungefär när medborgarrättsrörelsen slutligen nådde till Ford County. Tidningen hade aldrig visat det minsta tecken till rastolerans. Inga svarta ansikten förekom på dess sidor, förutom de som tillhörde kända eller misstänkta förbrytare. Inga svarta vigselannonser. Inga svarta prisbelönade studenter eller basebollag. Men 1967 gjorde mr Caudle en häpnadsväckande upptäckt. Han vaknade en morgon och insåg att svarta människor dog i Ford County och att deras död inte rapporterades ordentligt. En hel ny, fruktbar dödsrunevärld väntade där ute, och mr Caudle styrde ut på farliga och okända vatten. Onsdagen den 8 mars 1967 blev The Ford County Times den första veckotidningen ägd av vita i Mississippi som publicerade en dödsruna över en färgad. Den passerade till stor del oförmärkt.

Nästa vecka publicerade han tre svarta dödsrunor, och folk började prata. Den fjärde veckan hade en veritabel bojkott inletts, prenumerationer sades upp och annonsörer betalade inte. Mr Caudle visste vad som hände, men han var alltför uppfylld av sin nya status som anhängare av rasintegration för att bekymra sig om småsaker som försäljning och intäkter. Sex veckor efter den historiska dödsrunan kungjorde han, på första sidan och med stor stil, sin nya linje. Han förklarade för läsarna att han skulle publicera vad fan han behagade och om de vita inte gillade det skulle han helt enkelt dra in på deras dödsrunor.

Nu är det så att en anständig död är en viktig del av livet i Mississippi, för vita och svarta, och tanken på att läggas till den sista vilan utan förmånen av ett av Fläckens lysande avsked var mer än flertalet vita stod ut med. Och de visste att han var galen nog att sätta sitt hot i verket.

Nästa nummer fylldes av alla slags dödsrunor, svarta och vita, alla ordentligt alfabetiserade och desegregerade. Numret såldes ut och en kort tid av välstånd följde.

Konkursen var framtvingad, som om andra konkurser vore entusiastiskt frivilligt genomförda. Hopen anfördes av en leverantör av tryckerimateriel i Memphis som man var skyldig 60.000 dollar. Flera fordringsägare hade inte fått betalt på ett halvår. Den gamla Security Bank sade upp ett lån.

Jag var nyanställd, men jag hade hört ryktena. Jag satt vid ett skrivbord i tidningsredaktionens yttre rum och läste en tidskrift när en dvärg i spetsiga skor svassade in genom ytterdörren och frågade efter Wilson Caudle.

"Han är på begravningsbyrån", sade jag.

Det var en kaxig dvärg. Jag kunde se en pistol vid hans höft under en skrynklig marinblå blazer, en pistol som bars så att man kunde se den. Han hade antagligen licens, men i Ford County behövdes egentligen ingen, inte 1970. I själva verket föraktade man vapenlicenser. "Jag måste delge honom det här", sade han och viftade med ett kuvert.

Jag ville inte vara hjälpsam, men det är svårt att vara ohövlig mot en dvärg. Speciellt om det är en dvärg med pistol.

"Han är på begravningsbyrån", upprepade jag.

"I så fall ger jag det till er", förkunnade han.

Jag hade lärt mig en del, trots att jag hade varit där mindre än två månader och trots att jag hade studerat i norr. Jag visste att folk inte delgavs trevliga papper. De postades eller skeppades eller kom med bud, men de delgavs aldrig. De där papperen var ett problem och jag ville inte ha något med dem att göra.

"Jag tar inte emot dem", sade jag och tittade bort.

Naturlagarna kräver att dvärgar skall vara fogliga, fridsamma människor, och den där lille karln var inget undantag. Han såg sig hånflinande omkring i rummet, men han visste att situationen var hopplös. Han körde med dramatisk känsla ner kuvertet i fickan och frågade: "Var är begravningsbyrån?"

Jag pekade hit och dit, och han gick. En timme senare vacklade Fläcken in genom dörren, viftade med papperen och grät hysteriskt. "Det är slut! Det är slut!" klagade han om och om igen medan jag höll i hans Anhållan om försättande i tvångsmässig konkurs. Sekreteraren Margaret Wright och journalisten Hardy kom in från de inre environgerna och försökte trösta honom. Han satt på en stol med ansiktet i händerna och armbågarna på knäna, och snyftade ynkligt. Jag läste upp konkursansökningen för de andra.

Där stod att mr Caudle om en vecka måste inställa sig inför domstolen i Oxford för att möta fordringsägarna och domaren, och att ett beslut skulle fattas huruvida tidningen kunde utges medan en god man redde ut situationen. Jag kunde se att Margaret och Hardy var mer bekymrade för sina anställningar än för mr Caudle och hans sammanbrott, men de stod beslutsamt intill honom och klappade honom på axlarna.

När gråten hade upphört reste han sig plötsligt upp, bet sig i läppen och sade: "Jag måste berätta det för mamma."

Vi tre såg på varandra. Miss Emma Caudle hade lämnat detta liv tre år tidigare, men hennes svaga hjärta fortsatte arbeta nätt och jämnt tillräckligt för att uppskjuta en begravning. Hon varken visste eller brydde sig om vilken färg fruktgelén hade som hon matades med, och hon brydde sig definitivt inte om Ford County eller dess tidning. Hon var blind och döv och vägde ungefär trettiofem kilo, och nu tänkte Fläcken diskutera påtvingad konkurs med henne. I den stunden insåg jag att inte heller han var kvar hos oss.

Han började gråta igen och gick. Sex månader senare skulle jag skriva hans dödsruna.

Eftersom jag hade gått på universitet, och eftersom jag höll i papperen, såg Hardy och Margaret förväntansfullt på mig. Jag var journalist, inte jurist, men jag sade att jag skulle ta papperen till familjen Caudles jurist. Vi skulle följa hans råd. De log matt och återgick till arbetet.

Vid lunchtid köpte jag en sexpack öl på Quincy's One Stop i Lowtown, den svarta stadsdelen i Clanton, och tog en lång tur med min Spitfire. Det var i slutet av februari, ovanligt varmt för årstiden, så jag fällde ner suffletten och körde mot sjön medan jag, inte för första gången, undrade vad jag gjorde i Ford County, Mississippi.

Jag växte upp i Memphis och studerade journalistik i Syracuse i fem år innan min mormor tröttnade på att betala för vad som började bli en långt utdragen utbildning. Mina betyg var inte märkliga, och det återstod ett år till min examen. Kanske ett och ett halvt. Hon, BeeBee, hade gott om pengar, hon avskydde att lägga ut dem och ansåg efter fem år att mina möjligheter hade fått tillräckligt stöd. När hon drog in bidraget blev jag mycket besviken men jag klagade inte, i alla fall inte för henne. Jag var hennes enda barnbarn och hennes kvarlåtenskap skulle bli en fröjd.

Jag studerade journalistik med baksmälla. Den första tiden i Syracuse ville jag bli undersökande journalist vid New York Times eller Washington Post. Jag ville frälsa världen genom att avslöja korruption och miljöförstöring och myndighetsslöseri och de orättvisor som drabbade de svaga och förtryckta. Pulitzerpriser väntade på mig. Efter ungefär ett år med sådana storslagna drömmar såg jag en film om en utrikeskorrespondent som for omkring i världen på jakt efter krig, förförde vackra kvinnor och på något sätt hann skriva prisbelönade artiklar. Han talade åtta språk, hade skägg, militärkängor och nystärkta khakikläder som aldrig blev skrynkliga. Så jag bestämde mig för att bli en sådan journalist. Jag odlade skägg, köpte kängor och khakikläder, försökte lära mig tyska, försökte få ihop det med vackrare flickor. Under mitt första år, när mina betyg inledde sin stadiga väg ner mot de sämsta i klassen, fängslades jag av tanken att arbeta på en småstadstidning: jag kan inte förklara den lockelsen, annat än genom att det var vid den här tiden jag träffade och blev vän med Nick Diener. Han kom från landsbygden i Indiana, och i årtionden hade hans familj ägt en ganska blomstrande landsortstidning. Han körde omkring i en flott liten Alfa Romeo och hade alltid gott om pengar. Vi blev goda vänner.

Nick var en intelligent student som kunde ha klarat medicin, juridik eller ingenjörsvetenskap. Det enda han ville var emellertid att återvända till Indiana och sköta familjefirman. Det förbryllade mig tills vi blev fulla en kväll och han berättade för mig hur mycket hans far tjänade varje år på deras lilla veckotidning – med sextusen exemplar i upplaga. Den var en guldgruva, sade han. Bara lokala nyheter, bröllopsannonser, församlingsmöten, hedersomnämnanden, sport, bilder av basketbollag, några recept, några dödsrunor och annonssidor. Kanske litet politik, men undvik kontroverser. Och räkna in pengarna. Hans far var miljonär. Det var avslappnad, avspänd journalistik där pengar växte på träd, enligt Nick.

Det tilltalade mig. Efter mitt fjärde år, som skulle varit mitt sista men inte ens var i närheten av det, tillbringade jag sommarlovet som praktikant på en liten veckotidning i Ozarkbergen i Arkansas. Lönen var obetydlig, men det gjorde intryck på BeeBee att jag var anställd. Varje vecka skickade jag henne tidningen, som jag hade skrivit minst hälften av. Ägaren/chef-redaktören/utgivaren var en underbar gammal herre som gladdes åt att ha en journalist som ville skriva. Han var ganska förmögen.

Efter fem år i Syracuse var mina betyg bortom all räddning, och bidragen upphörde. Jag reste hem till Memphis, besökte BeeBee, tackade henne för hennes hjälp och sade att jag älskade henne. Hon sade till mig att skaffa ett arbete.

Vid den tiden bodde Wilson Caudles syster i Memphis, och denna dam råkade träffa BeeBee på en av de där muntra tedrickarmötena. Efter några telefonsamtal fram och åter packade jag och reste till Clanton i Mississippi där Fläcken ivrigt inväntade mig. Efter en timmes orientering släppte han loss mig i Ford County.

I nästa nummer publicerade han en liten rar notis med ett fotografi av mig för att tillkännage min "praktiktjänst" på The Ford County Times. Den fanns på första sidan. Det var ont om nyheter på den tiden.

Notisen innehöll två ohyggliga felaktigheter som skulle komma att plåga mig i åratal. Den första och minst allvarliga var att Syracuses universitet nu räknades till de finaste i USA, åtminstone enligt Fläcken. Han underrättade sin krympande läsekrets om att jag hade fått min förstklassiga utbildning i Syracuse. Det dröjde en månad innan någon nämnde det för mig. Jag började tro att ingen läste tidningen, eller ännu värre, att de som gjorde det var jubelidioter.

Den andra felaktigheten förändrade mitt liv. Jag döptes till Joyner William Traynor. Tills jag var tolv år överöste jag mina föräldrar med frågor om hur två förmodat intelligenta människor kunde kalla ett nyfött barn Joyner. Det kom slutligen fram att en av mina föräldrar, som båda förnekade ansvar, hade propsat på Joyner som en olivkvist till någon fientligt inställd släkting som påstods ha pengar. Jag har aldrig träffat den mannen, min namne. Han avled utfattig såvitt jag vet, men jag fick ändå Joyner på livstid. När jag skrev in mig

12

på universitetet i Syracuse var jag J. William, ett ganska storslaget namn för en artonåring. Men Vietnamkriget och alla protester och de sociala omvälvningarna övertygade mig om att J. William lät för affärsmässigt, för borgerligt. Jag blev Will.

Fläcken kallade mig omväxlande Will, William, Bill, till och med Billy, och eftersom jag reagerade på alla visste jag aldrig vad som skulle komma härnäst. Under mitt leende ansikte i notisen fanns mitt nya namn. Willie Traynor. Jag blev förfärad. Jag hade aldrig drömt om att någon skulle kalla mig Willie. Jag gick på gymnasium i Memphis och sedan på universitet i New York, och jag hade aldrig träffat någon som hette Willie. Jag var inte en samhällets stöttepelare. Jag körde omkring med en Triumph Spitfire och hade långt hår.

Vad skulle jag säga till mina studentkamrater från Syracuse? Vad skulle jag säga till BeeBee?

Efter att ha gömt mig i min lägenhet i två dagar tog jag mod till mig och krävde av Fläcken att han skulle göra något. Jag visste inte riktigt vad, men han hade begått misstaget och han kunde fan ta mig rätta till det. Jag marscherade in på tidningsredaktionen och stötte ihop med sportredaktören Davey Bigmouth Bass. ”Tjänare, flotta namnet”, sade han. Jag följde honom in på hans rum för att få ett gott råd.

”Jag heter inte Willie”, sade jag.

”Nu gör du det.”

”Jag heter Will.”

”Folk här kommer att älska dig. En viktigpetter norrifrån med långt hår och en liten utländsk sportbil. För fan, folk kommer att tycka att du är rätt flott om du heter Willie. Tänk på Joe Willie.”

”Vem är Joe Willie?”

”Joe Willie Namath.”

”Åh, han.”

”Jo, han är nordstatare som du, från Pennsylvania eller något åt det hållet, men när han kom till Alabama bytte han från Joseph William till Joe Willie. Flickorna var som tokiga efter honom."

Jag började känna mig bättre till mods. 1970 var Joe Namath förmodligen landets mest kände idrottsman. Jag tog en biltur och upprepade hela tiden "Willie". Inom ett par veckor började namnet fastna. Alla kallade mig Willie och verkade känna sig lugnare eftersom jag hade ett så vardagligt namn. Jag sade till BeeBee att det bara var en tillfällig pseudonym.

The Ford County Times var en mycket tunn tidning, och jag insåg omedelbart att den hade problem. Massor av dödsrunor, få nyheter och annonser. De anställda var missnöjda men tysta och lojala. 1970 var det ont om arbete i Ford County. Efter en vecka stod det klart till och med för mina nybörjarögon att tidningen gick med förlust. Dödsrunor är gratis – det är inte annonser. Fläcken tillbringade större delen av sin tid i sitt överbelamrade arbetsrum där han ringde till begravningsbyrån och ibland sov en stund. Ibland ringde de till honom. Ibland tittade familjen in bara några timmar efter farbror Wilbers sista andetag och överlämnade en lång, blomsterrik handskriven berättelse som Fläcken högg tag i och försiktigt bar till sitt arbetsbord. Innanför sin låsta dörr skrev han, redigerade, kontrollerade och skrev om tills det var perfekt.

Han sade till mig att jag fick bevaka hela länet. Tidningen hade en annan allmänjournalist, Baggy Suggs, en ständigt berusad gammal get som tillbringade arbetstiden kring tingshuset på andra sidan gatan med att snoka efter skvaller och dricka bourbon med en liten grupp utlevade jurister som var för gamla och för berusade för att arbeta i yrket. Som jag snart skulle upptäcka var Baggy för lat för att kontrollera källor eller leta upp något intressant, och det var inte ovanligt att hans förstasidesnyhet var en trist skildring av en gränstvist eller en hustrumisshandel.

Sekreteraren Margaret var en bra kristen dam som styrde firman, fast hon var slug nog att låta Fläcken tro att han var chef. Hon var kring de femtio och hade arbetat där i tjugo år. Hon var en klippa, ankaret, och allt på tidningen kretsade runt henne. Margaret var lågmäld, nästan blyg, och från första dagen var hon rädd för mig eftersom jag kom från Memphis och hade studerat norrut i fem år. Jag var noga med att inte vifta med mina högkulturella meriter, men samtidigt ville jag att de där lantisarna skulle veta att jag hade fått en strålande utbildning.

Hon och jag utbytte skvaller, och efter en vecka anförtrodde hon mig vad jag redan misstänkte – att mr Caudle verkligen var galen och att tidningen verkligen hade svåra ekonomiska problem. Men, sade hon, familjen Caudle har pengar!

Det skulle dröja åratal innan jag förstod detta mysterium.

I Mississippi var familjepengar inte detsamma som rikedom. Det hade inget att göra med kontanter eller andra tillgångar. Familjepengar var social ställning som uppnåtts av någon som var vit, bildad litet utöver gymnasiet, född i ett stort hus med veranda – helst omgivet av bomullsodlingar eller sojafält, fast det var inte nödvändigt – och delvis fostrad av en älskad svart barnsköterska som hette Bessie eller Pearl, delvis uppväxt hos kärleksfulla farföräldrar som en gång i tiden ägde Bessies eller Pearls förfäder, och från födseln undervisad i ett privilegierat folks samhälleliga behag. Egendomar och förvaltade medel var till viss hjälp, men Mississippi var fullt av panka blåblodiga personer som ärvt ställningen med familjepengar. Den kunde inte förtjänas. Den måste ärvas.

När jag talade med familjen Caudles advokat, förklarade han ganska korthugget familjepengarnas riktiga värde. "De är lika fattiga som Jobs kalkon", sade han när jag satt djupt nersjunken i en sliten läderfåtölj och såg upp mot honom över hans breda och urgamla mahognyskrivbord. Han hette Walter Sullivan, vid den framstående advokatfirman Sullivan & O'Hara. Framstående för att vara i Ford County – sju jurister. Han gick igenom konkursansökningen och pratade på om familjen Caudle och pengarna som de en gång hade och hur enfaldiga de varit som kört ner en lönsam tidning i botten. Han hade representerat dem i trettio år, och förr i tiden när Miss Emma styrde det hela hade The Ford County Times femtusen prenumeranter och sidor fyllda med annonser. Hon hade en halv miljon dollar på Security Bank, bara för säkerhets skull.

Sedan dog hennes man och hon gifte om sig med en alkoholist i trakten som var tjugo år yngre än hon. Som nykter var han halvlitterat och betraktade sig som en lidande poet och essäist. Miss Emma älskade honom intensivt och gjorde honom till biträdande chefredaktör, en plats som han använde till att skriva långa redaktionsspalter där han angrep allt som rörde sig i Ford County. Det var början till slutet. Fläcken avskydde sin nye styvfar, känslan var ömsesidig, och deras förhållande nådde slutligen sin höjdpunkt i och med ett av de mer färgstarka knytnävsslagsmålen i centrala Clantons historia. Det inträffade på trottoaren utanför tidningsredaktionen, på stadens torg, inför en stor och häpen publik. Folk i trakten ansåg att Fläckens redan ömtåliga hjärna skadades ytterligare den dagen. Kort därefter skrev han inget annat än de där fördömda dödsrunorna.

Styvfadern rymde med miss Emmas pengar, och hon blev en enstöring med krossat hjärta.

"En gång var det en fin tidning", sade mr Sullivan. "Men se på den nu. Knappt tolvhundra prenumeranter, stora skulder. Bankrutt."

"Vad kommer domstolen att göra?" frågade jag.

"Försöka hitta en köpare."

"En köpare?"

"Ja, någon kommer att köpa den. Länet behöver en tidning."

Jag kom omedelbart att tänka på två personer – Nick Diener och BeeBee. Nicks familj hade blivit rik på sin landsortstidning. BeeBee var redan rik och hon hade bara ett enda älskat barnbarn. Mitt hjärta började dunka hårt när jag anade en möjlighet.

Mr Sullivan såg uppmärksamt på mig, och det var uppenbart att han förstod vad jag tänkte. "Man skulle kunna köpa den för en spottstyver", sade han.

"Hur mycket?" frågade jag med hela självsäkerheten hos en tjugotreårig nybliven journalist vars mormor var sur som ättika. "Förmodligen femtiotusen. Tjugofemtusen för tidningen, plus tjugofemtusen för driften. De flesta skulderna kan gå in i konkursen och sedan omförhandlas med de fordringsägare man behöver." Han tystnade och lutade sig framåt med armbågarna mot bordsskivan och de kraftiga grånade ögonbrynen rynkade som om hans hjärna arbetade på högvarv. "Den skulle faktiskt kunna bli en guldgruva."

BeeBee hade aldrig investerat i en guldgruva, men efter tre dagars stimulansåtgärder lämnade jag Memphis med en check på 50.000 dollar. Jag gav den till mr Sullivan, som placerade pengarna på ett konto och anhöll om att domstolen skulle medge försäljning av tidningen. Domaren, en relik som hörde hemma i sängen intill miss Emmas, nickade välvilligt och klottrade sitt namn på ett utslag som gjorde mig till The Ford County Times nye ägare.

Det tar tre generationer att bli accepterad i Ford County. Pengar och anor är oväsentliga, man kan bara inte flytta dit och bli betrodd. Ett mörkt moln av misstänksamhet hänger över varje nykomling, och jag var inget undantag. Människorna där är utomordentligt varma och vänliga och artiga, nästan påträngande i sin välvilja. De nickar och pratar med alla på gatorna i staden. De förhör sig om ens hälsa och vädret, och de inbjuder en till kyrkan. De skyndar sig att hjälpa främlingar.

Men de litar egentligen inte på en om de inte har litat på ens farfar.

När det hade spritt sig att jag, en ung grön främling från Memphis, hade köpt tidningen för femtio, kanske hundra, eller kanske till och med tvåhundratusen dollar, skakades samhället av en väldig skvallervåg. Margaret höll mig informerad. Eftersom jag var ogift, fanns det en möjlighet att jag var homosexuell. Eftersom jag hade studerat i Syracuse, var nu det kunde ligga, var jag förmodligen kommunist. Eller ännu värre, liberal. Eftersom jag kom från Memphis var jag en samhällsomstörtare som tänkte ställa till problem i Ford County.

Ändå, medgav alla inbördes i tysthet, kontrollerade jag nu dödsrunorna! Jag var någon!

Den nya The Ford County Times debuterade den 18 mars 1970, bara tre veckor efter det att dvärgen kommit med sina papper. Den var nästan en tum tjock och fylld med fler fotografier än som någonsin tidigare hade publicerats i en landsortstidning. Vargungegrupper, blåvingebasketbollag, trädgårdsföreningar, bokklubbar, teklubbar, bibelstudiegrupper, softballag, medborgargrupper. Dussintals fotografier. Jag försökte få med varenda levande själ i länet. Och de döda hyllades mer än någonsin. Dödsrunorna var pinsamt långa. Jag är säker på att Fläcken var stolt, men jag hörde aldrig ifrån honom.

Nyheterna var ytliga och lättsamma. Absolut inga redaktionella åsikter. Folk älskar att läsa om brott, så nere i högra hörnet på första sidan placerade jag en sektion med brottsnotiser. Lyckligtvis hade två pickuper stulits veckan innan, och jag skrev om de stölderna som om Fort Knox hade plundrats.

Mitt på första sidan fanns ett ganska stort gruppfoto av den nya regimen – Margaret, Hardy, Baggy Suggs, jag, vår fotograf Wiley Meek, Davey Bigmouth Bass och Melanie Dogan, en deltidsanställd student. Jag var stolt över min personal. Vi hade arbetat dygnet runt i tio dagar, och vårt första nummer var en stor framgång. Vi tryckte femtusen exemplar och sålde allihop. Jag skickade en bunt till BeeBee, och hon blev mycket imponerad.

Den följande månaden fick tidningen långsamt sin form när jag kämpade för att komma fram till vad jag ville att den skulle bli. Förändringar är smärtsamma på Mississippis landsbygd, så jag bestämde mig för att göra det litet i taget. Den gamla tidningen hade gått i konkurs, men den hade förändrats mycket litet på femtio år. Jag skrev fler nyhetsnotiser, sålde mer annonsutrymme, tog in allt fler bilder av grupper av alla tänkbara slag. Och jag arbetade hårt med dödsrunorna.

Jag hade aldrig uppskattat långa arbetsdagar, men eftersom jag var ägaren glömde jag klockan. Jag var för ung och för sysselsatt för att bli rädd. Jag var tjugotre, och genom tur och timing och en rik mormor var jag plötsligt ägare till en veckotidning. Om jag hade tvekat och granskat situationen, och rådgjort med bankfolk och revisorer, skulle säkert någon ha talat förnuft med mig. Men när man är tjugotre, är man orädd. Man har ingenting, så det finns inget att förlora.

Jag bedömde att det skulle ta ett år innan tidningen gick med vinst. I början steg intäkterna långsamt. Sedan blev Rhoda Kassellaw mördad. Det ligger väl i sakens natur att fler tidningsexemplar säljs efter ett brutalt mord när folk vill veta mer. Vi sålde tvåtusenfemhundra exemplar veckan före hennes död, och nästan fyratusen veckan därpå.

Det var inget vanligt mord.

Ford County var en fridsam plats, fylld av folk som antingen var kristna eller påstod sig vara det. Slagsmål förekom ofta, men vanligen bland underklassen som hängde på ölsjapp och liknande. En gång i månaden sköt någon bondlurk på en granne eller kanske på sin egen fru, och varje veckoslut förekom det minst ett knivdåd i den svarta stadsdelen. De händelserna ledde sällan till dödsfall.

Jag ägde tidningen i tio år, från 1970 till 1980, och vi rapporterade om mycket få mord i Ford County. Inget var så brutalt som det på Rhoda Kassellaw; inget var så överlagt. Trettio år senare tänker jag fortfarande på det varje dag.

2

Rhoda Kassellaw bodde i Beech Hill, tjugo kilometer norr om Clanton, i ett enkelt grått tegelhus vid en smal lantlig asfaltväg. Rabatterna längs husets framsida var fria från ogräs och fick daglig vård, och gräsmattan mellan dem och vägen var tät och välklippt. Uppfarten var täckt av vitt stenkross. Längs dess båda sidor låg ett urval sparkcyklar och bollar och cyklar kringströdda. Hennes två små barn var ständigt utomhus, fullt upptagna av sina lekar, ibland med avbrott för att se på en förbipasserande bil.

Det var ett trevligt litet lanthus, ett stenkast från grannarna mr och mrs Deece. Den unge mannen som köpte det dog i en lastbilsolycka någonstans i Texas, och Rhoda blev änka vid tjugoåtta års ålder. Hans livförsäkring betalade huset och bilen. Återstoden investerades för att ge en blygsam månatlig inkomst som gjorde att hon kunde stanna hemma och avguda sina barn. Hon tillbringade timmar utomhus med att pyssla i sin grönsaksodling, plantera blommor, rensa ogräs och gödsla rabatterna längs husets framsida.

Hon höll sig för sig själv. De gamla damerna i Beech Hill betraktade henne som en idealänka som stannade hemma, såg sorgsen ut, och inskränkte sina sociala kontakter till något enstaka kyrkobesök. Hon borde gå i kyrkan oftare, viskade de.

Kort efter sin mans död tänkte Rhoda resa hem till sin familj i Missouri. Hon kom inte från Ford County, inte hennes man heller. De fördes dit av en anställning. Men huset var betalt, barnen var lyckliga, grannarna var trevliga och hennes familj var alldeles för intresserad av hur stor livförsäkring hon hade fått ut. Så hon stannade, alltid med tanken att ge sig iväg men utan att någonsin göra det.

Rhoda Kassellaw var en vacker kvinna när hon ville vara det, vilken inte var särskilt ofta. Hennes välformade, slanka figur doldes vanligen under en löst sittande strykfri bomullsklänning eller en bylsig batistskjorta som hon föredrog när hon arbetade i trädgården. Hon använde mycket litet smink och hade sitt långa lingula hår draget bakåt och hopknutet på hjässan. Större delen av hennes mat kom från hennes organiska odling, och hennes hy skimrade av mjuk hälsa. En så attraktiv ung änka skulle i normala fall varit hett eftertraktad, men hon höll sig för sig själv.

Efter tre års sorg blev emellertid Rhoda rastlös. Hon blev inte yngre, åren rann förbi. Hon var för ung och för vacker för att sitta hemma alla lördagar och läsa godnattsagor. Det måste hända saker där ute, fast det definitivt inte hände något i Beech Hill.

Rhoda anlitade en ung svart flicka i trakten som barnvakt och körde norrut en timme till Tennesseegränsen där hon hade hört att det fanns några respektabla barer och dansställen. Där skulle kanske ingen känna igen henne. Hon tyckte om dansen och flirtandet, men hon drack aldrig och kom alltid hem tidigt. Det blev en vana, två-tre gånger i månaden.

Sedan blev jeansen mer åtsmitande, dansen snabbare, timmarna senare och kvällarna längre. Hon observerades och omtalades på barerna och klubbarna längs delstatsgränsen.

Han följde efter henne hem två gånger innan han dödade henne. Det var i mars, och en varmfront hade medfört ett förhastat hopp om vår. Det var en mörk natt utan måne. Familjens hund Bear vädrade honom först när han kom smygande bakom ett träd bakom huset. Bear skulle just börja morra och skälla när han tystades för gott.

Rhodas son Michael var fem år och hennes dotter Teresa var tre. De bar matchande, prydligt pressade pyjamaser med

Disneyfigurer och såg på sin mors lysande ögon när hon läste historien om Jona i valfiskens buk för dem. Hon stoppade om dem och kysste dem godnatt, och när Rhoda släckte ljuset i deras rum var han redan inne i huset.

En timme senare knäppte hon av TV:n, låste dörrarna och väntade på Bear, som inte kom. Det var inte överraskande eftersom han ofta jagade harar och ekorrar in i skogen och kom hem sent. Bear skulle sova på den bakre verandan och väcka henne i gryningen med sina tjut. I sovrummet drog hon av sig sin tunna bomullsklänning och öppnade garderobsdörren. Han väntade i mörkret där inne.

Han grep tag i henne bakifrån, pressade en kraftig och svettig hand över hennes mun och sade: "Jag har en kniv. Jag hugger dig och ungarna." Med andra handen höll han upp det blänkande knivbladet och viftade med det framför hennes ögon.

"Förstått?" väste han i hennes öra.

Hon darrade och lyckades nicka. Hon kunde inte se hur han såg ut. Han slängde ner henne framstupa på golvet i den överfulla garderoben och drog upp hennes händer på ryggen. Han tog en brun yllehalsduk som en gammal faster givit henne och drog den hårt runt hennes huvud. "Inte ett ljud", morrade han till henne. "Annars hugger jag dina ungar." När ögonbindeln satt på plats grep han tag om hennes hår, ryckte upp henne på fötter och släpade henne till sängen. Han pressade knivspetsen mot hennes haka och sade: "Streta inte emot. Jag har kniven här." Han skar bort hennes trosor och började våldta henne.

Han ville se hennes ögon, de där vackra ögonen som han sett på dansställena. Och det långa håret. Han hade bjudit henne på drinkar och dansat med henne två gånger, och när han slutligen stötte på henne avvisade hon honom. Försök med det, flicka lilla, mumlade han precis så högt att hon kunde höra det.

Han och Jack Daniels hade byggt upp beslutsamheten i tre

timmar, och nu bedövade whiskyn honom. Han rörde sig långsamt över henne, utan jäkt, njöt av varje sekund. Han mumlade på det självbelåtna grymtande sättet hos en man som tar och får det han vill ha.

Lukten av whiskyn och hans svett äcklade henne, men hon var för rädd för att kräkas. Det kunde göra honom rasande, få honom att använda kniven. När hon förmått sig att acceptera det fasansfulla, började hon tänka. Var tyst. Väck inte barnen. Och vad ska han göra med kniven när han är färdig?

Hans rörelser blev snabbare, han mumlade högre. "Tyst, flicka lilla", väste han gång på gång. "Jag använder kniven." Smidesjärnssängen knirrade; den användes inte tillräckligt ofta, sade han sig. För mycket ljud, men det struntade han i.

Sänggnisslet väckte Michael, som sedan väckte Teresa. De smög ut från sitt rum och bort genom hallen för att se vad som hände. Michael öppnade dörren till sin mors sovrum, såg den främmande mannen ovanpå henne och sade: "Mamma!" Mannen hejdade sig för ett ögonblick och vred häftigt huvudet mot barnen.

Ljudet av pojkens röst skrämde Rhoda, som for upp och slog med båda händerna mot angriparen och grep tag i det hon fann. En liten knytnäve träffade hans vänstra öga, ett ordentligt slag som bedövade honom. Sedan slet hon av sig ögonbindeln samtidigt som hon sparkade ut med båda benen. Han slog till henne och försökte pressa ner henne igen. "Danny Padgitt!" skrek hon och fortsatte klösa. Han slog till henne igen.

"Mamma!" skrek Michael.

"Spring!" försökte Rhoda skrika, men hon tystades av angriparens slag.

"Håll käft!" skrek Padgitt.

"Spring!" skrek Rhoda igen, och barnen drog sig bakåt och rusade sedan bort genom hallen, in i köket och ut i säkerhet.

Sekunden efter det att hon hade skrikit hans namn insåg Padgitt att han inte hade något annat val än att tysta henne.

Han grep sin kniv och högg två gånger, sedan slängde han sig ur sängen och slet till sig sina kläder.

Aaron Deece och hans fru satt och såg på natt-TV från Memphis när de hörde Michaels ropande röst närma sig. Mr Deece mötte pojken vid ytterdörren. Hans pyjamas var blöt av svett och dagg och hans tänder skallrade så våldsamt att han knappt kunde tala. "Han gjorde min mamma illa!" sade han gång på gång. "Han gjorde min mamma illa!"

I mörkret mellan de två husen såg mr Deece Teresa som kom springande efter sin bror. Hon sprang nästan på stället, som om hon ville komma till en plats utan att lämna den andra. När mrs Deece slutligen kom ifatt henne vid paret Deeces garage, sög hon på tummen och kunde inte tala.

Mr Deece rusade in i sitt arbetsrum och slet till sig två hagelgevär, ett till sig själv och ett till sin fru. Barnen var inne i köket, så chockade att de nästan var förlamade. "Han gjorde mamma illa!" sade Michael om och om igen. Mrs Deece klappade om dem och sade att allt skulle bli bra. Hon såg på sitt gevär när hennes man lade det på bordet. "Stanna här", sade han och rusade ut ur huset.

Han sprang inte långt. Rhoda kom nästan fram till Deeces hus innan hon föll ihop i det våta gräset. Hon var helt naken och blodig från halsen och nedåt. Han lyfte upp henne och bar henne till verandan, sedan ropade han till sin fru att ta barnen till bakre delen av huset och låsa in dem i ett sovrum. Han kunde inte låta dem se sin mor den sista stunden.

När han lade henne i hammocken viskade Rhoda: "Danny Padgitt. Det var Danny Padgitt."

Han lade en filt över henne och ringde sedan efter en ambulans.

Danny Padgitt höll sin pickup mitt på vägen och körde i etthundrafemtio kilometer i timmen. Han var halvfull och skräckslagen men ovillig att medge det. Han skulle vara hemma om tio minuter, i säkerhet i familjens lilla kungadöme som kallades Padgitt Island.

De där små ansiktena hade förstört allt. Han skulle fundera på det i morgon. Han tog en stor klunk ur whiskyflaskan och kände sig bättre till mods.

Det var en hare eller en liten hund eller någon ohyra, och när den kom farande från vägrenen uppfångade han en skymt av den och reagerade trögt. Han trampade instinktivt på bromsen, bara för en bråkdels sekund eftersom han egentligen struntade i vad han träffade och egentligen gillade att köra ihjäl saker, men han hade trampat för hårt. Bakhjulen låste sig och pickupen kanade. Innan Danny insett det var han illa ute. Han vred ratten åt ena hållet, åt fel håll, och bilen for upp på gruset i vägrenen där den började snurra runt som en tävlingsbil på banan. Den for ner i diket, voltade två varv och slog sedan in i en rad tallar. Om han varit nykter skulle han ha dött, men fyllon klarar sig.

Han kröp ut genom en krossad sidoruta och stod en lång stund lutad mot bilen medan han räknade sina skråmor och begrundade sina utsikter. Ett ben hade plötsligt blivit stelt och när han tog sig upp på vägen insåg han att han inte kunde gå långt till fots. Inte för att han behövde göra det.

Blåljusen var inpå honom innan han märkt det. Polismannen kom ut ur sin bil och granskade platsen med en lång svart ficklampa. Fler blinkljus uppenbarade sig längre bort på vägen.

Polismannen såg blodet, kände whiskylukten och tog fram handbojorna.

3

ig Brown River rinner nonchalant söderut från Tennessee och löper spikrakt som en grävd kanal i tjugo kilometer genom mitten av Tyler County i Mississippi. Tre kilometer ovanför gränsen till Ford County ser den ut som en skrämd orm som slingrar sig förtvivlat utan att komma någonstans. Dess vatten är tjockt och tungt, gyttjigt och trögflytande, grunt för det mesta. Big Brown är inte känt för sin skönhet. Bankar med sand, slam och grus kantar dess oräkneliga krökar och böjar. Hundra träsk och bäckar ger den en obegränsad tillförsel av makligt rinnande vatten.

Dess färd genom Ford County är kort. Den dyker ner och bildar en stor cirkel om ungefär tvåtusen tunnland i länets nordöstra hörn, sedan ger den sig iväg tillbaka mot Tennessee. Cirkeln är nästan perfekt och det bildas nästan en ö, men i sista ögonblicket vänder sig Big Brown bort från sig själv och lämnar en smal strandremsa mellan sina stränder.

Cirkeln kallas Padgitt Island, ett djupt, tätt skogsområde täckt av tall, gummiträd, alm, ek och myriader träskområden och sumpmarker och vattensamlingar, en del förbundna med varandra men mestadels isolerade. Mycket litet av dess bördiga mark hade någonsin röjts. Ingenting skördades på ön, förutom virke och massor av säd – till hembränd sprit. Och marijuana, men det var en senare historia.

På den smala landtungan mellan Big Browns stränder löpte en asfaltväg in och ut igen, in och ut, alltid övervakad av någon. Vägen byggdes för länge sedan av myndigheterna, men mycket få skattebetalare vågade någonsin använda den.

Hela ön hade varit i släkten Padgitts ägo sedan Återuppbyggnaden när Rudolph Padgitt, en politisk lycksökare norrifrån, kom litet för sent efter inbördeskriget och fann att all den bästa marken hade tagits. Han letade utan att hitta något intressant, sedan hittade han på något sätt den ormkryllande ön. Den verkade lovande på kartan. Han samlade ihop en grupp nyligen befriade slavar och slog sig med gevär och machete in på ön. Ingen annan ville ha den.

Rudolph gifte sig med en prostituerad från trakten och började avverka skog. Eftersom det var stort behov av virke efter kriget, blev han förmögen. Kvinnan visade sig vara mycket fruktsam, och snart fanns en hop små Padgittar på ön. En av hans före detta slavar hade lärt sig konsten att bränna sprit. Rudolph blev en spannmålsbonde som varken åt eller sålde sin skörd utan istället använde den för att framställa vad som snart blev känt som en av de finaste whiskysorterna i den djupa södern.

I trettio år gjorde Rudolph hembränt tills han avled av skrumplever 1902. Vid det laget beboddes ön av en hel Padgittklan som var mycket skicklig i att avverka skog och framställa olaglig whisky. På ön fanns ett halvdussin brännerier utspridda, alla omsorgsfullt skyddade och kamouflerade, alla utrustade med modernast tänkbara apparatur.

Familjen Padgitt var berömd för sin whisky, fast berömmelse inte var något de strävade efter. De var hemlighetsfulla och slutna, de höll sig helt för sig själva och var skräckslagna för att någon skulle ta sig in i deras lilla kungarike och decimera deras betydande inkomster. De sade att de var skogsarbetare, och det var välbekant att de sålde virke och levde gott på det. Padgitt Lumber Company hade en framträdande plats vid stora vägen nära floden. De påstod sig vara hederliga människor, skattebetalare och så vidare, och deras barn gick i kommunala skolor.

På 20- och 30-talet, när alkohol var förbjuden och nationen var törstig, var Padgitts whisky ständigt eftertraktad. Den fördes i ektunnor över Big Brown och kördes med lastbilar norrut, så långt bort som till Chicago. Patriarken, styrelseordföranden och ledaren för produktionen och marknadsföringen var en snål gammal kämpe vid namn Clovis Padgitt, äldste sonen till Rudolph och den prostituerade. Clovis hade sedan späd ålder fått lära sig att de bästa intäkterna var sådana som inte drabbades av skatter. Det var läxa nummer ett. Nummer två predikade det underbara budskapet att enbart ta kontant betalning. Clovis var en hårdnackad anhängare av kontanter och ingen skatt, och det ryktades att familjen Padgitt hade mer pengar än Mississippis delstatskassa.

1938 tog sig tre agenter från skattemyndigheterna över Big Brown i en hyrd flatbottnad båt på jakt efter källan till Old Padgitt. Deras hemliga landstigning var illa genomtänkt på många sätt, allra mest tanken bakom det hela. Men av någon anledning valde de midnatt som tidpunkt för att ta sig över floden. De styckades och lades i djupa gravar.

1943 inträffade något egendomligt i Ford County – en hederlig karl valdes till sheriff. Eller High Sheriff som det vanligen kallas. Han hette Koonce Lantrip, och han var egentligen inte så hederlig men han lät mycket bra när han höll tal. Han lovade att stävja korruptionen, att rensa upp i länsstyrelsen, att sätta stopp för smugglare och hembrännare, till och med familjen Padgitt. Det var ett fint tal och Lantrip vann med åtta röster.

Hans anhängare väntade och väntade, och slutligen, ett halvår efter det att han tillträtt sin post, samlade han sina poliser och korsade Big Brown via dess enda bro, en urgammal träkonstruktion som kommunen låtit bygga 1915 på Clovis begäran. Familjen Padgitt använde den ibland på vårarna när vattenståndet var högt. Ingen annan tilläts använda den.

Två av poliserna sköts i huvudet, och Lantrips kropp återfanns aldrig. Den lades försiktigt till sin sista vila vid stranden till ett träskområde av tre av Padgitts negrer. Buford, Clovis äldste son, ledde begravningsakten.

Massakern var en stor nyhet i Mississippi i flera veckor, och delstatsguvernören hotade sätta in nationalgardet. Men andra världskriget rasade och nationen koncentrerade sig snart på D-dagen. Det återstod hursomhelst inte så mycket av nationalgardet, och de som kunde slåss hade inget intresse av att anfalla Padgitt Island. Normandies stränder lockade mer.

Sedan de hedervärda medborgarna i Ford County hade upplevt en hederlig sheriff, valde de en av den gamla sorten. Han hette Mackey Don Coley och hans far hade varit sheriff på tjugotalet när Clovis styrde på Padgitt Island. Clovis och gamle Coley hade varit ganska nära vänner, och det var allmänt känt att sheriffen var en förmögen man på grund av att Old Padgitt så obehindrat fick föras ut ur länet. När Mackey Don tillkännagav sin kandidatur skickade Buford 50.000 dollar i kontanter till honom. Mackey Don vann en jordskredsseger. Hans motståndare påstod sig vara hederlig.

Det fanns en vida spridd men outtalad övertygelse i Mississippi att en bra sheriff måste vara litet ohederlig för att kunna upprätthålla lag och ordning. Whisky, horeri och spel var naturliga delar av livet, och en bra sheriff måste vara insatt i dem för att ordentligt kunna reglera dem och skydda de kristna. De där lasterna kunde inte elimineras, så sheriffen måste kunna samordna dem och synkronisera syndens flöden. Som tack för sina stora insatser fick han litet extra betalt av dem som försåg folk med dessa osedligheter. Han förväntade sig det. De flesta väljarna förväntade sig det. Ingen hederlig människa kunde leva på en så låg lön. Ingen hederlig människa kunde tyst smyga sig fram genom den undre världens skuggor.

I nästan hundra år efter inbördeskriget ägde familjen Padgitt sherifferna i Ford County. De köpte dem kontant med säckar fyllda med pengar. Mackey Don Coley fick hundratusen om året (ryktades det), och under valåren fick han det han behövde. Och de var generösa mot andra politiker. De köpte och behöll diskret inflytande. De begärde mycket litet; de ville bara vara ifred på sin ö.

Efter andra världskriget började efterfrågan på hembränt stadigt sjunka. Eftersom familjen Padgitt i generationer hade fått lära sig att arbeta utanför lagens gränser, började Buford och familjen ge sig in på andra verksamhetsområden. Det var trist att bara sälja virke, det styrdes av alldeles för många marknadsfaktorer och, allra viktigast, det gav inte de berg av kontanter som familjen förväntade sig. De smugglade vapen, stal bilar, förfalskade pengar, köpte och satte eld på hus för att få ut försäkringspengar. I tjugo år drev de en mycket framgångsrik bordell vid länsgränsen, tills den på ett mystiskt sätt brann ner 1966.

De var kreativa och energiska människor som ständigt intrigerade och letade efter möjligheter, som ständigt väntade på någon att råna. Det förekom rykten, ganska spridda ibland, om att familjen Padgitt ingick i Dixiemaffian, en löslig grupp bondska tjuvar som på sextiotalet härjade i den djupa Södern. Dessa rykten bekräftades aldrig och avfärdades i själva verket av många eftersom familjen Padgitt helt enkelt var för hemlighetsfull av sig för att dela sin verksamhet med någon. Ändå hängde ryktena kvar i åratal och familjen Padgitt var föremål för oändliga mängder skvaller på kaféerna och matserveringarna runt torget i Clanton. De betraktades aldrig som lokala hjältar, men definitivt som legender.

1967 flydde en yngre Padgitt till Kanada för att slippa militärtjänst. Han drog sig ner till Kalifornien där han prövade marijuana och upptäckte att han tyckte om det. Efter några månader som fredsdemonstrant fick han hemlängtan och smög sig tillbaka till Padgitt Island. Han hade med sig två kilo hasch som han delade med alla sina kusiner, och även de blev förtjusta i det. Han förklarade att resten av landet, och speciellt Kalifornien, rökte på som tokiga. Som vanligt låg Mississippi minst fem år efter i utvecklingen.

Plantorna kunde odlas billigt och sedan transporteras till städerna där det fanns efterfrågan. Hans far Gill Padgitt, sonson till Clovis, insåg möjligheterna och snart hade många av de gamla åkrarna blivit cannabisodlingar. En sjuhundra meter lång landningsbana anlades och familjen Padgitt köpte ett flygplan. Inom ett år gick dagliga flygningar till utkanterna av Memphis och Atlanta, där familjen Padgitt hade etablerat sitt nätverk. Till deras förtjusning och med deras hjälp blev marijuana slutligen populär i den djupa södern.

Hembrännandet blev betydligt mindre. Bordellen var borta. Familjen Padgitt hade kontakter i Miami och Mexiko och pengarna strömmade in i väldiga mängder. I åratal hade ingen i Ford County en aning om att familjen Padgitt sysslade med narkotika. Ingen Padgitt åtalades någonsin för narkotikabrott.

Faktum var att inte en enda Padgitt någonsin hade gripits. Hundra års hembränning, stöld, vapenhandel, spel, förfalskning, prostitution, till och med mord och slutligen narkotikaframställning, och inte ett enda gripande. De var sluga människor, försiktiga, eftertänksamma, noga med sina projekt.

Sedan blev Danny Padgitt, Gills yngste son, anhållen för våldtäkten och mordet på Rhoda Kassellaw.

4

Nästa dag berättade mr Deece för mig att när han var övertygad om att Rhoda var död, lämnade han henne i hammocken på verandan. Han gick till sitt badrum där han klädde av sig och duschade och såg hennes blod rinna ner i avloppet. Han bytte till arbetskläder och väntade på polisen och ambulansen. Han höll ögonen på hennes hus med ett laddat gevär i händerna, beredd på att skjuta på allt som rörde sig. Men inget rörde sig, inget hördes. I fjärran kunde han nätt och jämnt uppfatta en siren.

Hans fru hade låst in barnen i sovrummet på baksidan där hon låg hopkrupen med dem under en filt i sängen. Michael frågade gång på gång efter sin mor och vem var den där mannen? Men Teresa var för chockad för att säga något. Hon fick bara fram små kvidanden medan hon sög på tummen och darrade som om hon frös.

Snart var Benning Road full av röda och blå blinkljus. Rhodas kropp fotograferades omsorgsfullt innan den fördes bort. Hennes hus avspärrades av en grupp poliser under ledning av sheriff Coley själv. Mr Deece, som fortfarande höll i geväret, gav sitt vittnesmål till en kriminalpolis och sedan till sheriffen.

Kort efter klockan två på natten kom en polis och meddelade att en läkare i staden hade kontaktats och föreslagit att barnen hämtades dit för en undersökning. De satt i baksätet på en polisbil, Michael fastklamrad vid mr Deece och Teresa i knät på hans fru. På sjukhuset fick de ett svagt sömnmedel och placerades tillsammans i ett halvenskilt rum där sköterskorna gav dem kakor och mjölk tills de slutligen somnade. Senare den dagen kom en faster från Missouri och hämtade dem.

Min telefon ringde några sekunder efter midnatt. Det var Wiley Meek, tidningens fotograf. Han hade hört nyheten på polisradion och väntade redan utanför fängelset för att försöka ta en bild av den misstänkte. Det fanns poliser överallt, sade han, nätt och jämnt i stånd att behärska sin upphetsning. Skynda dig, sade han. Det här kan vara stort.

Vid den tiden bodde jag ovanför ett gammalt garage intill en förfallen men fortfarande storslagen viktoriansk herrgårdsbyggnad som kallades Hocutt House. Den var fylld av åldriga medlemmar av familjen Hocutt, tre systrar och en bror, och de turades om att vara min värd. Deras fem tunnland stora egendom låg några kvarter från stora torget i Clanton och hade byggts för familjepengar ett sekel tidigare. Tomten var full av träd, igenväxta rabatter, täta ogrässnår, och tillräckligt med djur för att fylla ett viltreservat. Kaniner, ekorrar, skunkar, pungråttor, tvättbjörnar, en miljon fåglar, en förfärande samling gröna och svarta ormar – allihop ofarliga, sade man lugnande – och dussintals katter. Men inga hundar. Familjen Hocutt avskydde hundar. Varje katt hade ett namn, och en väsentlig klausul i mitt muntliga hyresavtal var att jag måste respektera katterna.

Jag respekterade dem. Fyrarummaren på garagevinden var spatiös och ren och kostade mig den löjliga summan femtio dollar i månaden. Om de ville ha sina katter respekterade till det priset, så gärna för mig.

Deras far, Miles Hocutt, hade i årtionden varit en excentrisk läkare i Clanton. Deras mor dog i barnsäng och enligt ryktet blev doktor Hocutt överdrivet mån om barnen efter hennes död. För att skydda dem för världen kokade han ihop en av de största lögner som någonsin berättats i Ford County. Han förklarade för sina barn att släkten plågades av en men-

33

talsjukdom och att de därför aldrig fick gifta sig, för att inte ge upphov till någon otäck avkomma. Hans barn avgudade honom, trodde honom, och var förmodligen redan en aning obalanserade. De gifte sig aldrig. Sonen Max Hocutt var åttioett år när han hyrde ut lägenheten till mig. Tvillingarna Wilma och Gilma var sjuttiosju, och minstingen Melberta var sjuttiotre och totalt vriden.

Jag tror det var Gilma som kikade ut genom köksfönstret när jag vid midnatt gick nerför trätrappan. En katt sov på nedersta trappsteget, mitt i vägen för mig, men jag klev respektfullt över den. Jag hade velat sparka ut den på gatan.

Två bilar stod i garaget. En var min Spitfire med uppfälld sufflett för att hålla katterna borta, den andra var en lång blänkande svart Mercedes med rödvita slaktarknivar målade på dörrarna. Under knivarna fanns ett telefonnummer i grönt. Någon hade en gång sagt till Max Hocutt att han helt och hållet kunde avskriva kostnaden för en ny bil, vilken bil som helst, om han använde den i yrket och något slags firmamärke målades på dörrarna. Han köpte en ny Mercedes och blev knivslipare. Han sade att han hade verktygen i bagageutrymmet.

Bilen var tio år gammal och hade körts mindre än trettontusen kilometer. Deras far hade också predikat för dem om det syndiga i kvinnor vid ratten, så mr Max var familjens chaufför.

Jag lät min Spitfire rulla nerför uppfarten och vinkade till Gilma som kikade ut bakom gardinen. Hon ryckte bort huvudet och försvann. Fängelset låg sex kvarter bort. Jag hade sovit ungefär en halvtimme.

Danny Padgitt lämnade just sina fingeravtryck när jag kom dit. Sheriffens rum låg mot gatan och det var fullt av poliser och reservister och frivilliga brandmän och alla som hade tillgång till en uniform och en polisradio. Wiley Meek väntade på mig på trottoaren framför fängelset.

"Det är Danny Padgitt!" sade han upphetsat.

34

Jag hejdade mig och försökte tänka. "Vem?"

"Danny Padgitt, från ön."

Jag hade bott i Ford County knappt tre månader och hade ännu inte träffat en enda Padgitt. De höll sig som alltid för sig själva. Men jag hade hört diverse avsnitt av legenden om dem, och mycket mer skulle komma. Padgetthistorier var en vanlig form av underhållning i Ford County.

Wiley fortsatte ivrigt: "Jag fick några fina bilder av honom precis när de tog honom ur bilen. Blodig överallt. Strålande bilder! Flickan är död!"

"Vilken flicka?"

"Den som han dödade. Våldtog henne också, det är åtminstone vad som sägs."

Danny Padgitt, mumlade jag för mig själv när jag började få grepp om den sensationella nyheten. Jag fick min första skymt av rubriken, utan tvivel den största som The Ford County Times hade slagit upp på många år. Stackars gamle Fläcken hade undvikit de omskakande nyheterna. Stackars gamle Fläcken hade gått i konkurs. Jag hade andra planer.

Vi trängde oss in och såg oss omkring efter sheriff Coley. Jag hade träffat honom två gånger under min korta tid på tidningen och hans artighet och varmhjärtade natur hade gjort intryck på mig. Han kallade mig mister och sade herrn och frun till alla, alltid med ett leende. Han hade varit sheriff sedan massakern 1943, så han närmade sig de sjuttio. Han var lång och mager, utan den obligatoriska hängbuken som krävs av flertalet sheriffer i sydstaterna. På ytan var han en gentleman och båda gångerna jag träffade honom hade jag undrat hur en så trevlig karl kunde vara så korrumperad. Han kom ut från ett inre rum tillsammans med en polisman och jag skyndade beslutsamt bort till honom.

"Bara ett par frågor, sheriffen", sade jag bestämt. Det fanns inga andra journalister i rummet. Hans folk – de riktiga poliserna, deltidarna, de som ville bli poliser, låtsaspoliserna med hemgjorda uniformer – alla tystnade och blängde surt på mig.

Jag var fortfarande i hög grad den framfusige nye rikemansgossen som på något sätt hade tagit kontroll över deras tidning. Jag var en utsocknes, utan rätt att klampa in i en stund som denna och börja ställa frågor.

Sheriff Coley log som vanligt, som om detta slags händelse ständigt inträffade kring midnatt. "Ja, sir, mr Traynor." Han talade med en mjuk släpande röst som var mycket lugnande. Skulle väl denne man kunna ljuga?

"Vad kan ni berätta för oss om mordet?"

Med armarna i kors över bröstet gav han några grundfakta på polisspråk. "Vit kvinna, trettioett, angreps i sitt hem på Benning Road. Våldtagen, knivskuren, mördad. Kan inte ge er namnet förrän vi har meddelat hennes anhöriga."

"Har ni gjort ett gripande?"

"Ja, sir, men inga detaljer just nu. Ge oss ett par timmar. Vi utreder saken. Det var allt, mr Traynor."

"Det ryktas att ni har gripit Danny Padgitt."

"Jag sysslar inte med rykten, mr Traynor. Inte i mitt yrke. Inte ni i ert heller."

Wiley och jag körde till sjukhuset, snokade där en timme, hörde inget som vi kunde trycka och körde sedan till brottsplatsen på Benning Road. Polisen hade spärrat av huset och några grannar stod tysta i en grupp utanför ett gult avspärrningsband intill brevlådan. Vi drog oss intill dem, lyssnade uppmärksamt, hörde nästan ingenting. De tycktes vara för chockade för att prata. Efter att ha glott på huset en stund smög vi oss iväg.

Wiley hade en brorson som var deltidspolis, och vi fann att han stod vakt vid Deeces hus där folk fortfarande undersökte verandan och hammocken där Rhoda tagit sitt sista andetag. Vi drog honom åt sidan, bakom en rad av mr Deeces myrtenbuskar, och han berättade allt för oss. Alltsammans inofficiellt, naturligtvis, som om de bloddrypande detaljerna på något sätt kunde hållas hemliga i Ford County.

Det fanns tre små matställen runt torget i Clanton, två för de vita, ett för de svarta. Wiley föreslog att vi skulle ta ett bord och bara lyssna.

Jag äter inte frukost, och jag brukar inte vara vaken vid den tid då den serveras. Jag har inget emot att arbeta till midnatt, men jag föredrar att sova tills solen står högt uppe och i allas åsyn. Jag hade snabbt insett att en av fördelarna med att äga en liten veckotidning var att jag kunde arbeta till sent och sova länge. Artiklarna kunde skrivas när som helst, bara de var färdiga vid lämningstid. Fläcken hade brukat titta in litet före middagstid, naturligtvis efter att ha tittat in på begravningsbyrån. Jag tyckte om hans arbetstider.

Andra dagen efter det att jag hade flyttat in i min lägenhet ovanför Hocutts garage, bultade Gilma på min dörr halv tio på förmiddagen. Och bultade och bultade. Jag raglade slutligen i underkläderna genom mitt lilla kök och såg henne kika in genom persiennerna. Hon förkunnade att hon tänkt ringa till polisen. De andra familjemedlemmarna vankade runt garaget där nere och tittade på min bil, övertygade om att ett brott hade begåtts.

Hon frågade vad jag gjorde. Jag sade att jag hade sovit tills jag hörde någon bulta på den satans dörren. Hon frågade varför jag fortfarande sov halv tio en onsdag. Jag gned mig i ögonen och försökte komma på ett lämpligt svar. Jag blev plötsligt medveten om att jag nästan var vaken och stod framför en sjuttiosjuårig oskuld. Hon stirrade på mina lår.

De hade varit uppe sedan klockan fem, förklarade hon. I Clanton sover ingen till halv tio. Var jag berusad? De var bara oroliga. När jag stängde dörren sade jag till henne att jag var nykter, fortfarande sömnig, tack för intresset, men jag skulle ofta ligga i sängen efter nio.

Jag hade besökt Tea Shoppe ett par gånger för att dricka kaffe och en gång för att äta lunch. Som tidningens ägare ansåg jag att det var nödvändigt att cirkulera och bli sedd vid en passande tid på dagen. Jag var intensivt medveten om att jag i många år skulle skriva om Ford County, dess människor och platser och händelser.

Wiley sade att matställena skulle vara fulla av folk tidigt på dagen. "Alltid efter fotbollsmatcher och bilolyckor", sade han. "Hur är det efter mord?" frågade jag.

"Det var länge sedan sist", sade han.

Han hade rätt, det var fullt när vi kom in, strax efter sex på morgonen. Han hälsade här och var, skakade några händer, utbytte ett par förolämpningar. Han var född i Ford County och kände alla. Jag nickade och log och observerade de sneda blickarna. Det skulle ta åratal. Människorna var vänliga men vaksamma mot utsocknes.

Vi hittade ett par platser vid disken och jag beställde kaffe. Inget annat. Servitrisen tyckte inte om det. Hon blev emellertid mer välvillig mot Wiley när han tänkte om och beställde äggröra, lantskinka, bullar, majsgryn och massor av potatiskroketter, tillräckligt med kolesterol för att knäcka en mulåsna.

Det pratades om våldtäkten och mordet och inget annat. Om vädret kunde ge upphov till gräl, tänk då vad ett vidrigt brott kunde leda till. Familjen Padgitt hade styrt trakten i hundra år; det var dags att sätta dem i fängelse. Låt nationalgardet omringa ön om så krävdes. Mackey Don måste bort; han hade varit deras lakej alldeles för länge. Om en hop skurkar får löpa fritt, tror de att de står över lagen. Och nu det här.

Det sades inte mycket om Rhoda, eftersom mycket litet var känt. Någon visste att hon hade hängt på dansställena vid delstatsgränsen. Någon sade att hon hade legat med en jurist i staden. Visste inte vad han hette. Bara ett rykte.

Ryktena stormade runt inne på Tea Shoppe. Ett par av gaphalsarna turades om att hålla hov, och det förvånade mig hur vårdslösa de var med sina versioner av sanningen. Synd att jag inte kunde trycka allt det ljuvliga skvaller vi hörde.

5

Vi tryckte emellertid en hel del. Rubriken meddelade att Rhoda Kassellaw hade våldtagits och mördats, och att Danny Padgitt hade gripits för det. Rubriken kunde läsas på tjugo meters håll på alla trottoarerna runt tingshustorget.

Under den fanns två fotografier, ett av Rhoda som gymnasist och ett av Padgitt när han fördes in i fängelset försedd med handbojor. Wiley hade jagat honom hela natten. Det var en perfekt bild där Padgitt hånflinade mot kameran. Han hade blod i pannan efter bilolyckan, och blod på skjortan efter överfallet. Han verkade ondskefull, elak, oförskämd, full och skyldig av bara helvete, och jag visste att fotografiet skulle väcka sensation. Wiley tyckte att vi borde undvika det, men jag var tjugotre år och för ung för att tyglas. Jag ville att mina läsare skulle se och inse den fula sanningen. Jag ville sälja lösnummer.

Fotografiet av Rhoda hade införskaffats från en syster i Missouri. Första gången jag talade med henne, i telefon, hade hon nästan inget att säga och lade snabbt på luren. Andra gången tinade hon upp en liten aning, sade att barnen stod under observation av en läkare, att begravningen skulle ske på tisdagseftermiddagen i en liten stad nära Springfield, och såvitt det ankom på familjen kunde hela delstaten Mississippi brinna i helvetet.

Jag sade att jag förstod helt och fullt, att jag kom från Syracuse, att jag var en av de bra människorna. Hon gick slutligen med på att skicka ett fotografi till mig.

Med hjälp av ett antal anonyma källor beskrev jag i detalj vad som hänt på lördagsnatten i huset på Benning Road. När jag var säker på en uppgift, framhöll jag den. När jag inte var så säker, smög jag runt kanterna med tillräckligt många antydningar för att få fram vad jag trodde hade hänt. Baggy Suggs nyktrade till så länge att han kunde läsa igenom och redigera artiklarna. Han räddade oss antagligen från att bli stämda eller skjutna.

På sidan två fanns en skiss av brottsplatsen och ett stort fotografi av Rhodas hus, taget morgonen efter brottet, med polisbilar och gula avspärrningsband överallt. I fotografiet fanns också Michaels och Teresas cyklar och leksaker kringströdda på gräsmattan. På många sätt var bilden mer skrämmande än den av liket, som jag inte hade men hade försökt få fram. Fotografiet uttryckte tydligt och klart att barn bodde där, och att barn var inblandade i ett brott som var så brutalt att de flesta invånarna i Ford County fortfarande försökte fatta att det verkligen hade inträffat.

Hur mycket hade barnen sett? Det var den stora frågan.

Jag besvarade den inte i tidningen, men jag kom så nära som möjligt. Jag beskrev huset och rumsfördelningen. Med hjälp av en anonym källa bedömde jag att barnens sängar fanns ungefär tio meter från deras mors. Barnen flydde från huset före Rhoda, de var chockade när de kom till grannhuset, de undersöktes av en läkare i Clanton och fick något slags terapi hemma i Missouri. De hade sett en hel del.

Skulle de vittna i en rättegång? Baggy sade att det inte fanns en chans; de var helt enkelt för små. Men jag plockade frågan ur luften och ställde den ändå, för att ge läsarna ytterligare något att gräla om och grubbla över. Efter att ha utforskat möjligheten att barnen skulle förevisas i en rättssal, slöt jag mig till att "experter" var ense om att något sådant vore osannolikt. Baggy uppskattade att betraktas som expert.

Rhodas dödsruna var så lång jag möjligtvis kunde göra den, vilket med tanke på tidningens traditioner inte var ovanligt.

Vi gick i press vid tiotiden på tisdagskvällen; tidningen fanns i ställen runt torget klockan sju på onsdagsmorgonen. Upplagan hade sjunkit till knappt tolvhundra när konkursen inträffade, men efter en månad under min orädda ledning hade vi nästan tvåtusenfemhundra prenumeranter – femtusen var ett realistiskt mål.

Till mordet på Rhoda Kassellaw tryckte vi åttatusen exemplar och spred ut dem överallt – vid dörrarna till serveringarna runt torget, i tingshusets korridorer, på bordet hos varenda anställd i förvaltningen, i banklokalerna. Vi skickade tretusen gratisexemplar till tänkbara prenumeranter som en del i en plötslig enstaka försäljningskampanj.

Enligt Wiley var detta det första mordet på åtta år. Det var en Padgitt! Det var en underbar sensationell nyhet och jag betraktade den som mitt gyllene tillfälle. Visst siktade jag in mig på att chockera, på det sensationella, på blodfläckarna. Visst var det sensationsjournalistik, men vad gjorde det mig?

Jag hade ingen aning om att reaktionen skulle bli så snabb och obehaglig.

Klockan nio på torsdagsförmiddagen var stora rättssalen på andra våningen i Ford Countys tingshus full av folk. Den tillhörde Hans nåd Reed Loopus, en åldrad tingsdomare från Tyler County som kom till Clanton åtta gånger om året för att skipa rättvisa. Han var en legendarisk gammal kämpe som styrde med järnnäve och som – enligt Baggy, som tillbringade större delen av sitt arbetsliv med att hänga runt tingshuset där han antingen uppfångade skvaller eller gav upphov till det – var en helt igenom hederlig domare som på något sätt hade lyckats undvika Padgittpengarnas tentakler. Domare Loopus ansåg, kanske för att han kom från ett annat län, att förbrytare skulle avtjäna långa straff, helst med hårt straffarbete, fast han inte längre kunde utdöma sådant.

Måndagen efter mordet hade familjen Padgitts advokater kämpat för att få Danny ut ur fängelset. Domare Loopus var upptagen av en annan rättegång i ett annat län – hans distrikt omfattade sex stycken – och han vägrade låta sig tvingas in i en snabb borgensförhandling. Istället bestämde han att domstolsprövningen skulle ske klockan nio på torsdagsförmiddagen, vilket gav staden flera dagar för att grubbla och spekulera.

Eftersom jag tillhörde presskåren, faktiskt ägde lokaltidningen, ansåg jag att det var min plikt att komma tidigt och ordna en bra plats. Ja, jag var litet självbelåten. De andra åhörarna var där av nyfikenhet. Jag hade emellertid ett mycket viktigt arbete att utföra. Baggy och jag satt i andra bänkraden när folk började strömma in.

Danny Padgitts huvudadvokat var en person som hette Lucien Wilbanks, en man som jag snabbt skulle lära mig hata. Han var vad som återstod av en tidigare framstående klan av advokater och bankfolk och liknande. Familjen Wilbanks hade arbetat hårt och länge för att bygga upp Clanton, sedan kom Lucien och praktiskt taget förstörde familjenamnet. Han ansåg sig vara en radikal advokat, vilket var något ganska sällsynt 1970 i den delen av världen. Han hade skägg, svor som en sjöman, drack mycket och föredrog klienter som var våldtäktsmän och mördare och pedofiler. Han var den ende vite medlemmen i den svarta organisationen NAACP i Ford County, vilket var tillräckligt för att få honom skjuten där. Det struntade han i.

Lucien Wilbanks var aggressiv och orädd och direkt gemen, och han väntade tills alla hade satt sig i rättssalen – strax innan domare Loopus inträdde – innan han långsamt gick fram till mig. Han höll i det senaste numret av The Ford County Times, som han viftade med när han började svära. "Din lilla skit!" sade han med hög röst, och det blev dödstyst i rättssalen. "Vem i helvete tror du att du är?"

Jag var för skakad för att försöka svara. Jag kände hur Baggy drog sig undan. Varenda människa i rättssalen stirrade på mig, och jag insåg att jag måste säga något. "Jag bara säger sanningen", lyckades jag säga med så mycket övertygelse som jag förmådde uppamma.

"Det är skandaljournalistik!" röt han. "Sensationsskit!" Tidningen hölls bara några centimeter från min näsa.

"Tack för det", sade jag som en riktig besserwisser. Det fanns minst fem poliser i rättssalen, ingen av dem visade något intresse av att avbryta det hela.

"Vi inlämnar en stämning i morgon!" sade han med flammande ögon. "En miljon dollar i skadestånd!"

"Jag har advokater", sade jag, plötsligt skräckslagen för att jag skulle bli lika bankrutt som familjen Caudle. Lucien slängde tidningen i mitt knä, sedan vände han på klacken och återvände till sitt bord. Jag kunde äntligen andas ut; mitt hjärta bultade hårt. Jag kunde känna kinderna hetta av förlägenhet och fruktan.

Men jag lyckades hålla kvar ett fånigt leende. Jag kunde inte visa lokalbefolkningen att jag, deras tidnings chefredaktör och utgivare, var rädd för något. Men en miljon dollar i skadestånd! Jag tänkte omedelbart på min mormor i Memphis. Det skulle bli ett besvärligt samtal.

Det blev uppståndelse bakom domarbänken och ett biträde öppnade en dörr. "Samtliga rese sig", förkunnade han. Domare Loopus smög in och hasade fram till sin plats med den bleknade ämbetsdräkten släpande efter sig. När han hade satt sig granskade han publiken och sade: "God morgon. Ganska bra anslutning för att vara en borgensförhandling." Den sortens ärenden lockade i allmänhet inte någon förutom den anklagade, hans advokat och kanske hans mamma. Den här följdes av trehundra personer.

Det var inte bara en borgensförhandling. Det var första ronden i våldtäkts/mordrättegången, och få i Clanton ville missa den. Jag var intensivt medveten om att de flesta inte kunde närvara under rättegången. De skulle förlita sig på The Ford County Times, och jag var fast besluten att berätta allt för dem.

Varje gång jag såg på Lucien Wilbanks, tänkte jag på stämningen på en miljon dollar. Han tänkte väl inte stämma min tidning? För vad? Det hade inte förekommit något ärerörigt, något förtal.

Domare Loopus nickade till ett annat biträde och en sidodörr öppnades. Danny Padgitt fördes in med händerna fjättrade vid midjan. Han var klädd i välstruken vit skjorta, khakibyxor och sportskor. Hans ansikte var slätrakat och utan några påtagliga skador. Han var tjugofyra år gammal, ett år äldre än jag, men han verkade mycket yngre. Han var stilig, med rena drag, och jag kunde inte låta bli att tänka att han borde studera vid något universitet. Han lyckades svassa fram, sedan hånflinade han när biträdet lossade handbojorna. Han såg sig omkring i lokalen och tycktes för ett ögonblick njuta av uppmärksamheten. Han visade hela självsäkerheten hos en person vars familj har obegränsade kontanta tillgångar, som den skulle använda för att få honom ur hans lilla knipa.

Omedelbart bakom honom, utanför avspärrningen vid första bänkraden, satt hans föräldrar och diverse andra medlemmar av släkten Padgitt. Hans far Gill, sonson till den ökände Clovis Padgitt, hade universitetsexamen och påstods vara den främste penningtvättaren i gänget. Hans mor var välklädd och en smula tilldragande, vilket jag fann märkligt hos någon som varit enfaldig nog att gifta in sig i Padgittklanen och tillbringa återstoden av sitt liv isolerad på ön.

"Jag har aldrig sett henne förut", viskade Baggy till mig.

"Hur ofta har du sett Gill?" frågade jag.

"Kanske två gånger de senaste tjugo åren."

Delstaten representerades av länsåklagaren, en deltidare vid namn Rocky Childers. Domare Loopus sade till honom: "Mr Childers, jag förmodar att delstaten motsätter sig borgen."

Childers reste sig och sade: "Ja, sir."

"Av vilket skäl?"

"Brottets förfärande art, Ers nåd. En brutal våldtäkt, i offrets egen säng, inför hennes små barn. Samtidigt ett mord utfört medelst minst två knivhugg. Det flyktförsök som gjordes av den anklagade mr Padgitt." Childers ord skar genom den tysta rättssalen. "Det är mycket sannolikt att vi aldrig kommer att få se mr Padgitt igen om han lämnar fängelset."

Lucien Wilbanks brann av iver att få resa sig och börja munhuggas. Han for omedelbart upp på fötter. "Vi protesterar mot det, Ers nåd. Min klient finns inte i något straffregister, han har aldrig tidigare gripits."

Domare Loopus blickade lugnt ut över sina läsglasögon och sade: "Mr Wilbanks, jag hoppas att detta är första och sista gången ni avbryter någon under den här rättegången. Jag föreslår att ni sätter er, och när rätten är beredd att höra er åsikt, kommer ni att informeras om det." Hans ord var iskalla, nästan hätska, och jag undrade hur många gånger de båda hade drabbat samman i denna rättssal.

Ingenting besvärade Lucien Wilbanks; hans hud var tjock som oxläder.

Childers gav oss sedan litet bakgrundsinformation. Elva år tidigare, 1959, hade en viss Gerald Padgitt åtalats för att ha stulit bilar i Tupelo. Det tog ett år att hitta ett par poliser beredda att gå in på Padgitt Island med en häktningsorder, och även om de överlevde så lyckades de inte. Gerald Padgitt antingen flydde ur landet eller gömde sig någonstans på ön. "Var han än är", sade Childers, "så har han aldrig gripits, aldrig hittats."

"Har du någonsin hört talas om Gerald Padgitt?" viskade jag till Baggy.

"Nej."

"Om den svarande friges mot borgen, Ers nåd, kommer vi aldrig att få se honom igen. Så enkelt är det." Childers satte sig.

"Mr Wilbanks", sade Hans nåd.

Lucien reste sig långsamt upp och gjorde en gest mot Childers. "Åklagaren är som vanligt förvirrad", började han älskvärt. "Gerald Padgitt är inte anklagad för de här brotten. Jag är inte hans ombud och jag skiter faktiskt i vad som har hänt honom."

"Tänk på hur ni uttrycker er", sade Loopus.

"Han är inte åtalad här. Det här handlar om Danny Padgitt,

en ung man som aldrig har varit i klammeri med rättvisan."

"Äger er klient fast egendom här i länet?" frågade Loopus.

"Nej, det gör han inte. Han är bara tjugofyra år gammal."

"Låt oss komma till saken, mr Wilbanks. Jag vet att hans familj äger betydande landområden. Jag kan medge borgen bara om allt lämnas som säkerhet för att han inställer sig till rättegången."

"Det är upprörande", morrade Lucien.

"Det är också hans påstådda brott."

Lucien slängde sitt anteckningsblock på bordet. "Jag vill rådfråga familjen."

Detta väckte betydande oro bland medlemmarna av familjen Padgitt. De kurade sig samman vid försvarssidans bord med Wilbanks, och det rådde oenighet från första början. Det var nästan lustigt att se de där förmögna skurkarna skaka på huvudet och bli rasande på varandra. Familjegräl är snabba och hätska, speciellt när pengar står på spel, och alla närvarande familjemedlemmar tycktes ha egna åsikter om hur man skulle agera. Man kunde bara föreställa sig hur det var när de delade upp byte mellan sig.

Lucien anade att de knappast skulle komma överens, och för att undvika pinsamheter vände han sig till rätten. "Det är omöjligt, Ers nåd", sade han. "Familjen Padgitts mark ägs av minst fyrtio olika personer, och de flesta av dem finns inte här i rättssalen. Det rätten kräver är godtyckligt och överdrivet betungande."

"Jag ger er några dagar för att ordna saken", sade Loopus som uppenbarligen njöt av det obehag han ställde till med.

"Nej, sir. Det är helt enkelt inte rättvist. Min klient har rätt till en rimlig borgen, precis som alla andra åtalade."

"I så fall avslås borgen fram till förundersökningen."

"Vi avstår från förundersökning."

"Som ni vill."

"Och vi begär att målet underställs en åtalsjury så snart som möjligt."

"I vederbörlig ordning, mr Wilbanks, precis som i alla andra mål."

"För vi kommer att yrka på att en ny jurisdiktionsort utses så snart som möjligt." Lucien sade det med viktig min, som om ett väsentligt uttalande krävdes.

"Tycker ni inte att det är litet väl tidigt för det?" sade Loopus.

"Det är omöjligt för min klient att få en rättvis rättegång i det här länet." Wilbanks såg sig omkring i rättssalen när han fortsatte, nästan utan att bry sig om domaren som för ögonblicket verkade nyfiken.

"Redan görs ett försök att anklaga, rannsaka och döma min klient innan han fått en möjlighet att försvara sig, och jag tycker att rätten omedelbart borde ingripa med ett tystnadsföreläggande."

Lucien Wilbanks var den ende som behövde tystas.

"Vart vill ni komma med det här, mr Wilbanks?" frågade Loopus.

"Har ni sett lokaltidningen, Ers nåd?"

"Inte på senare tid."

Allas blickar tycktes riktas mot mig, och återigen tvärstannade mitt hjärta.

Wilbanks blängde på mig när han fortsatte. "Artiklar på första sidan, blodiga bilder, anonyma källor, tillräckligt med halvsanningar och antydningar för att döma en oskyldig människa!"

Baggy drog sig undan igen och jag var mycket ensam.

Lucien klampade genom rättssalen och slängde upp ett exemplar på domarbordet. "Se på det här", morrade han. Loopus rättade till sina läsglasögon, drog upp tidningen och lutade sig tillbaka i sin bekväma skinnfåtölj. Han började läsa, uppenbarligen utan större brådska.

Han läste långsamt. Någon gång började mitt hjärta arbeta igen, med våldsamheten hos en tryckluftsborr. Och jag märkte att min krage var fuktig där den låg mot nacken. Loopus avslutade första sidan och vek långsamt upp tidningen. Det var tyst i salen. Skulle han kasta mig i fängelse omedelbart? Ge biträdet ett tecken att sätta handbojor på mig och släpa ut mig? Jag var inte jurist. Jag hade just hotats med en miljonstämning av en man som säkerligen hade inlämnat många, och nu läste domaren min ganska bloddrypande skildring medan hela staden väntade på hans dom.

Många sura blickar riktades åt mitt håll, så jag fann det enklare att skriva i mitt reportageblock fast jag inte kunde läsa något av det jag skrev. Jag ansträngde mig hårt för att verka oberörd. Vad jag egentligen ville göra var att rusa ut ur rättssalen och hem till Memphis.

Tidningssidor prasslade och Hans nåd var äntligen färdig. Han lutade sig litet fram mot mikrofonen och sade ord som omedelbart skulle skapa min karriär. Han sade: "Det är mycket välskrivet. Sympatiskt, kanske litet makabert, men definitivt inget opassande."

Jag fortsatte skriva som om jag inte hade hört det. I en plötslig, oväntad och ganska förfärande skärmytsling hade jag just besegrat familjen Padgitt och Lucien Wilbanks. "Gratulerar", viskade Baggy.

Loopus vek ihop tidningen och lade den ifrån sig. Han lät Wilbanks skrika och skräna en liten stund om läckor från polisen, läckor från åklagarämbetet, möjliga läckor från juryns rum, allihop på något sätt styrda av en grupp anonyma sammansvurna som var fast beslutna att behandla hans klient orättvist. Vad han egentligen gjorde var att uppträda inför familjen Padgitt. Han hade misslyckats i sitt försök att ordna frigivning mot borgen, så han måste göra intryck på dem med sin frenesi.

Loopus gick inte på det.

Som vi snart skulle upptäcka, hade Luciens uppvisning bara varit en rökridå. Han hade ingen tanke på att få målet flyttat från Ford County.

48

6

När jag köpte The Ford County Times, ingick dess förhistoriska hus i priset. Det var värt mycket litet. Det låg på södra sidan av torget i Clanton, en av fyra förfallna byggnader som byggts vägg mot vägg av någon som haft brått; långt och smalt, tre våningar, med en källare som alla de anställda fruktade och höll sig ifrån. Det fanns flera kontorsrum mot torget, alla med fläckiga och nötta mattor, flagnade väggar och med lukten av det senaste seklets piprök för evigt inpyrd i taken.

I bakre delen, så långt bort som möjligt, stod tryckpressen. Varje tisdagsnatt lyckades vår tryckare Hardy på något sätt väcka den gamla boktrycksmaskinen till liv och få fram ännu ett nummer av vår tidning. Hans område stank av frän tryckfärg.

Rummet i bottenvåningen var prytt med bokhyllor som sviktade under tyngden av dammiga volymer som inte hade öppnats på årtionden; samlingar med historiska texter och Shakespeare och irländsk poesi och rader av inaktuella brittiska uppslagsverk. Fläcken ansåg att sådana böcker skulle imponera på dem som kom in där.

När man stod vid fönstret mot torget och såg ut genom de lortiga glasrutorna där någon för länge sedan hade målat ordet "TIMES", kunde man se Ford Countys tingshus och den sydstatssoldat i brons som vaktade det. En minnestavla nedanför hans fötter förtecknade namnen på de sextioen unga män från länet som hade dött i inbördeskriget, flertalet i Shiloh.

Vaktposten kunde också ses från mitt arbetsrum, som låg en trappa upp. Även det var prytt med bokhyllor fyllda med Fläckens privata bibliotek, en samling med stor bredd som tycktes ha försummats lika mycket som den på bottenvåningen. Det dröjde åratal innan jag flyttade på någon av hans böcker.

Rummet var stort, rörigt, fullt av oanvändbara föremål och värdelösa akter och prytt med falska porträtt av sydstatsgeneraler. Jag älskade det. Fläcken tog inte med sig något när han gav sig iväg, och efter några månader tycktes ingen vilja ha något av hans skräp. Så det förblev där det var, försummat som alltid, praktiskt taget orört av mig, och blev långsamt min egendom. Jag packade ner hans personliga tillhörigheter – brev, kontoutdrag, anteckningar, vykort – och ställde in dem i ett av de många oanvända rummen längre bort i korridoren där de fortsatte samla damm och långsamt förmultnade.

Mitt arbetsrum hade två franska dörrar som ledde ut till en liten balkong med smidesjärnräcke, och det fanns tillräckligt med plats där för att fyra personer skulle kunna sitta i korgstolar och se ut över torget. Inte för att det fanns så mycket att se, men det var ett trevligt sätt att fördriva tiden, speciellt med ett glas.

Baggy var alltid intresserad av ett glas. Han kom med en flaska bourbon efter middagen, och vi intog våra platser i gungstolarna. Det tisslades och tasslades fortfarande i staden om borgensförhandlingen. Det hade allmänt antagits att Danny Padgitt skulle släppas fri så fort Lucien Wilbanks och Mackey Don Coley kunde ordna saken. Löften skulle ges, pengar skulle byta ägare, sheriff Coley skulle på något sätt personligen garantera att pojken skulle inställa sig till rättegången. Men domare Loopus hade andra planer.

Baggys fru var sjuksköterska. Hon hade nattskiftet på sjukhusets olycksfallsavdelning. Han arbetade på dagarna, om nu hans ganska loja betraktande av staden kunde anses vara arbete. De träffades sällan, vilket uppenbarligen var av godo, för de grälade ständigt. Deras vuxna barn hade flytt och överlåtit åt dem att utkämpa sitt eget lilla krig. Efter ett par glas började Baggy alltid fälla giftiga kommentarer om sin fru. Han var femtiotvå och såg ut som minst sjuttio, och jag misstänkte att spriten var huvudskälet till att han åldrades i förtid och grälade hemma.

"Vi gav dem så de teg", sade han stolt. "Aldrig någonsin har en tidningsartikel blivit så uppenbart friad. Inför sittande rätt."

"Vad är ett tystnadsföreläggande?" frågade jag. Jag var en okunnig nybörjare, och alla visste det. Det tjänade inget till att låtsas att jag visste något, när jag inte gjorde det.

"Jag har aldrig sett ett. Jag har hört talas om dem, och jag tror att domare använder dem för att få tyst på advokaterna och parterna i målet."

"Gäller de inte tidningar?"

"Aldrig. Wilbanks bara spelade för gallerierna. Han är medlem i ACLU, den ende i Ford County. Han kan första tillägget till konstitutionen. En domstol kan inte säga till en tidning att inte trycka något. Han hade en dålig dag, det var uppenbart att hans klient måste stanna i fängelset, så han måste spela teater. Typiskt advokattrick. De får lära sig det i skolan."

"Tror du inte att vi blir stämda?"

"Aldrig i livet. För det första går det inte att processa mot oss. Vi har inte skymfat eller ärekränkt någon. Vi tog visserligen litet lätt på en del fakta, men det var bara småsaker och det var antagligen sant i alla fall. För det andra, om Wilbanks hade något att processa om måste han lämna in stämningen här i Ford County. Samma tingshus, samma rättssal, samma domare. Hans nåd Reed Loopus som i förmiddags läste våra artiklar och förklarade dem vara utmärkta. Stämningen stoppades innan Wilbanks hade skrivit det första ordet. Lysande."

Jag kände mig definitivt inte lysande. Jag hade oroat mig för skadeståndet på en miljon dollar och undrat var jag skulle hitta en sådan summa. Whiskyn började slutligen göra verkan och jag slappnade av. Det var torsdagskväll i Clanton och få människor var ute. Alla butiker och kontor runt torget var stängda och låsta.

Baggy hade som vanligt varit avslappnad länge. Margaret hade viskat till mig att han ofta drack bourbon till frukost. Han och en enbent advokat som kallades Majoren tog gärna en sup till kaffet. De träffades på balkongen utanför Majorens kontor på andra sidan torget och rökte och drack och diskuterade juridik och politik medan tingshuset vaknade till liv. Majoren förlorade ett ben i Guadalcanal, enligt hans version av andra världskriget. Hans advokatpraktik var så specialiserad att han inte gjorde annat än skrev ut testamenten åt åldringar. Han skrev ut dem själv – han behövde ingen sekreterare. Han arbetade ungefär lika hårt som Baggy och de båda syntes ofta halvfulla i rättssalen där de följde ännu en rättegång.

"Jag antar att Mackey Don har satt grabben i sviten", sade Baggy litet sluddrande.

"Sviten?" frågade jag.

"Ja... har du sett fängelset?"

"Nej."

"Duger inte ens för djur. Ingen värme, ingen luft, vatten och avlopp fungerar ungefär halva tiden. Snuskigt. Usel mat. Och det är de vitas avdelning. De svarta är i andra änden, allihop i en enda lång cell. Deras enda toalett är ett hål i golvet."

"Jag tror jag avstår."

"Det är pinsamt för länet, men tyvärr är det likadant i de flesta fängelserna här omkring. I alla fall finns det en liten cell med luftkonditionering och mattor på golvet, en ren säng, färg-TV, bra mat. Den kallas sviten och Mackey Don sätter sina favoriter där."

Jag lade allt på minnet. För Baggy var det bara det gamla vanliga. För mig, som nyligen gått på universitetet och ibland studerat journalistik, började en riktig skandalartikel uppenbara sig. "Tror du att Padgitt är i sviten?"

"Antagligen. Han kom till tingshuset i sina egna kläder."

"Istället för?"

"De där orange overallerna som alla andra har. Har du inte sett dem?"

Jo, jag hade sett dem. Jag hade varit i rättssalen en gång, ungefär en månad tidigare, och jag mindes plötsligt att jag hade sett två eller tre anklagade sitta i salen och vänta på domaren, alla iförda overaller i varierande nyanser av bleknande orange. Det stod "Ford County Jail" tryckt på bröst och rygg.

Baggy tog en klunk och förklarade. "Du förstår, när det är förundersökning och liknande kommer de anklagade, om de fortfarande är i fängelset, alltid till domstolen klädda som straffångar. Förr i tiden lät Mackey Don dem till och med ha overallerna på sig under rättegången. Lucien Wilbanks fick en fällande dom upphävd för att juryn fick lättare att döma honom som skyldig eftersom hans klient definitivt såg förbannat skyldig ut i sin orange fängelsedräkt. Och han hade rätt. Det är litet svårt att övertyga en jury om att man inte är skyldig, när man är klädd som en fånge och har badskor av gummi på fötterna."

Jag förbluffades återigen av hur underutvecklat Mississippi var. Jag kunde föreställa mig en anklagad, speciellt en svart, som stod inför en jury och förväntade sig en rättvis rättegång, iförd fängelsekläder som utformats för att synas på en kilometers håll. "Utkämpar fortfarande kriget" var ett slagord som jag hade hört flera gånger i Ford County. Det fanns en irriterande motvilja mot förändringar, speciellt när det gällde brott och straff.

Vid middagstid nästa dag gick jag till fängelset och frågade efter sheriff Coley. Jag tänkte se så många av fångarna som möjligt under förevändning att fråga honom om utredningen av Kassellawmordet. Hans sekreterare meddelade mig kanske ohövligt att han satt i ett möte, och det passade mig utmärkt.

Två fångar städade kontorsdelen. Utomhus rensade två andra ogräs i en rabatt. Jag gick runt kvarteret och såg bakom kvarteret ett litet öppet område med en basketbollkorg. Sex fångar slog dank i skuggan under en liten ek. På fängelsets östra sida såg jag tre fångar stå innanför ett gallerfönster och titta ner på mig.

Tretton fångar allt som allt. Tretton orange overaller.

Wileys brorson konsulterades om läget i fängelset. Först var han ovillig att prata, men han avskydde sheriff Coley intensivt, och han trodde att han kunde lita på mig. Han bekräftade vad Baggy hade misstänkt – Danny Padgitt levde det goda livet i en luftkonditionerad cell och åt allt han ville. Han klädde sig som han behagade, spelade dam med sheriffen och ringde telefonsamtal hela dagarna.

Nästa nummer av The Ford County Times gjorde mycket för att befästa mitt rykte som en hårdslående, orädd, tjugotreårig idiot. På första sidan fanns ett stort fotografi av Danny Padgitt när han fördes in i tingshuset inför borgensförhandlingen. Han gav också kameran en av sina patenterade dra-åt-helvete-blickar. Strax ovanför fanns den svarta rubriken: DANNY PADGITT VÄGRAS BORGEN. Artikeln var lång och detaljerad.

Intill den fanns en annan artikel, nästan lika lång och mer skandalartad. Med hänvisning till anonyma källor beskrev jag ingående mr Padgitts förhållanden i fängelset. Jag nämnde varje tänkbar förmån han fick, inklusive enskild tid tillsammans med sheriff Coley över dambrädet. Jag skrev om hans mat och diet, färg-TV, obegränsad tillgång till telefon. Allt jag hade en möjlighet att få bekräftat. Sedan jämförde jag det med hur de övriga tjugoen fångarna levde.

På sidan två lade jag in ett gammalt svartvitt fotografi av fyra åtalade som fördes in i tingshuset. Alla bar förstås overaller. Alla hade handbojor och rufsigt hår. Jag maskerade deras ansikten så att de inte skulle generas, vilka de än var. Deras fall hade för länge sedan avslutats.

Intill arkivbilden placerade jag en annan bild av Danny Padgitt när han fördes in i tingshuset. Frånsett handbojorna kunde han ha varit på väg till en fest. Kontrasten var häpnadsväckande. Grabben behandlades med silkesvantar av sheriff Coley som hittills hade vägrat diskutera saken med mig. Stort misstag.

I artikeln beskrev jag i detalj mina försök att få tala med sheriffen. Han hade inte ringt tillbaka till mig. Jag hade gått till fängelset två gånger, och han ville inte träffa mig. Jag hade lämnat en lista med frågor till honom, som han valde att strunta i. Jag målade upp bilden av en aggressiv ung journalist som förtvivlat sökte efter sanningen och avvisades av en vald ämbetsman.

Eftersom Lucien Wilbanks var en av de minst populära människorna i Clanton, drog jag in honom i bråket. Jag använde telefonen, som jag snabbt lärt mig var ett bra sätt att utjämna olikheter i styrka, och ringde fyra gånger till honom innan han hörde av sig. Först hade han inga kommentarer om sin klient eller anklagelserna, men när jag envisades med frågor om Padgitts behandling i fängelset, exploderade han. "Jag sköter inte det satans fängelset, grabben!" morrade han, och jag kunde nästan se hans röda ögon flamma mot mig. Jag tryckte den kommentaren.

"Har ni talat med er klient i fängelset?" frågade jag.

"Naturligtvis."

"Hur var han klädd?"

"Har ni inget bättre att skriva om?"

"Nej, sir. Hur var han klädd?"

"Han var inte naken."

Det var alldeles för bra för att låta vara, så jag placerade det i fet stil vid sidan av artikeln.

Med en våldtäktsman/mördare, en korrumperad sheriff och en vänstervriden advokat på ena sidan, och mig ensam på den andra, visste jag att jag inte kunde förlora. Gensvaret på artikeln var fantastiskt. Baggy och Wiley rapporterade att matställena sjöd av beundran för den orädde unge redaktören. Familjen Padgitt och Lucien hade föraktats länge. Nu var det dags att göra sig av med Coley.

Margaret sade att vi fick massor av telefonsamtal från läsare som var upprörda över den milda behandling som Danny fick. Wileys brorson rapporterade att det rådde kaos i fängelset och att Mackey Don hade råkat i krig med sina poliser. Han daltade med en mördare – 1971 var valår. Folk där ute var rasande och alla skulle kanske bli arbetslösa.

Dessa två veckor var avgörande för tidningens överlevnad. Läsarna var lystna efter informationer, och tack vare att tidpunkten stämde, ren tur och litet fräckhet, gav jag dem precis vad de ville ha. Tidningen levde plötsligt upp; den var en maktfaktor. Man litade på den. Folk ville att den skulle rapportera i detalj och utan fruktan.

Baggy och Margaret sade till mig att Fläcken aldrig skulle ha tryckt de blodiga bilderna och utmanat sheriffen. Men de var fortfarande ganska räddhågade. Jag kan inte påstå att min uppkäftighet i något avseende hade ingivit personalen mod. The Ford County Times var och skulle förbli en enmansföreställning med ganska svaga biroller.

Det gjorde mig ingenting. Jag berättade sanningen och struntade i följderna. Jag var traktens hjälte. Prenumerationerna steg till nästan tretusen. Annonsintäkterna fördubblades. Jag inte bara kastade ett nytt ljus över länet. Jag tjänade pengar samtidigt.

7

Bomben var en ganska enkel brandanordning som, om den exploderat, snabbt skulle ha förstört vårt tryckeri. Där skulle elden ha fått ny näring av diverse kemikalier och drygt fyrahundra liter tryckfärg, och snabbt stormat genom kontorsrummen. Vem vet hur mycket av de båda övre våningarna som skulle ha överlevt efter några minuter utan sprinklersystem. Förmodligen inte särskilt mycket. Det är mycket troligt att branden, om den hade startats tidigt på torsdagsmorgonen, skulle ha bränt ut större delen av de fyra husen i vår rad.

Den upptäcktes av bydåren när den fortfarande oexploderad lurade hotfullt intill en trave gamla tidningar i tryckeriet. Jag borde kanske säga av en av bydårarna. Clanton hade mer än sin beskärda del.

Han hette Piston, och i likhet med huset och den urgamla tryckpressen och de oanvända biblioteken på bottenvåningen och en trappa upp ingick han i köpet. Piston var inte officiellt anställd på The Ford County Times, men han dök ändå upp varje fredag för att hämta sina femtio dollar i kontanter. Inga checkar. För denna lön sopade han ibland golven och smetade ibland omkring smutsen i fönstren mot gatan, och han släpade ut soporna när någon klagade. Han hade inga regelbundna arbetstider, han kom och gick som han behagade och besvärade sig inte med att knacka på dörrar när sammanträde pågick, han använde gärna våra telefoner och drack vårt kaffe, och fast han först verkade ganska hotfull – ögonen långt isär och med tjocka glasögon, en alltför stor mössa nerdragen i pannan, stripigt skägg, ohyggliga utstående tänder – var han ofarlig. Han utförde sina städtjänster hos flera firmor runt torget och överlevde på något sätt. Ingen visste var han bodde, eller med vem, eller hur han hankade sig fram. Ju mindre vi visste om Piston, dess bättre.

Piston kom tidigt på torsdagsmorgonen – han hade haft en nyckel i årtionden – och sade att han först hörde något som tickade. När han tittade närmare efter upptäckte han tre hopbundna tjugoliters plastdunkar intill en trälåda. Det tickande ljudet kom från lådan. Piston hade gått omkring i tryckeriet många år och hjälpt Hardy på torsdagsnätterna när han tryckte tidningen.

För de flesta människor skulle nyfikenheten ha följts av panik, men för Piston tog det en stund. Efter att ha granskat dunkarna för att försäkra sig om att de faktiskt var fyllda med bensin, och efter att ha konstaterat att alltsammans hölls samman av ett antal ledningar med oroande utseende, gick han till Margarets rum och ringde till Hardy. Han sade att tickandet blev allt starkare.

Hardy ringde till polisen, och vid niotiden på morgonen väcktes jag och fick veta vad som hänt.

Större delen av centrum hade evakuerats när jag kom dit. Piston satt på en motorhuv, vid det laget djupt skakad av att nätt och jämnt ha överlevt. Han pysslades om av några bekanta och en ambulansförare, och tycktes njuta av uppmärksamheten.

Wiley Meek hade fotograferat bomben innan polisen avlägsnade bensindunkarna och placerade dem i säkerhet i gränden bakom vårt hus. "De skulle ha blåst ut halva centrum", var Wileys ovetenskapliga bedömning av bomben. Han for nervöst omkring på platsen och förevigade uppståndelsen för framtida behov.

Polischefen förklarade för mig att området var avspärrat eftersom trälådan inte hade öppnats och det som fanns i den fortfarande tickade. "Den skulle kunna explodera", sade han allvarligt, som om han vore den förste som var intelligent nog att inse faran. Jag betvivlade att han hade så stor erfarenhet av bomber, men jag lät honom hållas. En tjänsteman från delstatens kriminaltekniska laboratorium var på väg. Det beslöts att de fyra husen i vår rad skulle förbli tömda på folk tills den experten hade gjort sitt.

En bomb i centrala Clanton! Nyheten spreds snabbare än elden skulle ha gjort, och allt arbete upphörde. Länsstyrelsens kontor tömdes, liksom bankerna och butikerna och kaféerna, och snart hade stora grupper åskådare samlats på säkert avstånd på andra sidan gatan, under de stora ekarna på tingshusets södra sida. De glodde på vårt lilla hus, uppenbart bekymrade och skrämda men också i väntan på något spännande. De hade aldrig tidigare sett en bombexplosion.

Stadspolisen i Clanton hade fått sällskap av sheriffens poliser och snart fanns varenda uniform i länet på plats, irrade omkring på trottoarerna och gjorde ingenting. Sheriff Coley och polismästaren kurade sig samman och konfererade och såg på hopen på andra sidan gatan, varefter de röt ut en del befallningar hit och dit, men om någon av deras befallningar åtlyddes så märktes det inte. Det stod klart för alla att staden och länet inte hade haft några bombövningar.

Baggy behövde en sup. Det var för tidigt för mig. Jag följde honom in genom tingshusets bakdörr, uppför en smal trappa som jag inte hade sett tidigare, genom en trång korridor och sedan upp ytterligare tjugo trappsteg till ett litet lortigt rum med lågt tak. "Det var juryrum en gång i tiden", sade han. "Sedan blev det juridiskt bibliotek."

"Vad är det nu?" frågade jag, nästan rädd för svaret.

"Advokatbaren. De djuriska juristernas håla. Förstår du?"

"Jag förstår." Där fanns ett hopfällbart spelbord med slitet utseende som tydde på många års användning. Runt det stod ett halvdussin omaka stolar, gamla kontorsmöbler som gått från ett kansli till ett annat och slutligen stjälpts av i det här sjaskiga lilla rummet.

I ett hörn fanns ett litet kylskåp med hänglås. Baggy hade naturligtvis en nyckel, och inuti hittade han en flaska bourbon. Han hällde upp en ordentlig sup i en pappmugg och sade: "Sätt dig." Vi drog fram två stolar till fönstret, och nedanför fanns scenen som vi just hade lämnat. "Fin utsikt, va?" sade han stolt.

"Hur ofta är du här?"

"Ett par gånger i veckan, ibland oftare. Vi spelar poker klockan tolv varje tisdag och torsdag."

"Vilka är med i klubben?"

"Det är ett hemligt sällskap." Han tog en klunk och smackade som om han varit ute i öknen en månad. En spindel vandrade nerför ett stort nät längs fönstret. Dammet låg centimetertjockt på fönsterbrädan.

"De har visst inte samma handlag som förr", sade han och såg ner på uppståndelsen.

"De?" Jag vågade knappt fråga.

"Padgitt." Han sade det med en viss självbelåtenhet, sedan lät han det hänga i luften för att göra mig nyfiken.

"Är du säker på att det är Padgitt?" frågade jag.

Baggy trodde att han visste allt, och han hade rätt halva tiden. Han flinade och grymtade, tog en klunk till och sade sedan: "De har alltid bränt ner hus. Det är en av deras svindlerier – försäkringsbedrägerier. De har tjänat en satans förmögenhet på försäkringsbolagen." En liten klunk. "Men det är underligt att de använder bensin. Mer begåvade mordbrännare undviker bensin eftersom det är lätt att upptäcka. Visste du det?"

"Nej."

"Så är det. En bra brandchef kan känna bensinlukten några minuter efter det att brasan har släckts. Bensin betyder mordbrand. Mordbrand betyder inga försäkringspengar." En klunk. "Fast i det här fallet ville de antagligen att du skulle veta att det var mordbrand. Det verkar vettigt, inte sant?"

Ingenting verkade vettigt just då. Jag var för förvirrad för att säga något.

Baggy var helt tillfreds med att sköta pratandet. "När jag tänker efter var det nog därför den inte utlöstes. De ville att du skulle se den. Om den exploderade skulle länet inte ha The Ford County Times, vilken kanske skulle irritera en del människor. Andra skulle kanske bli glada."

"Tack."

"Hursomhelst är det en bättre förklaring. Det var ett diskret hot."

"Diskret?"

"Ja, i jämförelse med vad det kunde ha varit. Tro mig, de där gossarna vet hur man bränner ner ett hus. Du hade tur."

Jag observerade hur han snabbt hade tagit avstånd från tidningen. Det var "jag" som hade tur, inte "vi".

Whiskyn hade nått hjärnan och lossade tungan. "För ungefär tre år sedan, kanske fyra, var det en stor brand i ett av deras sågverk, det vid Highway 401, intill ön. De bränner aldrig ner något på ön eftersom de inte vill ha myndigheterna snokande där. Hursomhelst blev försäkringsbolaget misstänksamt och vägrade betala, så Lucien Wilbanks lämnade in en stämning på massor av pengar. Det blev rättegång, med Hans nåd Reed Loopus som domare. Jag hörde vartenda ord." En lång, njutningsfull klunk.

"Vem vann?"

Han ignorerade mig totalt eftersom hela bakgrunden ännu inte hade förklarats. "Det var en stor brand. Grabbarna från Clanton gav sig iväg med alla sina brandbilar. Frivilliga brandkåren i Karaway gav sig iväg, varenda bondtölp med siren kom tjutande mot Padgitt Island. Ingenting här kan få fart på folk som en bra brasa. Det och en bomb, antar jag, men jag minns inte när vi hade en bomb senast."

"Och..."

"Highway 401 löper genom ett låglänt område nära Padgitt Island, rena träsket. Det går en bro över Massey's Creek, och när brandbilarna kom farande fram till bron upptäckte de att en pickup låg på sidan som om den hade slagit runt. Vägen var totalt blockerad, det gick inte att köra runt den eftersom det bara fanns träsk och diken åt alla håll." Han smackade och hällde upp mer ur flaskan. Det var dags för mig att säga något, men vad jag än sade skulle han ändå ignorera det. Det var så här Baggy föredrog att bli hjälpt på traven.

"Vems pickup var det?" frågade jag, och orden hade knappt kommit ur min mun förrän han skakade på huvudet som om frågan vore totalt oväsentlig.

"Det brann av bara helvete. Brandbilar stod stilla på hela 401 för att någon idiot hade voltat med sin pickup. Han dök aldrig upp. Inga spår av någon bilförare. Inga spår av någon ägare, för det gick inte att identifiera honom. Inga skyltar. Motornumret hade slipats bort. Ingen hörde av sig och ville ha tillbaka den. Den var inte särskilt skadad heller. Allt det där kom fram under rättegången. Alla visste att familjen Padgitt hade startat brasan och lagt omkull en av sina stulna bilar för att spärra vägen, men försäkringsbolaget kunde inte bevisa det."

Nere på torget hade sheriff Coley hittat sin megafon. Han bad folk att hålla sig borta från gatan framför tidningshuset. Hans genomträngande röst förstärkte det allvarliga i situationen.

"Vann försäkringsbolaget?" frågade jag, angelägen om att komma till slutet.

"Det var en helvetes rättegång. Pågick i tre dagar. Wilbanks brukar kunna göra upp med en eller två i juryn. Han har gjort det i åratal utan att bli avslöjad. Och han känner alla i länet. Försäkringsgrabbarna kom från Jackson, och de visste ingenting. Juryn överlade i två timmar och bestämde att försäkringssumman skulle betalas ut, etthundratusen dollar, och som påbröd lade de till en miljon i skadestånd."

"En komma en miljon!" sade jag.

"Rätt uppfattat. Det första miljonskadeståndet i Ford County. Höll sig ungefär ett år innan Högsta domstolen satte yxan i det och tog bort skadeståndet."

Tanken att Lucien Wilbanks hade sådan makt över juryn var inte tilltalande. Baggy lät sin whisky stå ett ögonblick och såg på något utanför. "Det här är ett dåligt tecken, grabben", sade han slutligen. "Ett riktigt dåligt tecken."

Jag var hans chef och jag tyckte inte om att kallas "grabben", men jag lät det passera. Jag hade viktigare saker att tänka på. "Hotet?" frågade jag.

"Ja. Familjen Padgitt lämnar sällan ön. Det faktum att de har gjort ett litet gästframträdande här visar att de är redo för krig. Om de kan skrämma tidningen, kommer de att försöka med juryn. De äger redan sheriffen."

"Men Wilbanks sade att han vill flytta rättegången."

Han fnös och upptäckte sin whisky igen. "Aldrig i livet, grabben."

"Var snäll och kalla mig Willie." Märkligt att jag nu var så noga med det namnet.

"Aldrig i livet, Willie. Grabben är skyldig; hans enda chans är att få en jury som kan köpas eller skrämmas. Tio mot ett att rättegången sker här i det här huset."

Efter att i två timmar ha väntat på att marken skulle skaka, var staden redo för lunch. Folkhopen skingrades och försvann. Experten från delstatens kriminallaboratorium anlände slutligen och skred till verket i tryckeriet. Jag släpptes inte in i huset, vilket passade mig utmärkt.

Margaret, Wiley och jag åt en smörgås i lusthuset på gräsmattan framför tingshuset. Vi åt snabbt, småpratade litet medan vi höll ett öga på huset på andra sidan gatan. Ibland såg någon oss och hejdade sig för att tafatt säga ett ord eller två. Vad säger man till bomboffer när bomben inte exploderar? Lyckligtvis hade stadsborna mycket liten erfarenhet på det området. Vi fick en del medkänsla och några erbjudanden om hjälp.

Sheriff Coley släntrade över och gav en preliminär rapport om vår bomb. Klockan var en som skruvas upp och som fanns i alla butiker. Efter första titten ansåg experten att det var något fel på kopplingarna. Mycket amatörmässigt, sade han.

"Hur ska ni utreda det här?" frågade jag bistert.

"Vi letar efter fingeravtryck, försöker hitta vittnen. Det vanliga."

"Tänker ni prata med familjen Padgitt?" frågade jag ännu bistrare. Jag befann mig trots allt i sällskap med mina anställda. Och även om jag var skräckslagen ville jag visa dem hur totalt orädd jag var.

"Vet ni något som jag inte vet?" sade han snabbt.

"De är väl misstänkta?"

"Är det ni som är sheriff nu?"

"De är de mest erfarna mordbrännarna i länet, de har ostraffat bränt ner hus i åratal. Deras advokat hotade mig i domstolen förra veckan. Vi har haft Danny Padgitt på förstasidan två gånger. Om de inte är misstänkta, vilka är det då?"

"Sätt bara igång och skriv det där, grabben. Skriv deras namn. Ni tycks ha bestämt er för att få en stämning på halsen."

"Jag sköter tidningen", sade jag. "Ni fångar bovarna."

Han lyfte på hatten för Margaret och gick.

"Nästa år är det val", sade Wiley när vi såg Coley stanna och småprata med två damer intill drickfontänen. "Jag hoppas att han får en motståndare."

Hoten fortsatte, på Wileys bekostnad. Han bodde en och en halv kilometer från staden, på en fem tunnland stor hobbygård där hans fru sysslade med ankor och vattenmeloner. När han den kvällen parkerade bilen på sin uppfart och steg ur den, dök två typer upp ur buskarna och överföll honom. Den större av dem slog ner honom och sparkade honom i ansiktet medan den andre rotade i bilens baksäte och tog ut två kameror. Wiley var femtioåtta år och före detta marinsoldat, och någon gång under slagsmålet lyckades han få in en spark som

64

slog omkull den större angriparen. De fortsatte slåss och Wiley började få övertaget när den andre mannen slog honom i huvudet med en av hans kameror. Wiley sade att han inte mindes så mycket efter det.

Hans fru hörde oväsendet efter en stund. Hon hittade Wiley till hälften medvetslös på marken, med båda kamerorna sönderslagna. Hon tog in honom i huset där hon lade isblåsor på hans ansikte och konstaterade att inga ben var brutna. Den före detta marinsoldaten ville inte åka till sjukhuset.

En polis kom och skrev en rapport. Wiley hade bara uppfångat en skymt av angriparna, och han hade definitivt aldrig sett dem tidigare. "De är tillbaka på ön nu", sade han. "Ni kommer inte att hitta dem."

Hans fru lyckades övertala honom, och en timme senare ringde de till mig från sjukhuset. Jag träffade honom mellan ett par röntgenundersökningar. Hans ansikte såg förfärligt ut, men han lyckades le. Han grep min hand och drog mig intill sig. "Förstasidan nästa vecka", sade han mellan trasiga läppar och uppsvullna käkar.

Några timmar senare lämnade jag sjukhuset och tog en lång åktur på landsbygden. Jag höll ögonen på backspegeln och förväntade mig till hälften att få se ännu en hop medlemmar av familjen Padgitt komma dånande med knallande vapen.

Detta var inte laglöst land där organiserade brottslingar trampade på laglydiga människor. Det var tvärtom – brott var sällsynta. Man tyckte i allmänhet illa om korruption. Jag hade rätt och de hade fel, och jag bestämde mig för att jag ta mig fan inte skulle ge efter. Jag skulle skaffa mig en pistol; för tusan, alla andra i trakten hade två eller tre. Och om det blev nödvändigt skulle jag skaffa något slags livvakt. Min tidning skulle bli ännu djärvare när mordrättegången närmade sig.

8

Före konkursen och min oväntade upphöjelse till en framskjuten ställning i Ford County hade jag hört en fascinerande historia om en familj i trakten. Fläcken följde aldrig upp den eftersom det skulle ha krävt en liten smula efterforskning och en resa över järnvägsspåret. Han ansträngde sig inte gärna i onödan.

Nu när tidningen var min, bestämde jag mig för att den var för bra för att försumma.

I Lowtown, den färgade stadsdelen, bodde ett enastående par – Calia och Esau Ruffin. De hade varit gifta i drygt fyrtio år och fostrat åtta barn, av vilka sju doktorerat och nu var universitetslärare. Uppgifterna om det åttonde var knapphändiga, men enligt Margaret hette han Sam och höll sig undan från rättvisan.

Jag ringde till paret, och mrs Ruffin svarade. Jag förklarade vem jag var och vad jag ville, och hon tycktes veta allt om mig. Hon sade att hon hade läst The Ford County Times i femtio år, från första sidan till den sista, allt inklusive dödsrunorna och radannonserna, och efter en liten stund nämnde hon att hon ansåg att tidningen var i mycket bättre händer nu. Längre artiklar. Färre fel. Mer nyheter. Hon talade långsamt och tydligt, med en exakt diktion som jag inte hade hört sedan jag lämnade Syracuse.

När jag slutligen fick ett ord med i laget tackade jag henne och sade att jag skulle vilja träffa henne och prata om hennes fantastiska familj. Hon blev smickrad och ville absolut att jag skulle komma på lunch.

Därmed inleddes en ovanlig vänskap som öppnade mina ögon för många saker, inte minst sydstatsköket.

Min mor dog när jag var tretton år. Hon var anorektiker, det behövdes bara fyra kistbärare. Hon vägde inte ens fyrtiofem kilo och såg ut som ett spöke. Anorexi var bara ett av hennes många problem.

Eftersom hon inte åt, kunde hon inte laga mat. Jag kan inte erinra mig att hon tillagade ett enda mål varm mat till mig. Frukosten var en skål flingor, lunchen en smörgås, middagen något slags djupfryst smörja som jag brukade äta ensam framför TV:n. Jag var enda barnet och min far var aldrig hemma, vilket var en lättnad eftersom hans närvaro skapade slitningar mellan dem. Han föredrog att äta, det gjorde inte hon. De grälade om allting.

Jag var aldrig hungrig; skafferiet var fullt av jordnötssmör och flingor och liknande. Ibland åt jag hos någon kamrat, och det förbluffade mig alltid att riktiga familjer lagade mat och tillbringade så mycket tid vid matbordet. Mat var helt enkelt inte väsentligt hemma hos oss.

Som tonåring levde jag på djupfrysta middagar. I Syracuse var det öl och pizza. De första tjugotre åren i mitt liv åt jag bara när jag var hungrig. Det var fel, fick jag snart lära mig i Clanton. I södern har ätande mycket litet med hunger att göra.

Familjen Ruffin bodde i en bättre del av Lowtown, i ett i raden av prydligt skötta och målade småhus. Gatuadresserna stod på brevlådorna, och när jag stannade bilen log jag mot det vita trästaketet och blommorna – pioner och svärdsliljor – som kantade trottoaren. Det var i början av april, jag hade fällt ner suffletten på min Spitfire, och när jag stängde av tändningen kände jag en ljuvlig doft. Fläskkotletter!

Calia Ruffin tog emot mig vid den låga grinden som ledde in till hennes perfekt skötta gräsmatta. Hon var en kraftigt byggd kvinna, med stadiga axlar och bål, och ett handslag som var fast och kändes som en mans. Hon var gråhårig och hade spåren av att ha fått så många barn, men när hon log, vilket var ständigt, lyste hon upp världen med två rader perfekt vita tänder. Jag hade aldrig tidigare sett sådana tänder.

"Jag är så glad att ni kom", sade hon när vi kommit halvvägs uppför den stenlagda gången. Jag var också glad för det. Det var middagstid. Typiskt nog hade jag inte ätit någonting, och dofterna som strömmade ut från verandan gjorde mig yr.

"Det är ett vackert hus", sade jag och såg på fasaden. Det var en bländande vit brädvägg som gav intryck av att någon brukade hålla till där med pensel och färg. En grön veranda med plåttak löpte längs hela framsidan.

"Tack så mycket. Vi har ägt det i trettio år."

Jag visste att flertalet bostäder i Lowtown ägdes av vita slumhusägare på andra sidan järnvägen. 1970 var det ovanligt att svarta ägde sitt hus.

"Vem är er trädgårdsmästare?" frågade jag och hejdade mig för att lukta på en gul ros. Det fanns blommor överallt – längs gången, längs verandan, längs båda tomtgränserna. "Det är nog jag det", sade hon med ett skratt så tänderna blänkte i solskenet.

Uppför tre trappsteg och upp på verandan, och där var den – festmåltiden! Ett litet bord intill räcket var dukat för två – vit bomullsduk, vita servetter, blommor i en liten vas, en stor karaff iste, och minst fyra uppläggningsfat med lock.

"Vilka kommer?" frågade jag.

"Det blir bara vi två. Esau kanske tittar in senare."

"Här finns mat så det räcker till en armé." Jag andades in så djupt jag förmådde och min mage värkte av förväntan.

"Nu äter vi", sade hon, "innan det kallnar."

Jag behärskade mig, gick obesvärat fram till bordet och drog ut en stol åt henne. Hon blev förtjust över att jag var en sådan gentleman. Jag satte mig mittemot henne och var beredd att rycka undan locken och kasta mig huvudstupa in i det jag fann när hon grep båda mina händer och sänkte huvudet. Hon började be.

Det blev en lång bön. Hon tackade Gud för allt gott, inklusive mig, "hennes nye vän". Hon bad för dem som var sjuka och de som kunde bli det. Hon bad för regn och sol och hälsa och ödmjukhet och tålamod, och fast jag började oroa mig för att maten skulle kallna blev jag hypnotiserad av hennes röst. Hon talade långsamt, varje ord uttalades med eftertanke. Uttalet var perfekt, varje konsonant behandlades lika, varje komma och punkt hedrades. Jag måste kika på henne för att försäkra mig om att jag inte drömde. Jag hade aldrig hört ett sådant uttal av en svart i sydstaterna, inte av en vit heller för den delen.

Jag kikade igen. Hon talade till sin gud, och hennes ansikte var helt tillfreds. Några sekunder glömde jag faktiskt maten. Hon kramade mina händer när hon vände sig till den Allsmäktige med en vältalighet som bara kunde komma av många års övning. Hon citerade Skriften, naturligtvis den gamla versionen, och det var litet märkligt att höra de gamla orden och formuleringarna. Men hon visste precis vad hon gjorde. Jag hade aldrig känt mig närmare Gud än när jag var i denna djupt gudfruktiga kvinnas händer.

Jag kunde inte föreställa mig en så lång andaktsstund vid ett bord där åtta barn trängdes. Men något sade mig att när Calia Ruffin bad, satt alla stilla.

Slutligen ändade hon det hela med en lång urladdning där hon lyckades vädja om förlåtelse för sina synder, som jag förmodade var få och sällsynta, och för mina som, tja, om hon bara visste.

Hon släppte mig och började ta bort lock från uppläggningsfaten. Det första innehöll en trave fläskkotletter badande i en sås som bland många andra ingredienser innehöll lök och peppar. Mer ånga slog mig i ansiktet och jag ville äta med fingrarna. På nästa fat låg ett berg av gul majs överströdd med grönpeppar, fortfarande ugnsvarm. Där fanns kokt okra som, förklarade hon när hon skulle servera, hon föredrog framför den stekta varianten eftersom hon inte ville ha för mycket fett i maten. Hon hade fått lära sig att panera och steka allt, från tomater till pickles, och hon hade med tiden insett att det inte alls var hälsosamt. Där fanns limabönor, även de ofriterade och ostekta men tillagade ihop med fläsklägg och bacon. Där fanns ett fat med små röda tomater i peppar och olivolja. Hon var en av mycket få kockar i staden som använde olivolja, sade hon när hon fortsatte sin berättelse. Jag missade inte ett ord när min stora tallrik fylldes.

En son i Milwaukee skickade bra olivolja till henne, eftersom sådant var okänt i Clanton.

Hon bad om ursäkt för att tomaterna hade köpts i affären; hennes satt fortfarande på rankorna och skulle inte bli färdiga förrän till sommaren. Hennes majs, okra och limabönorna hade plockats i hennes odling och konserverats i augusti. Faktum var att de enda riktigt "färska" grönsakerna var grönkålen, eller "vårkålen", som hon kallade den.

En stor svart kastrull hade dolts mitt på bordet, och när hon tog bort servetten från den visade den sig innehålla minst två kilo varmt majsbröd. Hon skar ut en stor bit, placerade den mitt på min tallrik och sade: "Varsågod. Det är något att börja med." Jag hade aldrig haft så mycket mat framför mig. Festen började.

Jag försökte äta sakta, men det var omöjligt. Jag hade kommit med tom mage, och någonstans mitt ibland de konkurrerande dofterna och bordets skönhet och den ganska utdragna bordsbönen och den omsorgsfulla beskrivningen av varje maträtt hade jag blivit totalt utsvulten. Jag vräkte i mig och hon tycktes vara helt tillfreds med att sköta pratandet.

Det mesta i måltiden hade växt i hennes trädgård. Hon och Esau odlade fyra sorters tomater, limabönor, skärbönor, småbönor, gröna bönor, gurka, aubergine, squash, grönkål, senapsört, rovor, vidalialök, gul lök, grön lök, vitkål, okra, rödpotatis, gulpotatis, morötter, rödbetor, majs, grönpeppar, cantaloupmeloner, två sorters vattenmelon och några andra saker som hon inte kunde erinra sig för ögonblicket. Fläskkotletterna levererades av hennes bror som fortfarande bodde på den gamla familjegården ute på landet. Han dödade två svin åt dem varje vinter och fyllde deras frys. I gengäld försåg de honom med färska grönsaker.

"Vi använder inte kemikalier", sade hon och såg på när jag vräkte i mig. "Allt är naturligt."

Det smakade verkligen så.

"Men alltsammans är förstås konserver från i vintras. Det smakar bättre på sommaren, när vi skördar och äter det bara några timmar senare. Kan ni komma hit igen då, mr Traynor?"

Jag grymtade och nickade och lyckades på något sätt få fram att jag skulle komma tillbaka när hon ville.

"Vill ni se min trädgård?" frågade hon.

Jag nickade igen med munnen sprängfylld av mat.

"Bra. Den ligger bakom huset. Jag plockar litet sallad åt er. Den tar sig bra."

"Underbart", lyckades jag säga.

"Jag antar att en ogift man som ni behöver all hjälp ni kan få."

"Hur visste ni att jag är ogift?" Jag tog en klunk te. Det var så sött att det kunde ha varit dessert.

"Folk pratar om er. Ryktet går. Det finns inte så många hemligheter i Clanton, inte på någon sida av järnvägen."

"Vad mer har ni hört?"

"Låt se. Ni hyr av Hocutt. Ni kommer norrifrån."

"Memphis."

"Så långt bort?"

"Det är bara en timmes väg."

"Jag bara skämtar. En av mina döttrar gick på universitetet där."

Jag hade många frågor om hennes barn, men jag var inte redo att göra anteckningar. Båda händerna var upptagna med maten. Någon gång kallade jag henne miss Calia istället för miss Ruffin.

"Jag kallas Callie", sade hon. "Miss Callie blir fint." En av de första vanorna som jag skaffat mig i Clanton var att alltid säga "miss" före namnet på alla damer, oberoende av deras ålder. Miss Brown, miss Webster, för nya bekantskaper som inte var så unga. Miss Martha, miss Sara för de yngre. Det var ett tecken på artighet och god uppfostran, och eftersom jag inte hade någondera var det viktigt att ta till sig så många lokala seder som möjligt.

"Varifrån kommer namnet Calia?" frågade jag.

"Det är italienskt", sade hon som om det förklarade allt. Hon åt några limabönor. Jag högg in på en fläskkotlett. Sedan sade jag: "Italienskt?"

"Ja, det var mitt första språk. Det är en lång historia, en av många. Försökte de verkligen bränna ner tidningen?"

"Ja", sade jag och undrade om jag just hade hört denna svarta dam på Mississippis landsbygd säga att hennes första språk var italienska.

"Misshandlade de mr Meek?"

"Ja."

"Vilka är de?"

"Det vet vi inte än. Sheriff Coley utreder det." Jag var angelägen om att höra hennes åsikt om sheriffen. Medan jag väntade tog jag mig ytterligare en bit majsbröd. Snart droppade det smör från min haka.

"Han har varit sheriff länge, inte sant?" sade hon.

Jag är säker på att hon visste exakt vilket år Mackey Don Coley första gången köpte ämbetet. "Vad anser ni om honom?" frågade jag.

Hon drack litet te och funderade. Miss Callie brådskade inte med sina svar, speciellt inte när hon talade om andra. "På den här sidan järnvägen är en bra sheriff en som håller spelarna och langarna och hallickarna härifrån. På det sättet har mr Coley gjort ett bra jobb."

"Får jag fråga er om en sak?"

"Naturligtvis. Ni är journalist."

"Ni talar ovanligt rent och tydligt. Hur mycket utbildning har ni fått?" Det var en känslig fråga i ett samhälle där man i många årtionden inte hade ansträngt sig så mycket när det gällde utbildning. Det var 1970 och Mississippi hade ännu inga allmänna barnstugor och inga lagar om allmän skolplikt.

Hon skrattade så jag fick se alla hennes tänder. "Jag gick ut nionde klass, mr Traynor."

"Nionde klass?"

"Ja, men min situation var ovanlig. Jag hade en underbar handledare. Det är en annan lång historia."

Jag började inse att de där underbara historierna som miss Callie utlovade skulle ta månader att gå igenom, kanske år. De skulle kanske utvecklas på verandan, över en bankett som återkom varje vecka.

"Vi väntar med det till senare", sade hon. "Hur är det med mr Caudle?"

"Inte så bra. Han vill inte lämna sitt hus."

"En fin man. Han kommer alltid att ha en plats i de svartas hjärta. Han hade ett sådant mod."

Jag tänkte att Fläckens "mod" hade mer samband med att vidga bredden på hans dödsrunor än med en hängivenhet för rättvis behandling av alla. Men jag hade insett hur viktigt döendet var för de svarta – den rituella likvakan som ofta pågick en vecka; den oändliga minnesgudtjänsten med öppen kista och mycket gråt och veklagan; den kilometerlånga begravningsprocessionen; och slutligen det känslomättade avskedet vid graven. När Fläcken så radikalt öppnade sin dödsrunesida för svarta, blev han en hjälte i Lowtown.

"En fin man", sade jag och sträckte mig efter min tredje fläskkotlett. Jag började bli smärtsamt mätt, men det fanns så mycket mat kvar på bordet!

"Ni hedrar honom med era dödsrunor", sade hon med ett varmt leende.

"Tack. Jag håller fortfarande på att lära mig."

"Ni är också modig, mr Traynor."

"Kan ni inte säga Willie? Jag är bara tjugotre."

"Jag föredrar mr Traynor." Och så var det med den saken. Det tog fyra år innan hon kunde förmå sig till att använda mitt förnamn. "Ni är inte rädd för familjen Padgitt", sade hon.

Det var något nytt för mig. "Det ingår i mitt arbete", sade jag.

"Tror ni att hoten kommer att fortsätta?"

"Antagligen. De är vana vid att få som de vill. De är våldsamma, hänsynslösa människor, men en fri press måste stå emot det." Försökte jag lura mig själv? Om det kom en bomb eller ett överfall till, skulle jag vara tillbaka i Memphis före soluppgången.

Hon slutade äta och hennes blick riktades mot gatan där hon såg rakt ut i luften. Hon var djupt försjunken i tankar. Jag fortsatte naturligtvis vräka i mig.

Slutligen sade hon: "De stackars barnen. Att se sin mor så där."

Den tanken fick slutligen min gaffel att hejda sig. Jag torkade mig om munnen, tog ett djupt andetag och lät maten lägga sig till ro för ett ögonblick. Det fasansfulla i brottet hade lämnats till allas fantasi, och i dagar hade Clanton inte viskat om mycket annat. Som alltid blev viskningarna och ryktena förstärkta, olika versionen spreds och upprepades och utvecklades återigen. Jag undrade hur man tog det i Lowtown.

"Ni sade i telefonen att ni har läst The Ford County Times i femtio år", sade jag och rapade nästan.

"Det har jag verkligen."

"Kan ni erinra er något brutalare brott?"

Hon satt tyst en liten stund, som om hon gick igenom fem årtionden, sedan skakade hon långsamt på huvudet. "Nej, det kan jag inte."

"Har ni någonsin träffat någon i familjen Padgitt?"

"Nej. De håller sig till ön, och de har alltid gjort det. Till och med deras svarta stannar där borta, bränner whisky, gör voodoo, alla sorters dumheter."

"Voodoo?"

"Ja, det är allmänt känt på den här sidan järnvägen. Ingen här konstrar med Padgitts svarta, har aldrig gjort det."

"Tror folk på den här sidan järnvägen att Danny Padgitt våldtog och dödade henne?"

"De som läser er tidning gör det definitivt."

Det sårade mig mer än hon kunde ana. "Vi bara rapporterar fakta", sade jag självbelåtet. "Grabben greps. Han har åtalats. Han är i fängelse och väntar på rättegången."

"Ska inte alla förmodas vara oskyldiga?"

Mer vånda på min sida av bordet. "Naturligtvis."

"Tycker ni att det var rätt att publicera ett fotografi av honom i handbojor och med blod på skjortan?" Hennes känsla för rättvisa skakade mig. Varför skulle hon, eller någon annan svart i Ford County, bry sig om ifall Danny Padgitt behandlades rättvist? Få hade bekymrat sig för om svarta åtalade behandlades anständigt av polisen eller pressen.

"Han hade blod på skjortan när han kom till fängelset. Vi satte inte dit det." Ingen av oss tyckte om den här lilla diskussionen. Jag tog en klunk te och fann det svårt att svälja den. Jag var proppmätt.

Hon såg på mig med ett av de där leendena och hade mage att säga: "Hur vore det med litet dessert? Jag har bakat en bananpudding."

Jag kunde inte säga nej. Jag kunde inte heller få ner en tugga till. En kompromiss var av nöden. "Vi väntar litet så det får sjunka ner."

"Ta litet mer te då", sade hon, redan i färd med att fylla på mitt glas. Det var svårt att andas, så jag lutade mig så långt bakåt i stolen som jag kunde och bestämde mig för att uppträda som en journalist. Miss Callie, som hade ätit betydligt mindre än jag, avslutade en portion okra.

Enligt Baggy hade Sam Ruffin varit den förste svarte som gick i en vit skola i Clanton. Det hände 1964 när Sam gick i sjunde glass, tolv år gammal, och det hade varit svårt för alla. Speciellt för Sam. Baggy hade varnat mig för att miss Callie kanske inte skulle vilja prata om sitt yngsta barn. Han var efterlyst och hade flytt från trakten.

Hon var motvillig i början. 1963 fastslog domstolarna att ett vitt skoldistrikt inte kunde vägra en svart elev tillträde. Påtvingad integration var fortfarande flera år avlägsen. Sam var hennes yngste, och när hon och Esau bestämde sig för att sätta honom i en vit skola, hoppades de att andra svarta familjer skulle följa deras exempel. Det gjorde de inte, och i två år var Sam den ende svarte eleven i Clanton Junior High School. Han blev plågad och misshandlad, men han lärde sig snabbt att använda knytnävarna och med tiden fick han vara ifred. Han bad sina föräldrar att skicka honom tillbaka till den svarta skolan, men de stod på sig, även när han hade flyttat till en högre klass. Det kommer att bli lättare, intalade de sig. Desegrationskampen rasade i Södern och de svarta försäkrades ständigt att utslaget i processen *Brown mot Skolstyrelsen* skulle genomföras.

"Det är svårt att tro att det nu är 1970, och att skolorna här fortfarande är segregerade", sade hon. Federala rättsprocesser och appelationsutslag mörbultade det vita motståndet i hela Södern, men typiskt nog kämpade Mississippi till det bittra slutet. De flesta vita jag kände i Clanton var övertygade om att deras skolor aldrig skulle bli integrerade. Jag, en nordstatsbo från Memphis, kunde se det uppenbara.

"Ångrar ni att ni satte Sam i den vita skolan?"

"Ja och nej. Någon måste vara modig. Det var plågsamt att veta att han var mycket olycklig, men vi måste hålla på vår rätt. Vi tänkte inte slå till reträtt."

"Hur har han det i dag?"

"Sam är en annan historia, mr Traynor, en som jag kanske

kan prata om senare, eller kanske inte. Vill ni se min trädgård?"

Det var mer en befallning än en inbjudan. Jag följde henne in i huset och genom en smal korridor prydd med dussintals inramade fotografier av barn och barnbarn. Inomhus var det lika prydligt som ute. Köket vette mot den bakre verandan och därifrån sträckte sig Edens lustgård bort till staketet vid tomtens bortre ände. Inte en enda kvadratmeter hade slösats bort.

Det var ett vykort av vackra färger, prydliga rader av plantor och rankor, omväxlande med smala gångar så Callie och Esau kunde vårda sina fantastiska håvor.

"Vad gör ni med all den här maten?" frågade jag häpet.

"Vi äter en del, säljer litet, ger bort det mesta. Ingen går hungrig här omkring." I den stunden värkte min mage mer än någonsin. Hunger var ett begrepp som jag inte kunde förstå. Jag följde henne ut i trädgården och gick sakta på gångarna medan hon pekade ut örtodlingen och melonerna och alla de andra ljuvliga frukter och grönsaker som hon och Esau vårdade med stor omsorg. Hon kommenterade varje planta, inklusive ett och annat ogräs, som hon ryckte upp nästan i vredesmod och slängde in bland några rankor. Det var omöjligt för henne att promenera genom trädgården utan att observera detaljerna. Hon tittade efter insekter, dödade en obehaglig grön mask på en tomatplanta, letade efter ogräs, lade på minnet sådant som Esau skulle göra senare. Den makliga promenaden gjorde underverk för min matsmältning.

Det är alltså härifrån maten kommer, sade jag till mitt okunniga inre jag. Vad hade jag förväntat mig? Jag var ett stadsbarn. Jag hade aldrig tidigare varit i en köksträdgård. Jag hade många frågor, allihop banala, så jag höll tyst.

Hon granskade en majsstängel och tyckte inte om det hon såg. Hon ryckte loss en skärböna, bröt den itu, analyserade den som en forskare och yttrade den försiktiga uppfattningen att de behövde mycket mer sol. Hon såg ett ogrässtånd och meddelade mig att Esau skulle skickas ut för att rycka upp dem så fort han kom hem. Jag avundades inte Esau.

Efter tre timmar lämnade jag paret Ruffins hus, nu proppfull av bananpudding. Jag hade också med mig en säck "vårgrönsaker" som jag inte visste vad jag skulle ta mig till med, och ett mycket litet antal anteckningar till en artikel. Jag hade också fått en inbjudan att återkomma nästa torsdag och äta lunch. Slutligen hade jag miss Callies handskrivna lista med alla felaktigheter hon hade hittat i veckans nummer av Ford County Times. Nästan alla var tryckfel och felstavade ord – tolv stycken allt som allt. På Fläckens tid hade det i genomsnitt varit tjugo stycken. Nu hade det sjunkit till omkring tio. Det var en vana som hon haft hela livet. "En del tycker om att lösa korsord", sade hon. "Jag tycker om att leta efter misstag."

9

Vi satte ett nytt stort fotografi på första sidan. Det var Wileys bild av bomben innan polisen plockade sönder den. Rubriken skrek: BOMB PÅ TIMES.

Min artikel började med Piston och hans överraskande upptäckt. I texten fanns allt som kunde styrkas med bevis, och en del som inte kunde styrkas. Ingen kommentar från polischefen, några meningslösa ord från sheriff Coley. Artikeln slutade med en sammanfattning av vad delstatens kriminaltekniska laboratorium hade fått fram, och bedömningen att bomben om den hade exploderat skulle ha förorsakat "omfattande" skador på byggnaderna längs torgets södra sida.

Wiley lät mig inte publicera ett fotografi av hans svårt misshandlade ansikte, trots att jag förtvivlat bad honom om det. På framsidans nedre del satte jag rubriken TIMES FOTOGRAF ÖVERFALLEN I HEMMET. Inte heller nu sparade jag på detaljerna, fast Wiley krävde att få redigera texten innan den trycktes.

I båda artiklarna kopplade jag ihop de båda brotten utan några försök att vara diskret, och antydde ganska tydligt att myndigheterna, speciellt sheriff Coley, gjorde mycket litet för att förhindra ytterligare hotelser. Jag nämnde inte familjen Padgitt. Det behövdes inte. Alla i länet visste att de trakasserade mig och min tidning.

Fläcken var för lat för att skriva ledare. Han skrev en enda under min tid som anställd. En kongressledamot från Oregon hade inlämnat ett fånigt lagförslag som på något sätt skulle påverka avverkningen av redwoodträd – mer avverkning eller kanske mindre, det framgick inte så tydligt. Detta gjorde Fläcken upprörd. I två veckor arbetade han med en ledare och publicerade slutligen en tvåtusen ord lång harang. Det var uppenbart för alla med gymnasieutbildning att han hade skrivit med pennan i ena handen och en ordbok i den andra. Första stycket var fyllt med fler sexstaviga ord än någon sett tidigare, och var praktiskt taget oläsligt. Det chockade Fläcken att det inte kom något gensvar från läsarna. Han hade förväntat sig ett överflöd av positiva brev. Få av hans läsare kan ha överlevt floden från ordboken.

Slutligen, tre veckor senare, stacks en handskriven lapp in under tidningens dörr. Där stod:

Bäste redaktör. Jag beklagar att ni är så upprörd över redwoodträden, som vi inte har i Mississippi. Kan ni låta oss veta om kongressen börjar konstra med massaveden?

Det var inte undertecknat, men Fläcken tryckte det ändå. Det gladde honom att någon där ute var intresserad. Baggy berättade senare för mig att lappen hade skrivits av en av hans dryckesbröder i tingshuset.

Min ledare började: "En fri och obunden press är nödvändig för ett sunt demokratiskt styre." Utan att vara mångordig eller salvelsefull framhöll jag sedan i fyra textstycken vikten av en energisk och vetgirig tidning, inte bara för länet utan för varje litet samhälle. Jag försäkrade att The Ford County Times inte skulle skrämmas till att inte skriva om lokala brott, antingen det handlade om våldtäkter och mord eller osunt agerade av offentliga befattningshavare.

Det var djärvt, kraftfullt och direkt lysande. Stadsborna stod på min sida. Det var trots allt The Ford County Times mot familjen Padgitt och deras sheriff. Vi vände oss med kraft mot onda människor, och även om de var farliga kunde de uppenbarligen inte skrämma mig. Jag intalade mig att verka modig, och jag hade egentligen inget val. Vad skulle min tidning göra – strunta i mordet på Kassellaw? Ta det försiktigt med Danny Padgitt?

Mina anställda var hänryckta över ledaren. Margaret sade att den gjorde henne stolt över att arbeta på The Ford County Times. Wiley, som ännu inte var återställd, gick nu beväpnad och ville slåss. "Ge dem vad de tål, gröngöling", sade han.

Bara Baggy var skeptisk. "Du kommer att råka illa ut", sade han.

Och miss Callie sade återigen att jag var modig. Lunchen påföljande torsdag varade bara i två timmar och inbegrep Esau. Jag började faktiskt göra anteckningar om hennes familj. Ännu viktigare var att hon bara hade hittat tre fel i veckans nummer.

Jag var ensam i mitt arbetsrum på fredagsförmiddagen när någon bullrande kom in genom ytterdörren på bottenvåningen och sedan klampade uppför trappan. Han knuffade upp min dörr utan att så mycket som säga goddag och körde ner båda händerna i byxfickorna. Han verkade en smula bekant; vi hade setts någonstans på torget.

"Har du en sån här, grabben?" morrade han och körde fram högra handen så jag för ett ögonblick blev iskall i hjärta och lungor. Han slängde en blänkande revolver över mitt skrivbord som om den vore en nyckelknippa. Den snurrade våldsamt runt några sekunder innan den stannade rakt framför mig, lyckligtvis med mynningen riktad mot fönstret.

Han lutade sig fram över bordet, sträckte fram en väldig näve och sade: "Harry Rex Vonner, ett stort nöje." Jag var för chockad för att tala eller röra mig, men slutligen hedrade jag honom med ett pinsamt slappt handslag. Jag stirrade fortfarande på revolvern.

"Det är en Smith & Wesson, trettioåtta, sexskjutare, förbannat fint vapen. Har du en på dig?"

Jag skakade på huvudet. Redan namnet gav mig rysningar.

Harry Rex hade en motbjudande svart cigarr inkörd i vänstra

81

mungipan. Den gav intryck av att ha tillbringat större delen av dagen där och långsamt upplösts likt en bit tuggtobak. Ingen rök, eftersom den inte var tänd. Han sänkte ner sin stora kropp i en skinnstol som om han tänkte stanna ett par timmar.

"Du är en satans galning, vet du det?" Han mer morrade än talade. Sedan mindes jag var jag hade hört namnet. Han var en advokat i trakten, en gång beskriven av Baggy som den djävligaste skilsmässoadvokaten i länet. Han hade ett stort, köttigt ansikte med kort hår som stack ut som vindrufsad halm i alla riktningar. Hans urgamla khakikostym var skrynklig och fläckig och sade världen att Harry Rex struntade totalt i allting.

"Vad ska jag göra med den där?" frågade jag och pekade på revolvern.

"Först laddar du den, jag ska ge dig några patroner, sedan stoppar du den i fickan och har den med dig vart du än går, och när en av de där Padgitt hoppar fram ur en buske skjuter du honom mitt mellan ögonen." För att förstärka budskapet förde han pekfingret genom luften som en kula och petade till mellan sina ögon.

"Är den inte laddad?"

"Nej för fan. Vet du ingenting om vapen?"

"Tyvärr inte."

"Det är nog bäst att du lär dig, grabben, så som du håller på."

"Är det så illa?"

"Jag hade hand om en skilsmässa en gång i tiden, för tio år sedan tror jag, åt en man med en fru som brukade kila över till bordellen och tjäna några dollar vid sidan av. Karln jobbade utanför länet, han var alltid borta, hade ingen aning om vad hon höll på med. Till slut upptäckte han det. Familjen Padgitt ägde horhuset och en av dem hade blivit förtjust i den unga damen." Cigarren höll sig på något sätt kvar på sin plats och guppade upp och ner i takt med berättandet. "Min klient var förkrossad och han ville se blod. Det fick han. De hittade honom utomhus en natt och slog honom sönder och samman."

"De?"

"Familjen Padgitt, det är jag säker på, eller några av deras hantlangare."

"Hantlangare?"

"Jo, de har alla sorters hejdukar. Benknäckare, bombkastare, biltjuvar, lejda mördare."

Han lät "lejda mördare" hänga i luften när han såg mig rycka till. Han gav intryck av att vara en man som kunde berätta historier i evighet utan att besväras i onödan av sanningshalten. Harry Rex hade ett elakt flin och glimten i ögat, och jag misstänkte starkt att något slags utbrodering var på väg.

"Och de åkte förstås aldrig fast", sade jag.

"Familjen Padgitt åker aldrig fast."

"Vad hände med klienten?"

"Han låg på sjukhuset några månader. Hjärnskadorna var ganska svåra. In och ut på institutioner, mycket sorgligt. Splittrade familjen. Han drog sig neråt golfkusten och där blev han invald i delstatssenaten."

Jag log och nickade åt vad jag hoppades var en lögn, men han följde inte upp den. Utan att röra vid cigarren gjorde han något med tungan och lade huvudet på sned, och den gled bort till högra mungipan.

"Har du någonsin ätit get?" frågade han.

"Vadå?"

"Get?"

"Nej, jag visste inte att det var ätligt."

"Vi steker en i eftermiddag. Jag har getfest i min stuga i skogen den första fredagen varje månad. Litet musik, kall öl, muntrationer, ungefär femtio gäster, allihop omsorgsfullt utvalda av mig, samhällets grädda. Inga läkare, inget bankfolk, inga rika rövhål. Fint folk. Kan du inte titta förbi? Jag har en skjutbana bakom dammen. Jag tar dit revolvern så kan vi räkna ut hur man använder fanskapet."

Harry Rex tio minuters biltur ut på landet tog nästan en halvtimme, och det var på asfaltvägen. När jag korsade "tredje bäcken efter Hecks gamla bensinstation" lämnade jag asfalten och svängde in på grus. Först var det en fin grusväg med brevlådor som tydde på något slags hopp om civilisation, men efter en halvmil upphörde poststräckan och detsamma gjorde gruset. När jag såg en "sönderrostad Massey Ferguson-traktor utan däck" svängde jag åt vänster in på en obelagd landsväg. Hans skissartade karta kallade den en grisstig, fast något sådant hade jag aldrig sett förut. När grisstigen hade försvunnit in i en tät skog övervägde jag allvarligt att vända om. Min Spitfire var inte lämpad för terrängen. När jag såg taket på hans stuga hade jag kört i tre kvart.

Där fanns ett taggtrådsstängsel med en öppen järngrind, och jag stannade där eftersom den unge mannen med hagelgeväret ville att jag skulle göra det. Han hade den hängande över axeln när han föraktfullt såg på min bil. "Vad är det där för sort?" grymtade han.

"Triumph Spitfire. Den är brittisk." Jag log och försökte att inte förnärma honom. Varför behövde en getfest beväpnad vakt? Han hade den lantliga framtoningen hos en person som aldrig sett en bil tillverkad i ett annat land.

"Vad heter du?" frågade han.

"Willie Traynor."

Jag tror att "Willie" gjorde honom bättre till mods, så han nickade mot grindöppningen. "Snygg bil", sade han när jag körde in.

Det fanns fler pickuper än personbilar. Fordonen stod parkerade litet hur som helst på en äng framför stugan. Merle Haggard sjöng klagande ur två högtalare i fönstren. En grupp gäster satt på huk runt en grop i marken där det steg upp rök och geten stektes. En annan grupp kastade hästskor bredvid stugan. Tre välklädda damer satt på verandan och läppjade på något som definitivt inte var öl. Harry Rex dök upp och hälsade hjärtligt på mig.

"Vem är grabben med geväret?" frågade jag.

"Åh, han. Det är Duffy, min första frus brorson."

"Varför är han där borta?" Om getfesten inbegrep något olagligt, ville jag åtminstone vara förvarnad.

"Oroa dig inte. Duffy är inte riktigt riktig, och bössan är inte laddad. Han har bevakat ingenting i åratal."

Jag log som om det vore helt naturligt. Han tog mig till gropen där jag såg min första get, död eller levande. Frånsett huvud och hud tycktes den vara intakt. Jag presenterades för de många kockarna. Tillsammans med varje namn fick jag ett yrke – en advokat, en borgensman, en bilhandlare, en bonde. Medan jag såg geten långsamt vridas runt på ett spett fick jag snart veta att det fanns många konkurrerande teorier om hur man korrekt skall grilla en get. Harry Rex gav mig en öl och vi gick mot stugan medan vi pratade med alla som vi stötte på. En sekreterare, en "skum fastighetsmäklare", Harry Rex nuvarande fru. Alla tycktes vara glada att få träffa den nye ägaren till The Ford County Times.

Stugan låg vid kanten av en gyttjig damm av den sort som ormar uppskattar. En altan stack ut över vattnet, och där hälsade vi på den stora gruppen gäster. Harry Rex presenterade mig med stor förtjusning för sina vänner. "Han är en bra grabb, inte ett typiskt rövhål från något universitet österut", sade han mer än en gång. Jag tyckte inte om att kallas "grabb", men jag började vänja mig.

Jag dröjde kvar i en liten grupp med bland annat två damer som såg ut som om de hade tillbringat åratal på traktens sämre danshak. Kraftig ögonmakeup, tuperat hår, åtsittande kläder, och de blev omedelbart intresserade av mig. Samtalet inleddes med bomben och överfallet på Wiley Meek och det allmänna moln av fruktan som familjen Padgitt hade spritt över länet. Jag uppträdde som om det bara var en vardaglig episod i mitt långa och färgstarka journalistliv. De pepprade mig med frågor och jag pratade mer än jag ville göra.

Harry Rex återkom till oss och gav mig en glasburk med en genomskinlig vätska med misstänkt utseende. "Smutta försiktigt på det", sade han, ungefär som en pappa.

"Vad är det?" frågade jag. Jag observerade att de andra såg på mig.

"Persikobrännvin."

"Varför är det i en glasburk?" frågade jag.

"Det är så det tillverkas", sade han.

"Det är hembränt", sade en av de målade damerna. Erfarenhetens röst.

Det är inte ofta de här lantborna får se någon "från ett universitet österifrån" ta sin första sup hembränt, så folk drog sig närmare. Jag var övertygad om att jag hade konsumerat mer alkohol under mina fem år i Syracuse än någon av de närvarande, så jag lät försiktigheten fara. Jag höjde burken, sade "Skål" och tog en mycket liten klunk. Jag smackade, sade "Inte illa". Och försökte le som en förstaårselev på en skolfest.

Svedan började i läpparna, platsen för den första beröringen, och spred sig snabbt över tungan och tandköttet, och när den nådde svalget trodde jag att jag brann. Alla såg på mig. Harry Rex tog en klunk ur sin burk.

"Varifrån kommer det?" frågade jag så obesvärat som möjligt, med eldslågor sprutande ut mellan tänderna.

"Inte långt härifrån", sade någon.

Svedd och bedövad tog jag ännu en klunk, angelägen om att de församlade skulle ignorera mig en stund. Märkligt nog avslöjade den tredje klunken en aning persikosmak, som om smaklökarna måste få sig en duvning innan de kunde arbeta. När det stod klart att jag inte skulle spruta eld, kräkas eller skrika, återupptogs samtalen. Harry Rex, ständigt ivrig att bistå min utbildning, stack fram ett fat med något. "Ta en av de här", sade han.

"Vad är det?" frågade jag misstänksamt.

Båda mina målade damer rynkade näsan och vände sig bort, som om lukten kunde göra dem illamående. "Chitlin", sade en av dem.

"Vad är det?"

Harry Rex stoppade en i munnen för att visa att de inte var giftiga, sedan förde han fatet närmare mig. "Varsågod", sade han och tuggade på delikatessen.

Folk såg på mig igen, så jag tog den minsta biten och stoppade den i munnen. Den var gummiartad, smaken var frän och motbjudande. Lukten förde tanken till ladugård. Jag tuggade så mycket jag förmådde, tvingade ner det och följde upp det med en klunk hembränt. Och under några sekunder trodde jag att jag skulle svimma.

"Svintarmar, grabben", sade Harry Rex och dunkade mig i ryggen. Han slängde in ännu en i munnen och stack fram fatet. "Var är geten?" lyckades jag fråga. Vad som helst vore en förbättring.

Vad var det för fel på öl och pizza? Varför ville de här människorna äta och dricka så förfärliga saker?

Harry Rex gick, och den ruttna chitlinlukten följde honom som rök. Jag ställde burken på räcket och hoppades att den skulle falla ner och försvinna. Jag såg de andra skicka runt sitt hembrända, en burk brukade delas av en grupp. Det fanns ingen som helst oro för bakterier och liknande. Inga baciller kunde leva närmare än en meter från den ohyggliga brygden.

Jag ursäktade mig på altanen, sade att jag behövde gå på toaletten. Harry Rex kom ut från stugans bakdörr med två pistoler och en ammunitionsask. "Det är bäst att vi skjuter litet innan det blir mörkt", sade han. "Kom med."

Vi hejdade oss vid getspettet där en cowboy vid namn Rafe anslöt sig till oss. "Rafe är min löpare", sade Harry Rex när vi tre begav oss in i skogen.

"Vad är en löpare?" frågade jag.

"Löpande uppdrag."

"Jag jagar ambulansfall", sade Rafe hjälpsamt. "Fast för det mesta kommer jag före ambulansen."

Jag hade så mycket att lära, fast jag gjorde en del goda framsteg. Chitlin och hembränt under loppet av en enda dag var ett ordentligt kraftprov. Vi gick ett hundratal meter på en gammal odlingsstig, genom ett skogsområde och ut i en glänta. Mellan två magnifika ekar hade Harry Rex satt upp en sex meter hög halvcirkelformad mur av höbalar. Mitt på den satt ett vitt lakan, och mitt på det fanns en grovt utformad manssilhuett. En angripare. En fiende. Målet.

Rafe drog föga förvånande sitt eget vapen. Harry Rex höll i mitt. "Så här är det", inledde han lektionen. "Det här är en dubbelverkande revolver med sex patroner. Tryck här, så fälls trumman ut." Rafe lutade sig fram och stoppade snabbt in sex patroner, något som han uppenbarligen hade gjort många, många gånger. "Fäll tillbaka trumman, så kan du börja skjuta."

Vi stod ungefär femton meter från målet. Jag kunde fortfarande höra musiken från stugan. Vad skulle de andra gästerna tänka när de hörde skottlossningen? Ingenting. Det hände ständigt och jämnt.

Rafe tog min revolver och vände sig mot målet. "Till att börja med ska du stå med fötterna lika långt isär som axlarna, böj knäna en aning, använd båda händerna så här och pressa in avtryckaren med högra pekfingret." Han demonstrerade det medan han talade, och allt verkade naturligtvis enkelt. Jag stod en och en halv meter ifrån honom när revolvern avfyrades, och den skarpa knallen kom mig att rycka till. Varför måste det smälla så högt?

Jag hade aldrig hört riktig skottlossning.

Det andra skottet träffade målet mitt i bröstet, och de följande fyra gick in runt mellangärdet. Han vände sig till mig, fällde ut trumman, petade ut de tomma hylsorna och sade: "Gör det nu."

Mina händer skakade när jag tog emot revolvern. Den var varm och krutlukten hängde tung omkring oss. Jag lyckades pressa in de sex patronerna och fälla in trumman utan att skada någon. Jag vände mig mot målet, slöt ögonen och pressade in avtryckaren. Det kändes och lät som en liten bomb av något slag.

"Du måste för fan hålla ögonen öppna", morrade Harry Rex.

"Vad träffade jag?"

"Den där kullen bakom ekarna."

"Försök igen", sade Rafe.

Jag försökte titta längs pipan, men den skakade för mycket för att vara till någon glädje. Jag pressade in avtryckaren igen, denna gång med ögonen öppna för att kunna se var kulan träffade. Jag kunde inte se något ingångshål i närheten av målet.

"Han missade lakanet", mumlade Rafe bakom mig.

"Skjut igen", sade Harry Rex.

Jag gjorde det, och inte heller nu kunde jag se var kulan hamnade. Rafe grep vänligt om min vänstra arm och föste mig tre meter framåt. "Det går fint", sade han. "Vi har gott om ammunition."

Jag missade höbalarna med fjärde skottet, och Harry Rex sade: "Jag antar att familjen Padgitt inte behöver vara så oroliga."

"Det är spritens fel", sade jag.

"Det behövs bara övning", sade Rafe och föste mig framåt igen. Mina händer svettades, mitt hjärta hamrade, det ringde i öronen.

Med femte kulan träffade jag lakanet nätt och jämnt, uppe i övre högra hörnet, minst två meter från målet. Med sjätte kulan missade jag allt och hörde kulan träffa en gren uppe i en av ekarna.

"Snyggt skott", sade Harry Rex. "Du träffade nästan en ekorre."

"Håll mun", sade jag.

"Slappna av", sade Rafe. "Du är för spänd." Han hjälpte

mig ladda om, och den här gången tryckte han till mina händer runt revolvern. "Andas djupt", sade han över min axel. "Andas ut precis innan du trycker av." Han höll revolvern stadig medan jag kikade längs pipan, och när den avfyrades fick målet en träff i skrevet.

"Nu börjar det likna något", sade Harry Rex.

Rafe släppte mig, och jag laddade de följande fem patronerna likt en revolverman på bygatan. Alla träffade lakanet, ett skulle ta slitit bort målets öra. Rafe berömde mig och vi laddade igen.

Harry Rex hade tagit med sig en niomillimeters Glock automatpistol ur sin stora samling, och medan solen gick ner turades vi om att brassa på. Han var skicklig och hade inga problem med att sätta tio kulor i följd i bålen från femton meters håll. Efter fyra omgångar började jag slappna av och njuta av sporten. Rafe var en utmärkt lärare, och när jag gjorde framsteg gav han mig av och till goda råd. "Det behövs bara övning", sade han gång på gång.

När vi slutade sade Harry Rex: "Revolvern är en present. Du kan komma hit när du vill och öva dig."

"Tack", sade jag. Jag körde ner revolvern i fickan som en riktig sydstatsbonde. Jag var glad att ritualen var överstånden, att jag hade åstadkommit något som alla andra män i länet hade genomfört före tolvårsdagen. Jag kände mig inte tryggare. Varje Padgitt som dök fram ur buskarna skulle ha fördelen av att överrumpla mig, och fördelen av åratals skjutövningar. Jag kunde nästan se mig själv kämpa med min egen revolver i mörkret och slutligen få iväg en kula som förmodligen skulle träffa mig snarare än en angripare.

När vi gick tillbaka genom skogen sade Harry Rex bakom mig: "Den där blekta blondinen du träffade, Carleen."

"Ja", sade jag, plötsligt nervös.

"Hon gillar dig."

Carleen hade levt minst fyrtio mycket hårda år. Jag kom inte på något att säga.

"Hon går alltid att få i säng."

Jag betvivlade att Carleen hade missat särskilt många sängar i Ford County. "Nej tack", sade jag. "Jag har en flicka i Memphis."

"Än sen?"

"Fint nummer", mumlade Rafe.

"En flicka här, en flicka där. Vad spelar det för roll?"

"Vi bestämmer en sak, Harry Rex", sade jag. "Om jag behöver din hjälp med att få flickor, hör jag av mig."

"Bara ett ligg", muttrade han.

Jag hade ingen flicka i Memphis, men jag kände flera. Jag tog hellre en biltur än sänkte mig ner till sådana som Carleen.

Geten hade en speciell smak; inte god, men efter chitlinen inte på långa vägar så illa som jag hade fruktat. Den var seg och dränkt i kletig grillsås, som jag misstänkte vräktes på i generösa mängder för att motverka köttets smak. Jag lekte med en bit och sköljde ner det med öl. Vi var ute på altanen igen med Loretta Lynn i bakgrunden. Det hembrända hade gått runt ett tag och en del gäster dansade ovanför dammen. Carleen hade försvunnit tidigare med någon annan, så jag kände mig trygg. Harry Rex satt i närheten och berättade för alla hur effektivt jag hade skjutit ekorrar och harar. Han hade en enastående begåvning för historieberättande.

Jag var något avvikande, men det gjordes allt för att jag skulle känna mig hemmastadd. När jag körde hem på de mörka vägarna ställde jag mig samma fråga som jag ställde varje dag. Vad hade jag i Ford County, Mississippi, att göra?

IO

R evolvern var för stor för min ficka. Några timmar försökte jag promenera omkring med den, men jag var skräckslagen för att saken skulle avfyras där nere intill mina könsdelar. Så jag bestämde mig för att bära den i en gammal nött skinnportfölj som jag fått av min far. I tre dagar följde portföljen med mig överallt, till och med på lunch, sedan tröttnade jag på den också. Efter en vecka lade jag revolvern under sätet på min bil, och efter tre veckor hade jag praktiskt taget glömt den. Jag hade inga fler skjutövningar vid stugan, fast jag deltog i några andra getfester där jag undvek chitlin, hembränt och en alltmer aggressiv Carleen.

Det var lugnt i trakten, en stiltje före rättegångens raseri. The Ford County Times skrev inget om saken, eftersom inget hände. Familjen Padgitt vägrade fortfarande sätta sin mark i pant för att ge Danny borgen, så han stannade som gäst i sheriff Coleys specialcell där han såg på TV, spelade kort eller dam, fick mycket vila och åt bättre mat än de vanliga fångarna.

Första veckan i maj återkom domare Loopus till staden, och mina tankar riktades åter mot min trogna Smith & Wesson.

Lucien Wilbanks hade inlämnat ett yrkande om flyttning av rättegången, och domaren bestämde tidpunkt för förhandling till klockan nio en måndagsmorgon. Det verkade som om halva länet var där. Definitivt flertalet av de vanliga runt torget. Baggy och jag kom tidigt till rättssalen och såg till att vi fick bra platser.

Svaranden behöver inte vara närvarande, men sheriff Coley ville uppenbarligen visa upp honom. Han fördes in försedd med handbojor och en ny orange overall. Alla såg på mig. Pressens makt hade tvingat fram en förändring.

"Det är en fälla", viskade Baggy.

"Vadå?"

"De försöker locka oss att trycka en bild av Danny i hans söta lilla fångdräkt. Sedan kan Wilbanks rusa tillbaka till domaren och påstå att de tänkbara jurymedlemmarna har påverkats en gång till. Gå inte på det."

Min naivitet gjorde mig återigen bestört. Wiley hade placerats utanför fängelset i ett nytt försök att få en bild av Padgitt när han skulle köras till tingshuset. Jag kunde föreställa mig ett stort fotografi på första sidan av honom i hans orange overall.

Lucien Wilbanks kom in i rättssalen genom dörren bakom skranket. Som vanligt verkade han rasande och orolig, som om han just hade förlorat i en diskussion med domaren. Han gick bort till svarandesidans bord, slängde ner sitt anteckningsblock och lät blicken glida över de församlade. Blicken fastnade vid mig. Ögonen smalnade och käkmusklerna spändes och jag trodde att han skulle hoppa över skranket och gå till attack. Hans klient vände sig om och tittade också. Någon pekade, och Danny Padgitt började stirra på mig som om jag kunde bli hans nästa offer. Jag hade svårt att andas men jag försökte behålla lugnet. Baggy drog sig undan.

I första bänkraden bakom svarandesidan satt flera medlemmar av familjen Padgitt, alla äldre än Danny. De stirrade också, och jag hade aldrig känt mig så sårbar. Detta var våldsamma män som inte visste av något annat än brottslighet, hotelser, benknäckande och dödande, och här satt jag i samma rum som de medan de funderade på olika sätt att skära halsen av mig.

Ett biträde äskade tystnad och alla reste sig när Hans nåd kom in. "Var så goda och sätt er", sade han.

Vi väntade medan Loopus ögnade igenom sina papper, sedan rättade han till sina läsglasögon och sade: "Jag har här en hemställan om flyttning av rättegången, inlämnad av svarandesidan. Mr Wilbanks, hur många vittnen har ni?"

"Ungefär ett halvdussin. Vi får se hur det blir."

"Och delstaten?"

En kortväxt, rund man i svart kostym och inget hår for upp på fötter och sade: "Ungefär detsamma." Han hette Ernie Gaddis, sedan länge deltidsåklagare från Tyler County.

"Jag vill inte sitta här hela dagen", mumlade Loopus som om han tänkte spela golf på eftermiddagen. "Inkalla ert första vittne, mr Wilbanks."

"Mr Walter Pickard."

Namnet var obekant för mig, vilket var väntat, men Baggy hade inte heller hört talas om honom. Under de inledande frågorna framkom det att han hade bott i Karaway i drygt tjugo år, att han gick i kyrkan varje söndag och på Rotary Club varje torsdag. Han ägde en liten möbelfabrik.

"Köper säkert virke av familjen Padgitt", viskade Baggy.

Hans fru var lärarinna. Han hade varit tränare för pojklag i baseboll och arbetat med scouter. Lucien gick vidare och fick på ett mästerligt sätt fram att mr Pickard kände sitt samhälle mycket väl.

Karaway var en mindre ort tre mil väster om Clanton. Fläcken hade aldrig brytt sig om platsen och vi sålde mycket få exemplar där. Och hade ännu färre annonsörer. I min ungdomliga iver funderade jag redan på att utvidga mitt imperium. En liten veckotidning i Karaway borde säljas i tusen exemplar, ansåg jag.

"När hörde ni första gången att miss Kassellaw hade mördats?" frågade Wilbanks.

"Ett par dagar efter det att det hänt", sade mr Pickard. "Ibland dröjer det innan nyheter når fram till Karaway."

"Vem berättade det?"

"En av mina anställda kom in och berättade det. Hon har

en bror som bor i Beech Hill där det hände."

"Fick ni veta att någon hade gripits för mordet?" frågade Lucien. Han vankade fram och åter i rättssalen som en uttråkad katt. Ren rutin, men utan att missa något.

"Ja, det ryktades att en av de unga Padgitt hade gripits."

"Fick ni det bekräftat senare?"

"Ja."

"Hurdå?"

"Jag läste om det i The Ford County Times. Det fanns ett stort fotografi av Danny Padgitt på första sidan, intill ett stort fotografi av Rhoda Kasellaw."

"Läste ni artiklarna i tidningen?"

"Ja."

"Och bildade ni er en uppfattning om mr Padgitts skuld eller oskuld?"

"Jag tyckte han såg skyldig ut. På fotografiet hade han blod över hela skjortan. Hans ansikte satt strax intill offrets, liksom sida vid sida. Rubriken var stor och det stod något i stil med DANNY PADGITT GRIPEN FÖR MORD."

"Förmodade ni att han var skyldig?"

"Det var omöjligt att inte göra det."

"Hur har reaktionen på mordet varit i Karaway?"

"Bestörtning och ilska. Det här är en fridfull trakt. Grova brott är sällsynta."

"Anser ni att folk där borta i allmänhet tror att Danny Padgitt våldtog och mördade Rhoda Kasellaw?"

"Ja, speciellt så som tidningen har skrivit om det."

Jag kunde känna blickar från alla håll, men jag intalade mig att vi inte hade gjort något fel. Folk misstänkte Danny Padgitt eftersom den skiten hade begått brottet.

"Kan mr Padgitt enligt er mening få en rättvis rättegång i Ford County?"

"Nej."

"Vad bygger ni den åsikten på?"

"Han har redan blivit anklagad och dömd av tidningen."

"Tror ni att er åsikt delas av de flesta av era vänner och grannar i Karaway?"

"Ja."

"Tack."

Mr Ernie Gaddis hade rest sig och höll upp ett anteckningsblock. "Är ni i möbelbranschen, mr Pickard?"

"Ja."

"Köper ni ert virke i trakten?"

"Ja, det gör vi."

"Av vem?"

Pickard vägde på fötterna och begrundade frågan. "Gates Brothers, Henderson, Tiffee, Voyles & Son, kanske en eller två andra också."

Baggy viskade: "Padgitt äger Voyles."

"Köper ni virke av Paggitt?" frågade Gaddis.

"Nej, sir."

"Nu eller någon gång tidigare?"

"Nej, sir."

"Ägs någon av de där brädgårdarna av familjen Padgitt?"

"Inte såvitt jag vet."

Sanningen var att ingen visste riktigt vad familjen Padgitt ägde. I årtionden hade de haft sina tentakler i så många verksamheter, lagliga och olagliga. Mr Pickard var kanske inte så välkänd i Clanton, men i den här stunden misstänktes han för att ha något slags samröre med familjen Padgitt. Varför skulle han frivilligt vittna till Dannys förmån?

Gaddis bytte linje. "Ni sade att det blodiga fotografiet var ett betydande skäl till att ni förmodade att pojken är skyldig, stämmer det?"

"Det fick honom att verka mycket misstänkt."

"Läste ni hela artikeln?"

"Jag tror det."

"Läste ni stycket där det står att mr Danny Padgitt var inblandad i en bilolycka, att han var skadad och att han också anklagas för rattonykterhet?"

"Jag tror jag läste det, ja."

"Vill ni att jag visar det för er?"

"Nej, jag minns det."

"Utmärkt, varför var ni då så snabb att utgå från att blodet kom från offret och inte från mr Padgitt själv?"

Pickard bytte fot igen och såg irriterad ut. "Jag sade bara att fotografierna och artiklarna tillsammans fick honom att verka skyldig."

"Har ni någonsin tjänstgjort i en jury, mr Pickard?"

"Nej, sir."

"Förstår ni vad som menas med förmodad oskuld?"

"Ja."

"Förstår ni att delstaten Mississippi måste bevisa bortom rimligt tvivel att mr Padgitt är skyldig?"

"Ja."

"Anser ni att var och en som anklagas för ett brott har rätt till en rättvis rättegång?"

"Ja, naturligtvis."

"Utmärkt. Ponera att ni blir kallad till jurytjänst i det här målet. Ni har läst tidningsartiklarna, hört allt skvaller, alla rykten, allt det där, och ni kommer till den här rättssalen för att delta i rättegången. Ni har redan vittnat om att ni tror att mr Padgitt är skyldig. Låt oss säga att ni blir vald till juryn. Ponera att mr Wilbanks, en mycket skicklig och erfaren advokat, angriper åtalet och väcker allvarliga tvivel beträffande våra bevis. Ponera att ni är tveksam, mr Pickard. Skulle ni då kunna rösta för en friande dom?"

Han nickade när han följde resonemanget och sade sedan: "Ja, under de omständigheterna."

"Så oberoende av vad ni nu anser om skuld eller oskuld, skulle ni alltså vara beredd att lyssna på bevisen och ge dem en rättvis bedömning innan ni bestämmer er?"

Svaret var så självklart att mr Pickard inte hade något annat val än att säga "Ja."

"Naturligtvis", sade Gaddis. "Och hur är det med er fru?

97

Ni nämnde henne. Hon är lärarinna, inte sant? Hon skulle väl vara lika fördomsfri som ni?"

"Jag tror det. Ja."

"Och hur är det med medlemmarna i Rotary hemma i Karaway. Är de lika objektiva som ni?"

"Jag antar det."

"Och era anställda, mr Pickard. Naturligtvis anställer ni hederliga och rättvisa människor. De skulle kunna strunta i vad de har läst och hört och ge den här pojken en rättvis dom, inte sant?"

"Jag antar det."

"Inga ytterligare frågor, Ers nåd."

Mr Pickard klev ner från vittnesbåset och skyndade ut ur rättssalen. Lucien Wilbanks reste sig och sade med litet väl hög röst: "Ers nåd, försvaret inkallar mr Willie Traynor som vittne."

En sten på näsan kunde inte ha slagit hårdare mot mr Willie Traynor. Jag drog efter andan och hörde Baggy säga, för högt: "Fan också."

Harry Rex satt i jurybåset tillsammans med några andra advokater och avnjöt festligheterna. När jag vinglade upp på fötter såg jag förtvivlat på honom i hopp om hjälp. Han reste sig också.

"Ers nåd", sade han. "Jag företräder mr Traynor, och den här unge mannen har inte informerats om att han ska vittna." Sätt igång, Harry Rex! Gör något!

Domaren ryckte på axlarna och sade: "Än sen? Han är här. Vad spelar det för roll?" Det var inte ett spår av medkänsla i hans röst och jag insåg att jag var fast.

"Förberedelser, till exempel. Ett vittne har rätt att förbereda sig."

"Jag tror mig förstå att han är tidningens utgivare, stämmer inte det?"

"Det är han."

Lucien Wilbanks gick fram mot jurybåset som om han tänkte

drämma till Harry Rex. Han sade: "Ers nåd, han är inte part i målet och han ska inte vittna under rättegången. Han skrev artiklarna. Låt höra vad han har att säga."

"Det är en fälla, Ers nåd", sade Harry Rex.

"Sätt er, mr Vonner", sade Hans nåd, och jag satte mig på vittnesplatsen. Jag gav Harry Rex en blick som för att säga: "Snyggt jobbat, advokaten."

Ett biträde stod framför mig och sade: "Är ni beväpnad?"

"Va?" Jag var bortom all nervositet och ingenting var begripligt.

"En pistol. Har ni en pistol?"

"Ja."

"Kan jag få den?"

"Åh, den är i bilen." De flesta i publiken tyckte det var roligt. I Mississippi kan man tydligen inte vittna ordentligt om man är beväpnad. Ännu en idiotisk bestämmelse. Några ögonblick senare var det helt begripligt. Om jag haft en pistol, skulle jag ha börjat skjuta mot Lucien Wilbanks.

Biträdet fick mig att svära på att säga sanningen, och jag såg på när Wilbanks började vanka fram och åter. Folkhopen bakom honom såg ännu större ut. Han började ganska vänligt med några inledande frågor om mig och mitt inköp av tidningen. Jag lyckades ge korrekta svar, fast jag var ytterligt misstänksam mot varje fråga. Han hade något syfte med det hela; jag visste inte vilket.

Publiken tycktes uppskatta det. Mitt övertagande av The Ford County Times var fortfarande föremål för intresse och gissningar, och nu var jag plötsligt här, inför ögonen på alla, pratade om det inför alla under ed och för protokollet.

Efter några minuters vänlighet reste sig mr Gaddis, som jag förmodade stod på min sida eftersom Lucien definitivt inte gjorde det, och sade: "Ers nåd, allt det här är mycket upplysande. Exakt vart vill han komma?"

"En bra fråga. Mr Wilbanks?"

"Ett ögonblick, Ers nåd."

Lucien tog sedan fram exemplar av The Ford County Times och lämnade dem till mig, Gaddis och Loopus. Han såg på mig och sade: "Mr Traynor, hur många prenumeranter har The Ford County Times nu?"

"Ungefär fyratusentvåhundra", svarade jag med viss stolthet. När Fläcken gick i konkurs hade han slarvat bort alla utom ungefär tolvhundra.

"Och hur många lösnummer säljer ni?"

"Ungefär tusen."

Ungefär ett år tidigare hade jag bott på andra våningen i ett studenthem i Syracuse i New York, gått på en och annan föreläsning, arbetat hårt på att vara en kämpe i den sexuella revolutionen, druckit ofantliga mängder alkohol, rökt hasch, sovit till klockan tolv alla dagar jag behagade, och skaffat mig motion genom att kila över till närmaste fredsdemonstration och skrika åt polisen. Jag trodde att jag hade problem. Det var plötsligt mycket oklart för mig hur jag hade gått därifrån till vittnesbåset i en rättssal i Ford County.

Emellertid satt i denna avgörande punkt i min nya karriär flera hundra landsmän och prenumeranter och stirrade på mig. Det var inte rätta stunden att verka svag.

"Hur stor del av tidningens upplaga såldes i Ford County, mr Traynor?" frågade han obesvärat som om vi pratade affärer över kaffet.

"Praktiskt taget allt. Jag har inte exakta siffror."

"Har ni några återförsäljare utanför Ford County?"

"Nej."

Mr Gaddis gjorde ännu ett kraftlöst räddningsförsök. Han reste sig och sade: "Ers nåd, vart ska det här leda?"

Wilbanks höjde plötsligt rösten och riktade ett finger mot taket. "Jag hävdar, Ers nåd, att tänkbara jurymedlemmar i detta län har förgiftats av de skandalskriverier som vi har utsatts för av The Ford County Times. Lyckligtvis och med all rätt har denna tidning inte setts eller lästs i andra delar av delstaten. En flyttning av rättegången är inte bara rättvis utan självklar."

Order "förgiftad" förändrade stämningen totalt. Det sårade och skrämde mig, och återigen frågade jag mig om jag hade handlat fel. Jag såg på Baggy för att få tröst, men han gömde sig bakom damen framför honom.

"Jag avgör vad som är rättvist och självklart, mr Wilbanks. Fortsätt", sade domare Loopus skarpt.

Mr Wilbanks höll upp tidningen och pekade på första sidan. "Jag syftar på fotografiet av min klient", sade han. "Vem tog den här bilden?"

"Vår fotograf, mr Wiley Meek."

"Och vem fattade beslutet att placera det på första sidan?"

"Jag."

"Och storleken? Vem bestämde det?"

"Jag."

"Föll det er in att det här kunde vara uppseendeväckande?"

Helt rätt. Uppseende var vad jag var ute efter. "Nej", svarade jag lugnt. "Det råkade vara det enda fotografiet av Danny Padgitt vi hade just då. Han råkade vara den ende som hade gripits för brottet. Vi publicerade det. Jag skulle göra det igen."

Mitt övermod överraskade mig. Jag kastade en blick mot Harry Rex och såg ett av hans elaka flin. Han nickade. På dem, grabben.

"Var det alltså enligt er åsikt rätt att publicera det här fotografiet?"

"Jag tycker inte det var orätt."

"Besvara min fråga. Var det enligt er åsikt rätt gjort?"

"Ja, det var rätt och det var korrekt."

Wilbanks tycktes lägga det på minnet för kommande behov. "I er artikel finns en ganska detaljerad beskrivning av det inre i Rhoda Kassellaws hus. När granskade ni huset?"

"Det har jag inte gjort."

"När var ni inne i huset?"

"Jag har inte varit där."

"Har ni aldrig sett husets inre?"

"Nej."

Han slog upp tidningen, ögnade igenom den litet och sade sedan: "Ni säger att miss Kassellaws två små barn hade ett rum ett stycke bort i en kort korridor, ungefär fem meter från hennes sovrumsdörr, och ni uppskattar att deras sängar stod ungefär tio meter från deras. Hur vet ni det?"

"Jag har en uppgiftslämnare."

"En uppgiftslämnare. Har er uppgiftslämnare varit inne i huset?"

"Ja."

"Är er uppgiftslämnare en polisman eller en vicesheriff?"

"Han ska förbli anonym."

"Hur många anonyma uppgiftslämnare använde ni er av för de här artiklarna?"

"Flera."

Från journalistskolan mindes jag diffust fallet med en journalist som i en liknande situation hänvisade till uppgiftslämnare och sedan vägrade avslöja vilka de var. Detta hade på något sätt irriterat domaren, som befallde journalisten att avslöja sina källor. När journalisten återigen vägrade, dömde domaren honom för domstolstrots och polisen kastade honom i fängelse där han tillbringade många veckor utan att avslöja sina uppgiftslämnares identitet. Jag minns inte slutet, men journalisten släpptes till slut och den fria pressen överlevde.

Jag såg för min inre syn hur jag försågs med handbojor av sheriff Coley och släpades bort, skrikande efter Harry Rex, och kastades i fängelset där jag skulle kläs av och få en av de där orange overallerna.

Det vore definitivt storslam för The Ford County Times. Gosse, vilka artiklar jag kunde skriva därifrån.

Wilbanks fortsatte: "Ni skriver att barnen var chockade. Hur vet ni det?"

"Jag talade med grannen, mr Deece."

"Använde han ordet 'chockade'?"

"Ja."

"Ni skriver att barnen undersöktes av en läkare här i Clanton samma natt som brottet begicks. Hur vet ni det?"

"Jag hade en uppgiftslämnare, och senare fick jag det bekräftat av läkaren."

"Och ni skriver att barnen nu får något slags terapi hemma i Missouri. Vem har sagt det?"

"Jag har talat med deras moster."

Han slängde tidningen på bordet och tog några steg mot mig. Hans blodsprängda ögon smalnade och blängde på mig. Nu skulle revolvern varit användbar.

"Sanningen, mr Traynor, är att ni försökte måla upp en otvetydig bild av hur dessa två små oskyldiga barn såg sin mor bli våldtagen och mördad i sin egen säng, stämmer inte det?"

Jag tog ett djupt andetag och övervägde vad jag skulle svara. Rättssalen var tyst och väntade. "Jag har rapporterat fakta så korrekt som möjligt", sade jag och stirrade på Baggy, som visserligen kikade runt damen framför sig men åtminstone nickade till mig.

"I ett försök att sälja lösnummer förlitade ni er på anonyma uppgiftslämnare och halvsanningar och skvaller och vilda gissningar, alltsammans i syfte att skapa en sensationshistoria."

"Jag har rapporterat fakta så korrekt som möjligt", sade jag igen och försökte förbli lugn.

Han fnös till och sade: "Verkligen?" Han ryckte till sig tidningen och sade: "Jag citerar: 'Kommer barnen att vittna i rättegången?' Skrev ni det, mr Traynor?"

Jag kunde inte förneka det. Jag var rasande på mig själv för att jag hade skrivit det. Det var det sista stycket i texterna som Baggy och jag hade grälat om. Vi hade båda varit en smula tveksamma, och i efterhand insåg jag att vi borde ha följt vår instinkt.

Det gick inte att neka. "Ja", sade jag.

"På vilka korrekta fakta byggde ni den frågan?"

"Det var en fråga som jag hörde ställas många gånger efter brottet", sade jag.

Han slängde tillbaka tidningen på bordet som om den vore snuskig. Han skakade på huvudet med spelad häpnad. "Det är två barn, inte sant, mr Traynor?"

"Ja. En pojke och en flicka."

"Hur gammal är den lille pojken?"

"Fem år."

"Och hur gammal är den lilla flickan?"

"Tre."

"Och hur gammal är ni, mr Traynor?"

"Tjugotre."

"Och hur många rättegångar har ni vid tjugotre års ålder följt som journalist?"

"Ingen."

"Hur många rättegångar har ni sett totalt?"

"Ingen."

"Eftersom ni är så okunnig om rättegångar, vilka slags juridiska studier gjorde ni för att ordentligt förbereda er för de här artiklarna?"

Vid det här laget skulle jag förmodligen ha riktat revolvern mot mig själv.

"Juridiska studier?" upprepade jag som om han talade ett främmande språk.

"Ja, mr Traynor. Hur många fall fann ni där barn som var fem år eller yngre hade tillåtits vittna i ett brottmål?"

Jag kastade en blick mot Baggy, som nu uppenbarligen befann sig under bänken. "Inga", sade jag.

"Korrekt svarat, mr Traynor. Inga. I denna delstats historia har inget barn yngre än elva år någonsin vittnat i ett brottmål. Notera det någonstans, och kom ihåg det nästa gång ni försöker hetsa upp era läsare med skandaljournalistik."

"Nu räcker det, mr Wilbanks", sade domare Loopus, litet för fördragsamt tyckte jag. Jag tror att han och de andra juristerna, förmodligen också Harry Rex, njöt av denna snabba massakrering av någon som rotat i juridiken och missuppfattat allting. Till och med mr Gaddis verkade inte ha något emot att se mig blöda.

Lucien var klok nog att sluta när blodet rann. Han morrade något i stil med: "Jag är färdig med honom." Mr Gaddis hade inga frågor. Biträdet tecknade till mig att lämna vittnesbåset, och jag försökte förtvivlat gå rakryggad tillbaka till bänken där Baggy satt hopkurad som en herrelös hund i en snöstorm.

Jag gjorde anteckningar under återstoden av förhandlingen, men det var ett misslyckat försök att verka sysselsatt och viktig. Jag var förödmjukad och ville låsa in mig på redaktionen några dagar.

Wilbanks slutade med en lidelsefull vädjan att flytta rättegången till någon avlägsen plats, kanske till och med till golfkusten där kanske ett fåtal människor hade hört talas om brottet men ingen hade "förgiftats" av tidningens skriverier om det. Han skällde ut mig och min tidning, och han gick för långt. Mr Gaddis erinrade i sitt slutanförande domaren om det gamla talesättet: "Starka och hätska ord tyder på svaga argument."

Jag antecknade det. Sedan skyndade jag ut från rättssalen som om jag hade en viktig manuslämning.

II

Sent nästa förmiddag stormade Baggy in i mitt arbetsrum med nyheten att Lucien Wilbanks just hade återkallat sin hemställan om förflyttning av rättegången. Som vanligt var han full av analyser.

Hans första mångordiga åsikt var att familjen Padgitt inte ville att rättegången skulle flyttas till ett annat län. De visste att Danny var skyldig och att han nästan helt säkert skulle fällas av en riktigt sammansatt jury var som helst. Deras enda chans var att ordna en jury som de kunde köpa eller skrämma. Eftersom en fällande dom måste vara enhällig, behövde de bara en enda röst till Dannys favör. En enda röst så skulle juryn fastna i sin oenighet; domaren skulle enligt lag tvingas ogiltigförklara rättegången. Efter tre-fyra försök skulle myndigheterna ge upp.

Jag var säker på att Baggy varit i tingshuset hela förmiddagen, gått igenom förhandlingarna med sin lilla klubb och lånat advokaternas slutsatser. Han förklarade allvarligt att förhandlingarna dagen innan hade regisserats av Lucien Wilbanks, av två skäl. För det första försökte Lucien locka tidningen att trycka ännu ett stort fotografi av Danny, denna gång i fängelsemundering. För det andra ville Wilbanks få in mig i vittnesbåset för att flänga av mig litet hud. "Det gjorde han ta mig fan", sade Baggy.

"Tack, Baggy", sade jag.

Wilbanks lade upp riktlinjerna för rättegången, som han hela tiden visste skulle ske i Clanton, och han ville att The Ford County Times skulle dra ner på sin bevakning.

Det tredje eller fjärde skälet var att Lucien Wilbanks aldrig missade en chans att posera inför publik. Baggy hade sett det många gånger och han delade med sig av några historier.

Jag är inte säker på att jag hängde med i alla hans storslagna funderingar, men i den stunden var ingenting begripligt. Det kändes som ett sådant slöseri med tid och arbete att genomföra en tvåtimmars rättsförhandling i fullt medvetande om att det bara var ett skådespel. Jag förmodade att värre saker hade hänt i rättssalar.

Den tredje festmåltiden var grytstek, och vi åt den på verandan medan det regnade utanför.

Som vanligt erkände jag att jag aldrig hade ätit grytstek, så miss Callie beskrev receptet och tillagningen i detalj. Hon lyfte upp locket på en stor järngryta mitt på bordet och slöt ögonen när den kraftiga doften steg upp. Jag hade bara varit vaken en timme, och i den stunden kunde jag ha ätit bordduken.

Det var hennes enklaste maträtt, sade hon. Ta en rumpstek, låt fettet vara kvar, lägg den i botten på grytan och täck den med färskpotatis, lök, rovor, morötter och rödbetor, därtill litet salt, peppar och vatten, sätt den på låg värme i ugnen och vänta i fem timmar. Hon fyllde min tallrik med kött och grönsaker och hällde tjock sås över alltsammans. "Rödbetorna gör det hela litet lila", förklarade hon.

Hon frågade om jag ville be bordsbönen, men jag tackade nej. Jag hade inte bett på länge. Hon hade betydligt större fallenhet för det. Hon grep mina händer och vi slöt ögonen. Medan hon talade till himmelriket knackade regnet på plåttaket över våra huvuden.

"Var är Esau?" frågade jag efter mina tre första stora tuggor.

"På arbetet. Ibland kan han komma ifrån på lunchen, ibland inte." Hon funderade på något och sade sedan: "Får jag ställa en litet personlig fråga?"

"Visst."

"Är ni ett kristligt barn?"

"Det är jag säkert. Min mor brukade ta mig till kyrkan på påsken."

Det räckte inte. Vad hon än ville veta, var det inte detta.

"Vilket slags kyrka?"

"Episkopal. St Luke's i Memphis."

"Jag vet inte om vi har någon sådan i Clanton."

"Jag har inte sett någon." Inte för att jag hade letat energiskt efter någon kyrka. "Vilket slags kyrka går ni till?" frågade jag.

"Church of God in Christ", svarade hon snabbt, och hela hennes ansikte lyste upp. "Min präst är pastor Thurston Small, en fin gudsman. Och en kraftfull predikare. Ni borde komma och lyssna på honom."

Jag hade hört historier om svarta gudstjänster, att hela sabbaten tillbringades i kyrkan, att gudstjänsten pågick till sent på natten och avbröts först när anden slutligen var utmattad. Jag hade intensiva minnen av att ha genomlidit episkopala påskgudstjänster som enligt lag inte fick pågå längre än en timme.

"Deltar vita i era gudstjänster?" frågade jag.

"Bara när det är valår. En del politiker kommer och vädrar som hundar. De lovar en massa."

"Är de kvar under hela gudstjänsten?"

"Oh nej. Det har de aldrig tid med."

"Så man kan alltså komma och gå som man vill?"

"Ni kan göra det, mr Traynor. Vi gör ett undantag." Hon berättade en lång historia om sin kyrka, som låg på promenadavstånd från hennes hem, och om en brand som ödelade den inte så många år tidigare. Brandkåren, som naturligtvis höll till på stadens vita sida, hade aldrig bråtт när det gällde larm från Lowtown. De förlorade sin kyrka, men det var en välsignelse! Pastor Small fick församlingen att förena sig. I nästan tre år hade de gudstjänsterna i en lagerbyggnad som de fått låna av mr Virgil Mabry, en fin kristlig man. Huset låg ett kvarter från Main Street och många vita uppskattade inte att svarta hade gudstjänst i deras del av staden. Men mr Mabry stod på sig. Pastor Small samlade ihop pengarna, och tre år efter branden invigde man en ny helgedom, en som var dubbelt så stor som den gamla. Nu var den full varje söndag.

Jag älskade när hon pratade. Det gav mig möjlighet att äta oavbrutet, vilket var det viktigaste. Men jag var fortfarande fascinerad av hennes omsorgsfulla uttal, hennes röstnyansering och hennes vokabulär, som måste vara på universitetsnivå.

När hon hade berättat om den nya helgedomen frågade hon: "Läser ni ofta i Bibeln?"

"Nej", sade jag och skakade på huvudet medan jag tuggade på en varm rova.

"Aldrig?"

Det föll mig aldrig in att ljuga. "Aldrig."

Det gjorde henne besviken igen. "Hur ofta ber ni?"

Jag dröjde en sekund och sade: "En gång i veckan, när jag är här."

Hon lade långsamt ner kniv och gaffel och såg med rynkad panna på mig som om något väsentligt skulle sägas. "Mr Traynor, om ni inte går i kyrkan, inte läser er Bibel och inte ber, är jag inte så säker på att ni verkligen är ett kristligt barn."

Jag var inte heller så säker på det. Jag fortsatte tugga för att inte behöva svara och försvara mig. Hon fortsatte: "Jesus sade: 'Dömen icke, på det att I icke mån bliva dömda.' Det anstår inte mig att döma när det gäller någon annans själ, men jag måste erkänna att jag är orolig för er."

Jag var också orolig, men inte så mycket att jag ville störa lunchen.

"Vet ni vad som händer dem som lever utanför Guds vilja?" frågade hon.

Inget trevligt, det visste jag. Men jag var för hungrig och för rädd för att svara. Nu predikade hon, inte åt, och jag tyckte inte det var trevligt.

"Paulus skrev i Romarbrevet: 'Syndens lön är döden, men Guds gåva är evigt liv genom vår herre Jesus Kristus.' Vet ni vad som menas med det, mr Traynor?"

Jag hade mina aningar. Jag nickade och tog en ny tugga kött. Kunde hon hela Bibeln utantill? Skulle jag få höra allt?

"Döden är alltid kroppslig, men andlig död innebär evigheten fjärmad från vår herre Jesus. Döden innebär en evighet i helvetet, mr Traynor. Förstår ni det?"

Hon klargjorde det mycket väl. "Kan vi prata om något annat?" frågade jag.

Miss Callie log plötsligt och sade: "Naturligtvis. Ni är min gäst, och jag ska se till att ni känner er välkommen." Hon tog sin gaffel igen, och en lång stund åt vi och lyssnade på regnet.

"Det har varit en mycket blöt vår", sade hon. "Bra för bönorna, men mina tomater och meloner behöver litet sol."

Det tröstade mig att hon planerade kommande måltider. Min artikel om miss Callie och Esau och deras enastående barn var nästan färdig. Jag drog ut på arbetet i hopp om att få tillbringa ytterligare några torsdagsluncher på hennes veranda. Först skämdes jag för att så mycket mat hade lagats för min skull; vi åt bara en bråkdel av det. Men hon försäkrade mig att inget slängdes. Hon och Esau och kanske några vänner skulle se till att resterna kom till god användning. "Numera lagar jag bara mat tre gånger i veckan", erkände hon en aning skamset.

Desserten var persikokobbel och vaniljglass. Vi enades om att vänta en timme för att låta maten sjunka ner. Hon kom med två koppar starkt svart kaffe och vi flyttade oss till gungstolarna där vi arbetade. Jag tog fram block och penna och började ställa frågor. Hon älskade när jag skrev ner det hon sade.

Hennes första sju barn hade italienska namn – Alberto (Al), Leonardo (Leon), Massimo (Max), Roberto (Bobby), Gloria, Carlota och Mario. Bara Sam, den yngste och den som sades vara på rymmen från polisen, hade ett amerikanskt namn.

Under mitt andra besök hade hon sagt att hon växt upp i ett italienskt hem här i Ford County, men det var en mycket lång historia och hon sparade den till senare.

Alla de första sju hade varit avslutningstalare vid examen för deras klasser på Burley Street High School, skolan för svarta. Alla hade doktorerat och undervisade nu på universitet. De biografiska informationerna fyllde flera sidor och miss Callie kunde tala om sina barn i timmar, inte utan anledning.

Så hon pratade. Jag gjorde anteckningar, gungade litet i min stol, lyssnade på regnet och somnade slutligen.

12

Baggy hade en del reservationer när det gällde artikeln om familjen Ruffin. "Det är egentligen inte nyheter", sade han när han läste den. Jag är säker på att Hardy hade förvarnat honom om att jag funderade på att lägga in en stor förstasidesartikel om en svart familj. "Den här sortens saker brukar ligga på sidan fem", sade han.

I brist på mord var Baggys uppfattning om en riktig förstasidesnyhet en het tomtgränstvist som drevs i rättssalen utan jury, med en handfull halvsovande jurister och en nittioårig domare som hämtats tillbaka från graven för att avgöra saken.

1967 hade mr Caudle visat prov på mod genom att publicera dödsrunor över svarta, men under de tre åren därefter hade tidningen inte visat större intresse för något på andra sidan järnvägen. Wiley Meek var ovillig att följa mig dit och fotografera Callie och Esau framför sitt hus. Jag lyckades ordna en fotografering vid middagstid en torsdag. Stekt havskatt och vitkålssallad med majonnäsdressing. Wiley åt tills han knappt kunde andas.

Margaret var också besvärad av artikeln, men som alltid gjorde hon som chefen sade. I själva verket var alla på tidningen svalt inställda till idén. Jag struntade i det. Jag gjorde vad jag ansåg var rätt; dessutom väntade en stor rättegång runt hörnet.

Så onsdagen den 20 maj 1970, en vecka då det inte fanns något som helst att publicera om Kassellawmordet, ägnade The Ford County Times mer än halva förstasidan åt familjen

Ruffin. Det började med en stor rubrik – FAMILJEN RUFFIN HAR SJU PROFESSORER. Under den fanns ett stort fotografi där Callie och Esau satt på sin trappa och log stolt mot kameran. Under dem fanns bilder av alla de åtta barnen – från Al till Sam. Min artikel började:

När Calia Harris tvingades avsluta studierna i förtid lovade hon sig själv att hennes barn skulle få studera inte bara på gymnasiet utan också på universitetet. Året var 1926 och Calia, eller Callie som hon föredrar att kallas, var vid femton års ålder det äldsta av fyra barn. Utbildning blev en lyx när hennes far dog av tuberkulos. Callie arbetade hos familjen DeJarnette till 1929 då hon gifte sig med snickaren och deltidspredikanten Esau Ruffin. De hyrde en liten tvårummare i Lowtown för 15 dollar i månaden och började spara varje penny. De skulle komma att behöva allt de kunde spara.
1931 föddes Alberto.

1970 var doktor Alberto Ruffin professor i sociologi vid University of Iowa. Doktor Leonardo Ruffin var professor i biologi i Purdue. Doktor Massimo Ruffin var professor i ekonomi vid University of Toledo. Doktor Roberto Ruffin var professor i historia i Marquette. Doktor Gloria Ruffin Sanderford undervisade i italienska vid Duke University. Doktor Carlota Ruffin var professor i storstadsstudier vid University of California i Los Angeles. Doktor Mario Ruffin hade just doktorerat i medeltida litteratur och undervisade vid Grinnell College i Iowa. Jag nämnde Sam men gick inte närmare in på honom.

Jag hade talat i telefon med alla de sju akademikerna, och jag citerade dem generöst i min artikel. De var samstämmiga – kärlek, uppoffringar, disciplin, hårt arbete, uppmuntran, gudstro, tro på familjen, framåtanda, uthållighet; inget överseende med lättja eller misslyckanden. Var och en av de sju hade en framgångshistoria som kunde ha fyllt ett helt tidningsnummer. Alla hade haft minst ett heltidsarbete samtidigt med universitetsstudierna och forskarutbildningen. De flesta hade haft två arbeten. De äldre hjälpte de yngre. Mario sade till mig att han fick fem-sex små checkar varje månad från sina syskon och föräldrar.

De fem äldsta hade varit så koncentrerade på sina studier att de hade skjutit på äktenskap till trettioårsåldern. Carlota och Mario var fortfarande ogifta. På samma sätt var nästa generation omsorgsfullt planerad. Leon hade det äldsta barnbarnet, fem år gammalt. Det fanns totalt fem stycken. Max och hans fru väntade sitt andra.

Det fanns så mycket material om familjen Ruffin att jag bara publicerade första delen den veckan. När jag nästa dag kom till Lowtown för att äta lunch, tog miss Callie emot mig med tårar i ögonen. Esau tog också emot mig, med ett fast handslag och en stel, generad kram. Vi vräkte i oss en lammstek och jämförde åsikter om hur artikeln tagits emot. Den var naturligtvis ämnet för dagen i hela Lowtown, grannar tittade in hela onsdagseftermiddagen och torsdagsförmiddagen med nya tidningsexemplar. Jag hade skickat ett halvdussin till var och en av akademikerna.

När vi drack kaffe med äppelpaj ställde deras präst, pastor Thurston Small, sin bil på gatan och kom upp till verandan. Jag presenterades och han verkade glad över att träffa mig. Han tackade snabbt ja till dessert och gav sig in på en lång redogörelse för hur viktig artikeln om familjen Ruffin var för de svarta i Clanton. Tack vare mr Caudle gjordes framsteg på en front. Men publicerandet av en så storslagen och värdig artikel om en framstående svart familj på första sidan var ett ofantligt steg framåt för rastoleransen i staden. Jag såg det inte så. Det var bara en bra historia om miss Callie Ruffin och hennes fantastiska familj.

Pastorn tyckte om mat och han hade också en svaghet för utbroderingar. När han kommit in på sin andra paj blev han monoton i sitt lovprisande av artikeln. Han visade inga som helst tecken på att vilja ge sig iväg den dagen, så slutligen gick jag.

Förutom att Piston var den inofficiella och något opålitlige fastighetsskötaren för flera firmor runt torget, hade han också ett annat arbete. Han drev en inofficiell budfirma. Ungefär en gång i timmen uppenbarade han sig i dörren hos sina klienter – mest advokatbyråer, men också tre banker, några mäklare, försäkringsbolag och The Ford County Times – och stod där en liten stund i väntan på att få något att ta med sig. En huvudskakning av en sekreterare skickade honom vidare till nästa anhalt. Om ett brev eller ett paket behövde skickas, väntade sekreterarna på att Piston skulle dyka upp. Han tog vad det nu kunde vara och sprang med det till destinationen. Om det vägde mer än fem kilo var han inte intresserad. Eftersom han förflyttade sig till fots var hans tjänster begränsade till torget och kanske ett eller två kvarter bortom det. Nästan när som helst under arbetsdagen kunde man se Piston i stadens centrum – promenerande om han inte hade några försändelser, och småspringande om han hade det.

Huvuddelen av hans budverksamhet bestod av brev mellan advokatbyråer. Piston var betydligt snabbare än posten, och mycket billigare. Han var gratis. Han sade att det var hans bidrag till samhället, fast vid julen förväntade han sig en skinka eller en tårta.

Han kom infarande sent på fredagsförmiddagen med ett handskrivet kuvert från Lucien Wilbanks. Jag vågade knappt öppna det. Kunde det vara den stämning på miljonbelopp som han hade utlovat? Där stod:

Bäste mr Traynor,
Jag uppskattade er artikel om familjen Ruffin, en enastående klan. Jag har hört talas om deras bedrifter, men er artikel gav omfattande inblickar. Jag beundrar ert mod.

Jag hoppas ni fortsätter på denna positiva väg.
Högaktningsfullt
Lucien Wilbanks

Jag avskydde honom, men vem skulle inte ha uppskattat brevet? Han hade rykte om sig att vara en vildögd vänsterradikal som kämpade för impopulära ideal. Det gjorde att hans stöd just nu inte var till någon större tröst. Och jag visste att det var mycket tillfälligt.

Jag fick inga andra brev. Inga anonyma telefonsamtal. Inga hotelser. Det var skollov och hett. Desegregationens hotfulla och fruktade vindar växte i styrka. De hedervärda invånarna i Ford County hade viktigare saker att tänka på.

Efter ett årtionde av stridigheter och spänningar på grund av mänskliga rättigheter, fruktade många vita i Mississippi att slutet närmade sig. Om de federala domstolarna kunde integrera skolorna, stod då kyrkor och bostadsområden i tur?

Nästa dag gick Baggy på ett offentligt möte i källaren till en kyrka. Organisatörerna försökte utröna stödet för en privat helvit skola i Clanton. Publiken var stor, skrämd, upprörd och fast besluten att skydda sina barn. En jurist sammanfattade läget för diverse federala juridiska processer och gjorde det oroande konstaterandet att det slutliga avgörandet skulle komma under sommaren. Han förutspådde att svarta barn i tionde till tolfte årsklasserna skulle skickas till Clanton High School och att vita barn i årsklasserna sju till nio skulle skickas till Burley Street i Lowtown. Detta fick män att skaka på huvudet och kvinnor att brista i gråt. Tanken på att vita barn skulle skickas över järnvägen var helt enkelt oacceptabel.

En ny skola planerades. Vi ombads att inte skriva om saken, åtminstone inte just då. Organisatörerna ville få ekonomiskt stöd innan de gick ut med det i offentligheten. Vi gjorde som de önskade. Jag var angelägen om att undvika bråk.

En federal domare i Memphis gav order om en omfattande bussningsplan som skakade staden. Svarta barn i innerstaden skulle skickas till vita förorter, och på vägen dit skulle de passera vita barn som skickades i andra riktningen. Spänningarna blev ännu värre och jag kom på mig själv med att försöka undvika staden för en tid.

Det skulle bli en lång het sommar. Det var som om vi väntade på explosionen.

Jag hoppade över en vecka, sedan publicerade jag andra delen av historien om miss Callie. Längst ner på första sidan placerade jag en rad med aktuella fotografier av de sju Ruffinakademikerna. Min artikel handlade om var de fanns nu och vad de gjorde. Alla utan undantag uttalade sin stora kärlek till Clanton och Mississippi, fast ingen planerade att flytta tillbaka för gott. De vägrade att sätta sig till doms över en plats som hade skickat dem till sämre skolor, hållit dem kvar på ena sidan av järnvägen, hindrat dem från att rösta, äta på flertalet restauranger och dricka vatten ur drickfontänen på gräsmattan framför tingshuset. De vägrade att tala om något negativt. Istället tackade de Gud för hans godhet, för hälsa, för familj, för sina föräldrar och för de möjligheter de hade fått.

Deras ödmjukhet och godhet förbluffade mig. Alla de sju lovade att träffa mig under jullovet, då skulle vi sitta på miss Callies veranda och äta pekanpaj och berätta historier.

Jag avslutade min långa artikel med en fascinerande upplysning om familjen. Dagen då vart och ett av barnen Ruffin lämnade hemmet, sade Esau till honom eller henne att skriva minst ett brev i veckan till sin mor. Det gjorde de, och breven upphörde aldrig. Vid något tillfälle bestämde Esau att Callie skulle få ett brev om dagen. Sju akademiker. Sju dagar i en vecka. Så Alberto skrev sitt brev på söndagen och skickade det. Leonardo skrev sitt på måndagen och skickade det. Och så vidare. Vissa dagar fick Callie två eller tre brev, vissa dagar inga alls. Men den korta promenaden till brevlådan var alltid spännande.

Och hon sparade på alla brev. Hon visade mig en trave pappkartonger i en garderob i sovrummet, alla fyllda med hundratals brev från hennes barn.

"Ni ska få läsa dem någon gång", sade hon, men av någon anledning trodde jag inte på henne. Jag ville inte heller läsa dem. De skulle vara alldeles för privata.

13

Allmänne åklagaren Ernie Gaddis inlämnade en hemställan om att utöka antalet tänkbara jurymedlemmar. Enligt Baggy, som blev alltmer av expert för varje dag som gick, inkallade tingsnotarien ungefär fyrtio personer till jurytjänst för ett vanligt brottmål. Ungefär trettiofem inställde sig och åtminstone fem av dem var för gamla eller för sjuka för att vara behöriga. Gaddis hävdade i sin hemställan att det faktum att Kassellawmordet blev alltmer välkänt skulle göra det svårare att hitta opartiska jurymedlemmar. Han bad domstolen att inkalla minst hundra tänkbara jurymedlemmar.

Vad han inte skrev ner, men alla visste, var att familjen Padgitt skulle få det svårare att skrämma hundra personer än fyrtio. Lucien Wilbanks protesterade energiskt och krävde en prövning. Domare Loopus sade att det inte behövdes och gav order om ett större urval personer till jurytjänst. Han vidtog också den ovanliga åtgärden att hemligstämpla listan med tänkbara jurymedlemmar. Baggy och hans dryckesbröder, och alla andra i tingshuset, chockades av detta. Något sådant hade aldrig tidigare skett. Advokaterna och parterna i målet fick alltid en fullständig förteckning över tänkbara jurymedlemmar två veckor före rättegången.

Beslutet betraktades allmänt som en stor motgång för familjen Padgitt. Om de inte visste vilka som fanns på listan, hur skulle de då kunna muta eller skrämma dem?

Gaddis begärde sedan att kallelserna till jurytjänst skulle skickas ut med post, inte överlämnas personligen av sheriffens folk. Loopus tyckte om även detta. Uppenbarligen var han väl medveten om det nära förhållandet mellan familjen Padgitt och vår sheriff. Föga förvånande beklagade Lucien Wilbanks sig högljutt över denna plan. I sitt ganska ursinniga genmäle sade han att domare Loopus behandlade hans klient annorlunda och orättvist. När jag läste hans inlaga förvånade det mig att han kunde orera om ingenting på så många sidor.

Det började stå klart att domare Loopus var fast besluten att leda en säker och objektiv rättegång. Han hade varit allmän åklagare på femtiotalet innan han blev domare, och han var känd för att favorisera åklagarsidan. Han tycktes definitivt bekymra sig mycket litet om familjen Padgitt och deras gamla sätt att muta sig fram. Dessutom, på papperet (och definitivt i mina ögon) tycktes åtalet mot Danny Padgitt vara vattentätt.

Måndagen den 15 juni skickade tingsnotarien under stort hemlighetsmakeri hundra kallelser till jurytjänst till registrerade väljare i olika delar av Ford County. Ett kom till miss Callie Ruffins ganska välfyllda brevlåda, och när jag kom för att äta lunch på torsdagen visade hon den för mig.

1970 var Ford County till 26 procent svart, 74 procent vitt, utan några andelar för Annat eller sådana som inte var helt säkra. Sex år efter den stormiga sommaren 1964 och dess våldsamma kraftinsatser för att få svarta att registrera sig som väljare, och fem år efter rösträttslagen 1965, var det få i Ford County som besvärade med att registrera sig. I delstatsvalen 1967 hade nästan 70 procent av de röstberättigade vita i länet röstat, medan bara 12 procent av de svarta gjorde det. Registreringskampanjer i Lowtown möttes i allmänhet med likgiltighet. Ett skäl var att länet var så vitt att ingen svart någonsin kunde väljas till ett ämbete. Så varför besvära sig?

Ett annat skäl var de gamla bedrägerierna i samband med registreringen. I hundra år hade vita använt sig av diverse trick för att förvägra svarta röstregistrering. Röstningsskatt, läsprov, listan var lång och bedrövlig.

Ett annat skäl var flertalet svartas ovilja att låta sig registreras på något som helst sätt av vita myndigheter. Registrering kunde innebära högre skatter, mer övervakning, mer kontroll, mer intrång. Registrering kunde innebära jurytjänst.

Enligt Harry Rex, som var en något pålitligare källa i tingshuset än Baggy, hade det aldrig förekommit en svart jurymedlem i Ford County. Eftersom tänkbara jurymedlemmar togs ur röstlängderna och ingen annanstans, var det få som dök upp bland möjliga jurymedlemmar. De som klarade sig igenom de första utfrågningarna blev rutinmässigt befriade innan de slutliga tolv valdes ut. I brottmål avvisade åklagaren rutinmässigt svarta i tron att de skulle vara alltför välvilligt inställda till den åtalade. I civilprocesser avvisade försvaret dem eftersom man fruktade att de var för generösa med andras pengar.

Dessa teorier hade emellertid aldrig prövats i Ford County.

Callie och Esau registrerade sig 1951. De marscherade tillsammans in på tingsnotariens kontor och bad att tas med i röstlängden. Biträdande tingsnotarien gjorde som hon fått lära sig att göra, hon gav dem ett inplastat kort med orden "Självständighetsförklaringen" högst upp. Texten där under var på tyska.

Notarien utgick från att mr och mrs Ruffin var lika illitterata som flertalet svarta i Ford County, och sade: "Kan ni läsa det här?"

"Det där är inte engelska", sade Callie. "Det är tyska."

"Kan ni läsa det?" frågade notarien som insåg att hon kanske hade ett besvärligt par framför sig.

"Jag kan läsa det lika bra som ni", sade Callie artigt.

Notarien lade undan kortet och sträckte fram ett annat. "Kan ni läsa det här?" frågade hon.

"Det kan jag", sade Callie. "Det är författningen."

"Vad står det på nummer åtta?"

Callie läste det långsamt och sade sedan: "Åttonde tillägget förbjuder överdrivna böter och grymma bestraffningar."

Ungefär nu, beroende på vilken version som berättades, lutade sig Esau fram och sade: "Vi är fastighetsägare." Han lade köpebrevet till deras hus på disken, och notarien granskade det. Det var inte nödvändigt att äga fast egendom för att få rösta, men det var en betydande fördel om man var svart. Eftersom hon inte visste vad hon skulle göra sade hon: "Då så. Röstskatten är två dollar per person." Esau gav henne pengarna, och därmed kom de in i röstlängden tillsammans med trettioen andra svarta av vilka inga var kvinnor.

De missade aldrig ett val. Miss Callie hade alltid varit bekymrad för att så få av hennes vänner besvärade sig med att registrera sig och rösta, men hon var för upptagen med att fostra sina barn för att göra så mycket åt det. Ford County besparades de rasoroligheter som var vanliga i större delen av delstaten, så det förekom aldrig någon organiserad kampanj för att registrera svarta väljare.

Först kunde jag inte avgöra om hon var orolig eller ivrig. Jag är inte så säker på att hon heller visste det. Den första svarta kvinnliga väljaren skulle nu kunna bli den första svarta jurymedlemmen. Hon hade aldrig ryggat tillbaka för en utmaning, men hon hade djupa moraliska betänkligheter mot att sätta sig till doms över en annan människa. "Dömen icke, på det att I icke mån bliva dömda", sade hon mer än en gång med hänvisning till Jesus.

"Men om alla följde de där orden i Bibeln skulle hela vårt juridiska system falla samman, inte sant?" sade jag.

"Jag vet inte", sade hon och tittade bort. Jag hade aldrig tidigare sett miss Callie så tankspridd.

Vi åt stekt kyckling med potatismos och sås. Esau hade inte kunnat komma hem till lunch.

"Hur ska jag kunna döma en man som jag vet är skyldig?" frågade hon.

"Först lyssnar man på bevisen", sade jag. "Man ska vara fördomsfri. Det är inte svårt."

"Men ni vet att han dödade henne. Ni praktiskt taget sade det i tidningen." Hennes brutala uppriktighet slog hårt varje gång.

"Vi rapporterade bara fakta, miss Callie. Om fakta fick honom att verka skyldig, så är det så."

Pauserna var långa och många den dagen. Hon var djupt försjunken i tankar och åt mycket litet.

"Hur är det med dödsstraffet?" frågade hon. "Kommer de att sätta honom i gaskammaren?"

"Ja. Det brottet är belagt med dödsstraff."

"Vem avgör om han ska dödas?"

"Juryn."

"Åh."

Sedan kunde hon inte äta. Jag såg att hennes blodtryck hade stigit sedan hon fick kallelsen till jurytjänst. Hon hade redan varit hos läkaren. Jag hjälpte henne till soffan i vardagsrummet och hämtade ett glas isvatten till henne. Hon ville absolut att jag skulle äta min lunch, vilket jag glatt gjorde under tystnad. Senare piggnade hon till litet och vi satt i gungstolarna på verandan och pratade om allt utom Danny Padgitt och rättegången.

Jag fick slutligen napp när jag frågade henne om det italienska inflytandet i hennes liv. Under vår första lunch hade hon sagt att hon talade italienska innan hon talade engelska. Sju av hennes åtta barn hade italienska namn.

Hon hade en lång historia att berätta. Jag hade absolut inget annat för mig.

På 1890-talet steg bomullspriset drastiskt när efterfrågan steg överallt i världen. De bördiga regionerna i sydstaterna hade press på sig att producera mer. De stora plantageägarna i Mississippidelat hade ett förtvivlat behov av att öka sina skördar, men de hade stor brist på arbetskraft. Många av de arbetsföra svarta hade flytt från landet där deras förfäder hade slitit och släpat som slavar till bättre arbeten och definitivt bättre liv uppe i norr. De som stannade kvar var begripligt nog föga entusiastiska inför att hugga och plocka bomull för skamligt låga löner.

Jordägarna kom på att de skulle importera flitiga och arbetsamma europeiska immigranter för att odla bomull. Via italienska arbetskraftsförmedlare i New York och New Orleans ordnades kontakter, löften utbyttes, lögner uttalades, kontrakt förfalskades, och 1895 anlände den första båtlasten familjer till Mississippideltat. De kom från norra Italien, från regionen Emilia-Romagna nära Verona. De flesta var obildade och talade mycket litet engelska, men på vilket språk som helst insåg de snabbt att de befann sig i fel ände av ett grovt bedrägeri. De fick usla bostäder i ett subtropiskt klimat, och samtidigt som de kämpade mot malaria och myggor och ormar och orent dricksvatten beordrades de att odla bomull för löner som ingen kunde leva på. De tvingades låna pengar till skamlig ränta av jordägarna. Mat och förnödenheter måste de köpa i bolagsbutiken, till höga priser.

Italienarna arbetade hårt, så jordägarna ville ha fler. De piffade upp verksamheten och gav fler löften till fler italienska arbetskraftsförmedlare, och fler immigranter anlände. Ett daglönarsystem finslipades, och italienarna behandlades sämre än flertalet svarta jordbruksarbetare.

Med tiden gjordes en del försök att fördela vinsterna och överlåta äganderätt till mark, men bomullspriserna varierade så våldsamt att planerna aldrig kunde genomföras. Efter tjugo års utsugning skingrades slutligen italienarna och experimentet tillhörde det förgångna.

De som stannade kvar i Mississippideltat betraktades i årtionden som andra klassens medborgare. De fick inte tillträde till skolorna, och eftersom de var katoliker var de inte välkomna i kyrkorna. De fina klubbarna var förbjuden mark. De var "svartskallar" och föstes ner till botten av samhällsstegen.

Men eftersom de arbetade hårt och sparade sina pengar blev de gradvis jordägare.

Familjen Rossetti kom 1902 till Leland i Mississippi. De kom från en by nära Bologna, och hade oturen att lyssna på fel arbetskraftsförmedlare i den staden. Paret Rossetti hade med sig fyra döttrar av vilka den äldsta var tolvåriga Nicola. Även om de ofta hungrade det första året lyckades de undvika direkt svält. De var utfattiga när de kom, och efter tre års daglönearbete hade de skulder på 6.000 dollar till plantagen, utan möjlighet att betala. De flyttade från platsen i skydd av natten och tjuvåkte med godsvagn till Memphis där en avlägsen släkting tog hand om dem.

Vid femton års ålder var Nicola bedövande vacker. Långt mörkt hår, bruna ögon – en klassisk italiensk skönhet. Hon verkade äldre än hon var och lyckades få arbete i en klädbutik genom att säga till ägaren att hon var arton. Efter tre dagar friade ägaren till henne. Han var beredd att lämna sin fru sedan tjugo år och säga adjö till sina barn om Nicola ville rymma med honom. Hon sade nej. Han erbjöd mr Rossetti 5.000 dollar. Mr Rossetti sade nej.

På den tiden gjorde de förmögna familjerna i norra Mississippi sina inköp och umgicks i Memphis, vanligen inom gångavstånd från Peabody Hotel. Det var där mr Zachary DeJarnette från Clanton hade turen att stöta ihop med Nicola Rossetti. Två veckor senare gifte de sig.

Han var trettioett år, änkling utan barn och på jakt efter en ny fru. Han var också den störste jordägaren i Ford County, där marken inte var lika bördig som i Mississippideltat men fortfarande mycket lönsam om man ägde tillräckligt mycket. Mr DeJarnette hade ärvt drygt fyratusen tunnland. Hans farfar hade en gång ägt Calia Harris Ruffins farfar.

Äktenskapet var en paketöverenskommelse. Nicola var klokare än man kunde tro av hennes ungdom, och hon var också förtvivlat angelägen om att skydda sin familj. De hade lidit så mycket. Hon såg en chans och utnyttjade den helt och fullt.

Innan hon gick med på att gifta sig fick DeJarnette lova att inte bara anställa hennes far som förvaltare utan också ge familjen en mycket fin bostad. Han gick med på att bekosta utbildning för hennes tre småsyskon. Han gick med på att betala skulderna i Mississippideltat. Mr DeJarnette var så förälskad att han kunde ha gått med på vad som helst.

De första italienarna i Ford County kom inte i en skraltig oxkärra utan i förstaklassvagn på Illinois Central Rail Line. En mottagningskommitté lastade av deras splitter nya resväskor och hjälpte dem in i två T-Fordar av 1904 års modell. Familjen Rossetti behandlades som kungligheter när de följde med mr DeJarnette på fest efter fest i Clanton. Staden surrade av skildringar av brudens skönhet. Det talades om en traditionell vigsel för att på något sätt förstärka snabbvigseln i Memphis, men tanken förkastades eftersom det inte fanns någon katolsk kyrka i Clanton. Bruden och brudgummen hade ännu inte tagit itu med den känsliga frågan om religiös tillhörighet. Om Nicola den gången hade bett mr DeJarnette att konvertera till hinduismen, skulle han snabbt ha gjort det.

De anlände slutligen till det stora huset i stadens utkant. När familjen Rossetti kom in på den långa uppfarten och såg den storslagna förkrigsherrgården som uppförts av den förste mr DeJarnette, brast de i gråt.

Det beslöts att de skulle bo där tills en förvaltarbostad hade renoverats till passande standard. Nicola iklädde sig sina plikter som herrgårdsfru och gjorde sitt bästa för att bli gravid. Hennes yngre systrar fick privatlärare, och inom några veckor talade de bra engelska. Mr Rossetti tillbringade alla dagar tillsammans med sin svärson, som bara var tre år yngre än han, och lärde sig sköta plantagen.

Och mrs Rossetti begav sig till köket där hon träffade Callies mor India.

"Min mormor var kock åt familjen DeJarnette, liksom min mor", sade miss Callie. "Jag trodde att jag också skulle bli det, men det blev inte så."

"Fick Zack och Nicola några barn?" frågade jag. Jag var inne på mitt tredje eller fjärde glas te. Det var varmt och isen hade smält. Miss Callie hade pratat i två timmar, och hon hade glömt mordrättegången och kallelsen till jurytjänst.

"Nej. Det var mycket sorgligt, för de ville så gärna ha barn. När jag föddes 1911 tog Nicola mig praktiskt taget ifrån min mor. Hon envisades med att jag skulle få ett italienskt namn. Jag fick bo hos henne i det stora huset. Min mor hade inget emot det – hon hade många andra barn, dessutom var hon i huset hela dagarna."

"Vad gjorde din far?" frågade jag.

"Han arbetade på gården. Det var en bra plats att arbeta och leva på. Vi hade tur, för familjen DeJarnette tog hand om oss. De var fina, hederliga människor. Många svarta hade det inte så. På den tiden styrdes ens liv av den vite mannen som ägde ens hus. Om han var elak och otrevlig, blev ens liv eländigt. Familjen DeJarnette var underbara människor. Min far, farfar och farfarsfar arbetade på deras ägor, och de blev aldrig illa behandlade."

"Och Nicola?"

Hon log för första gången på en timme. "Gud välsignade mig. Jag fick två mammor. Hon gav mig kläder som hon köpte i Memphis. När jag var liten lärde hon mig tala italienska samtidigt som jag lärde mig engelska. Hon lärde mig läsa när jag var tre år."

"Talar ni fortfarande italienska?"

"Nej. Det var länge sedan. Hon älskade att berätta för mig om hur det var att vara liten flicka i Italien, och hon lovade att hon en dag skulle ta mig dit så jag fick se kanalerna i Venedig och Vatikanen i Rom och lutande tornet i Pisa. Hon älskade att sjunga och hon lärde mig mycket om opera."

"Hade hon studerat?"

"Hennes mor hade fått litet utbildning, men inte mr Rossetti, och hon hade sett till att Nicola och hennes systrar kunde läsa och skriva. Hon lovade att jag skulle få gå på universitet norrut, kanske till och med i Europa där folk var mer vidsynta. Tanken att en svart kvinna skulle gå på universitet var direkt vansinnig på tjugotalet."

Berättelsen löpte i många olika riktningar. Jag hade velat notera en del av det, men jag hade inte tagit med mig anteckningsboken. Det måste ha varit något unikt att en ung svart flicka femtio år tidigare bodde på en herrgård i Mississippi och talade italienska och lyssnade på opera.

"Arbetade ni i huset?" frågade jag.

"Jodå, när jag blev äldre. Jag var husjungfru, men jag behövde inte arbeta så mycket som de andra. Nicola ville ha mig nära sig. Minst en timme varje dag satt vi i hennes salong och hade talövningar. Hon var fast besluten att få bort sin italienska brytning, och hon var lika fast besluten att jag skulle ha perfekt uttal. Vi fick undervisning av en pensionerad lärarinna från staden, en miss Tucker, en gammal fröken, jag glömmer henne aldrig. Nicola lät hämta henne med bil varje morgon. Vi gick igenom en lektion medan vi drack te, och miss Tucker rättade det minsta felaktiga uttal. Vi studerade grammatik. Vi lärde oss nya ord. Nicola övade sig tills hon talade perfekt engelska."

"Hur blev det med universitetsstudierna?"

Hon blev plötsligt trött och det var slut med berättandet. "Ah, mr Traynor, det var mycket sorgligt. Mr DeJarnette förlorade allt på tjugotalet. Han hade investerat stort i järnvägar och fartyg och aktier och sådant, och han blev utblottad nästan över en natt. Han sköt sig, men det är en annan historia."

"Hur gick det med Nicola?"

"Hon lyckades behålla herrgården till andra världskriget, sedan flyttade hon tillbaka till Memphis tillsammans med sina föräldrar. Vi skrev brev till varandra varje vecka i åratal, jag har fortfarande kvar hennes. Hon dog för fyra år sedan, sjuttiosex år gammal. Jag grät i en månad. Jag gråter fortfarande när jag tänker på henne. Så jag älskade den kvinnan." Rösten dog bort och jag visste av erfarenhet att hon var redo för en tupplur.

Sent den kvällen grävde jag mig ner i tidningens arkiv. Den 12 september 1930 fanns en förstasidesartikel om Zachary DeJarnettes självmord. Han var deprimerad efter det ekonomiska sammanbrottet och skrev ett nytt testamente samt ett avskedsbrev till sin fru Nicola, varefter han för att förenkla det hela för alla körde till begravningsbyrån i Clanton. Han gick in via bakdörren med en dubbelbössa, letade sig in till balsameringsrummet, satte sig, tog av sig ena skon, satte gevärsmynningarna i munnen och pressade in avtryckaren med stortån.

14

Måndagen den 22 juni inställde sig alla utom åtta av de hundra jurymedlemmarna till rättegången mot Danny Padgitt. Vi fann senare att fyra av dem var döda och fyra hade helt enkelt försvunnit. De flesta övriga verkade mycket angelägna. Baggy sade att i vanliga fall har jurymedlemmar ingen aning om vilket mål de skall tilldelas när de kommer. Så var det inte med Padgittmålet. Varje levande själ i Ford County visste att den stora dagen slutligen hade kommit.

Få saker drar publik i en småstad som en bra mordrättegång, och rättssalen var full långt före klockan nio. De tänkbara jurymedlemmarna fyllde en långsida, publiken den andra. Den gamla altanen praktiskt taget sviktade under oss. Folk stod längs väggarna. Som en styrkedemonstration lät sheriff Coley alla tillgängliga uniformerade personer gå omkring och se betydelsefulla ut men utan att göra något produktivt. Vilket perfekt tillfälle för ett bankrån, tänkte jag.

Baggy och jag satt på första parkett. Han hade övertygat tingsnotarien om att vi hade rätt till presskort, därav de speciella sittplatserna. Intill mig satt en journalist från tidningen i Tupelo, en trevlig man som luktade billig piptobak. Jag informerade honom helt inofficiellt om mordet. Han verkade imponerad av mina kunskaper.

Familjen Padgitt fanns mangrant på plats. De satt på stolar som dragits fram till svarandesidans bord och trängdes runt Danny och Lucien Wilbanks som den hop tjuvar de faktiskt var. De var arroganta och hotfulla och jag kunde inte låta bli att avsky allihop. Jag visste inte vad de hette; få gjorde det. Men när jag såg på dem undrade jag vem som varit den klumpige mordbrännaren som tog sig in på vårt tryckeri med bensindunkarna. Jag hade min revolver i portföljen. Jag är säker på att de hade sina inom räckhåll. En enda tanklös rörelse här eller där skulle sätta igång en gammaldags revolverstrid. Om man lade till sheriff Coley och hans illa utbildade men skjutglada gossar, så skulle halva staden utplånas.

Jag fick några blickar från familjen Padgitt, men de var betydligt mer bekymrade för jurymedlemmarna än för mig. De såg skarpt på dem när de kom in i rättssalen och fick handledning av biträdet. Familjen Padgitt och deras advokater såg på listan som de hade kommit över någonstans. De utbytte åsikter.

Danny var prydligt men ledigt klädd i vit långärmad skjorta och ett par stärkta khakibyxor. I enlighet med de föreskrifter han fått av Wilbanks log han mycket, som om han egentligen var en bra grabb vars oskuld strax skulle bevisas.

På andra sidan mittgången satt Ernie Gaddis och hans folk och granskade på samma sätt de tänkbara jurymedlemmarna. Gaddis hade två assistenter, ett rättsbiträde och en deltidsåklagare som hette Hank Hooten. Rättsbiträdet bar på mapparna och portföljerna. Hooten tycktes göra föga mer än vara på plats så Ernie skulle ha någon att prata med.

Baggy lutade sig mot mig som om det var dags att viska. "Den där killen, han i den bruna kostymen", sade han och nickade mot Hooten. "Han låg med Rhoda Kassellaw."

Jag blev bestört och det syntes på mig. Jag vred mig häftigt åt höger och såg på Baggy. Han nickade belåtet och sade vad han alltid sade när han hade fina informationer om något riktigt motbjudande. "Det var det jag pratade om", viskade han. Det betydde att han inte hade några tvivel. Baggy hade ofta fel men han tvivlade aldrig.

Hooten såg ut att vara i fyrtioårsåldern, med hår som grånat i förtid, snyggt klädd, ganska stilig. "Varifrån kommer han?" viskade jag. Det var stimmigt i salen när vi väntade på domare Loopus.

"Härifrån. Han sysslar litet med fastighetsjuridik, enkla saker. En klant. Skild flera gånger, jagar alltid nya damer."

"Vet Gaddis att hans assistent umgicks med offret?"

"Nej för fan. Ernie skulle ta honom ifrån målet."

"Tror du att Wilbanks vet det?"

"Ingen vet det", sade Baggy ännu mer belåtet. Det var som om han personligen hade avslöjat dem tillsammans i sängen och sedan behållit det för sig själv intill detta ögonblick i rättssalen. Jag var inte så säker på att jag trodde honom.

Miss Callie kom några minuter före nio. Esau följde henne in i rättssalen, sedan måste han gå eftersom han inte kunde hitta någon sittplats. Hon anmälde sig till biträdet och placerades i tredje raden; hon fick ett frågeformulär att fylla i. Hon såg sig omkring efter mig, men det fanns för många människor mellan oss. Jag räknade till fyra andra svarta i gruppen.

Ett rättsbiträde röt åt oss att ställa oss upp, och det lät som en kreaturshop på flykt. Domare Loopus sade till oss att sitta ner, och golvet skakade. Han skred snabbt till verket och tycktes vara på gott humör. Han hade en rättssal full av väljare och han skulle ställa upp till omval om två år, fast han hade aldrig haft någon motståndare. Sex jurymedlemmar befriades från tjänst eftersom de var äldre än sextiofem. Fem befriades av medicinska skäl. Förmiddagen började bli trist. Jag kunde inte ta ögonen från Hank Hooten. Han såg definitivt ut som en kvinnokarl.

När de inledande frågorna var överstökade hade jurygruppen krympt till sjuttionio behöriga personer. Miss Callie satt nu i andra raden, inte ett gott tecken om hon ville slippa jurytjänst. Domare Loopus lämnade ordet till Ernie Gaddis, som återigen presenterade sig för gruppen och omständligt förklarade att han var där som representant för delstaten Mississippi, skattebetalarna, de medborgare som hade valt honom för att åtala dem som begått brott. Han var folkets ombud.

Han var här för att åtala mr Danny Padgitt, som åtalats av en åtalsjury bestående av medborgare i länet, för våldtäkten och mordet på Rhoda Kassellaw. Han frågade om det var möjligt att någon inte hade hört något om mordet. Inte en enda hand höjdes.

Ernie hade talat till jurymedlemmar i trettio år. Han var vänlig och smidig och gav intryck av att man kunde diskutera nästan vad som helst med honom, även under en rättegång. Han drog sig sakta in på ämnet hotelser. Har någon utanför er familj kontaktat er beträffande det här målet? Någon obekant? Har någon vän försökt påverka er? Era kallelser skickades till er med post; jurylistan är hemligstämplad. Ingen skall veta att ni är en tänkbar jurymedlem. Har någon nämnt det för er? Har någon hotat er? Erbjudit er något? Det var mycket tyst i salen när Ernie gick igenom de frågorna med dem.

Ingen höjde en hand; ingen förväntades göra det. Men Ernie lyckades få fram budskapet att dessa människor, familjen Padgitt, hade rört sig i skuggorna i Ford County. Han placerade ett ännu mörkare moln över dem, och han gav intryck av att han i sin egenskap av allmän åklagare och folkets ombud kände till sanningen.

Han inledde avslutningen med en fråga som skar genom luften som en kniv. "Är ni alla införstådda med att det är brottsligt att påverka en jury?"

De tycktes vara införstådda med det.

"Och att jag, åklagaren, kommer att spåra upp, anklaga, åtala och göra mitt yttersta för att fälla varje person som försökt påverka en jury. Är ni införstådda med det?"

När Ernie var färdig kände vi oss alla som om vi hade blivit påverkade. Var och en som pratade om målet, vilket naturligtvis var varenda människa i länet, tycktes löpa risk att åtalas av Ernie och förföljas ända ner i graven.

"Han är effektiv", viskade journalisten från Tupelo.

Lucien Wilbanks inledde med en lång och ganska tråkig föreläsning om att var och en förmodas vara oskyldig och att detta är grunden för rättsfilosofin i USA. Oberoende av vad de hade läst i lokaltidningen, och här lyckades han skicka en föraktfull blick åt mitt håll, var hans klient, som i denna stund satt här, en oskyldig människa. Och om någon ansåg något annat var han eller hon skyldig att räcka upp handen och säga det.

Inga händer. "Bra. Med er tystnad säger ni då domstolen att ni alla i detta ögonblick kan se på Danny Padgitt och säga att han är oskyldig. Kan ni göra det?" Han bearbetade dem på detta sätt alldeles för länge, sedan övergick han till bevisbördan med en annan föreläsning om delstatens monumentala problem med att bortom allt rimligt tvivel bevisa att hans klient var skyldig.

Dessa två heliga beskydd – att en person förmodas vara oskyldig tills motsatsen har bevisats, och bevis bortom varje rimligt tvivel – var oss alla givna, även jurymedlemmarna, av de mycket kloka män som formulerade vår konstitution och lagen om individens rättigheter.

Det närmade sig middagstid och alla såg fram mot en paus. Wilbanks tycktes missa detta och pratade på. När han satte sig kvart över tolv, meddelade domare Loopus att han var utsvulten. Vi skulle ta paus till klockan två.

Baggy och jag åt en smörgås i Advokatbaren tillsammans med flera av hans kumpaner, tre åldrade och orkeslösa jurister som inte hade missat en rättegång på åratal. Baggy ville intensivt ha en whisky, men av någon egendomlig anledning kände han att plikten kallade. Det gjorde inte hans vänner. Biträdet hade givit oss en förteckning över jurymedlemmarna så som de nu satt. Miss Callie var nummer tjugotvå, den första svarta och den tredje kvinnan.

Det ansågs allmänt att försvaret inte skulle stryka henne eftersom hon var kvinna, och svarta enligt den förhärskande teorin var välvilligt inställda till anklagade. Jag visste inte riktigt hur en svart kunde vara välvilligt inställd till en vit ligist som Danny Padgitt, men juristerna var orubbliga i sin övertygelse att Lucien Wilbanks gärna skulle behålla henne.

I enlighet med samma teori skulle åklagarsidan använda sig av en av sina godtyckliga strykningar till att avlägsna henne ur juryn. Inte alls, sade Chick Elliot, den äldste och mest berusade i gruppen. "Jag skulle behålla henne om jag vore åklagare", sade han och svepte en stor sup bourbon.

"Varför det?" frågade Baggy.

"För att vi känner henne så väl nu, tack vare Times. Hon framställdes som en förnuftig, gudfruktig, bibelläsande patriot som fostrade alla de där barnen med hårda medel och en hård spark i baken om de konstrade."

"Jag håller med", sade Tackett, den yngste av de tre. Men Tackett hade en tendens att hålla med den förhärskande teorin, vilken den än var. "Hon skulle vara en perfekt jurymedlem för åklagaren. Dessutom är hon kvinna. I ett våldtäktsmål skulle jag ta alla kvinnor jag kunde få."

De diskuterade en timme. Det var min första session med dem, och jag förstod plötsligt hur Baggy hade kunnat samla på sig så många olika åsikter i så många frågor. Jag försökte att inte visa det, men jag var mycket orolig för att mina långa och generösa artiklar om miss Callie på något sätt skulle dyka upp och besvära henne.

Efter lunchen gick domare Loopus in på den allvarligaste fasen i utfrågningen – dödsstraffet. Han förklarade idén med dödsstraffet och den procedur som skulle följas, sedan överlämnade han återigen ordet till Ernie Gaddis.

Jurymedlem nummer elva var medlem i någon föga känd religiös sekt och han klargjorde tydligt att han aldrig kunde rösta för att skicka en människa till gaskammaren. Jurymedlem nummer trettiofyra hade deltagit i två krig och han ansåg bestämt att dödsstraffet inte utdömdes tillräckligt ofta. Detta gladde naturligtvis Ernie, som valde ut enskilda jurymedlemmar och artigt frågade dem om vad de ansåg om att döma andra och att utdöma dödsstraff. Slutligen kom han till miss

Callie. "Mrs Ruffin, jag har läst om er och ni tycks vara en mycket religiös kvinna. Stämmer det?"

"Jag älskar Herren", svarade hon, klart och tydligt som alltid.

"Tvekar ni att sitta till doms över en annan människa?"

"Ja, sir."

"Vill ni bli befriad?"

"Nej, sir. Det är min plikt som medborgare att vara här, precis som alla de andra."

"Och om ni ingår i juryn, och juryn anser att mr Padgitt har gjort sig skyldig till dessa brott, kan ni då rösta för att avrätta honom?"

"Jag skulle verkligen inte vilja göra det."

"Min fråga var om ni kan göra det."

"Jag kan lyda lagen, precis som alla andra här. Om lagen säger att vi borde överväga dödsstraff, kan jag göra som lagen säger."

Fyra timmar senare blev Calia H. Ruffin den sista jurymedlemmen som valdes ut – den första svarta medborgaren som tjänstgjorde i en jury i Ford County. Fyllona uppe i Advokatbaren hade rätt. Svarandesidan ville ha henne för att hon var svart. Åklagarsidan ville ha henne för att de kände henne så väl. Dessutom måste Ernie Gaddis spara sina strykningar i juryn för mindre tilltalande personer.

Sent den kvällen satt jag ensam i mitt arbetsrum och arbetade med en artikel om den första dagen och juryvalet. Jag hörde välbekanta ljud från bottenvåningen. Harry Rex hade ett sätt att slänga upp ytterdörren och stampa på trägolvet så alla på tidningen, oberoende av tiden på dagen, visste att han hade kommit. "Williegrabben!" skrek han nerifrån.

"Kom upp!" skrek jag tillbaka.

Han mullrade uppför trappan och slängde sig ner på sin favoritstol. "Vad tycker du om juryn?" frågade han. Han tycktes vara helt nykter.

"Jag känner bara en av dem", sade jag. "Hur många känner du?"

"Sju."

"Tror du att de valde miss Callie tack vare mina artiklar?"

"Ja", sade han, brutalt uppriktig som alltid. "Alla har pratat om henne. Båda sidor tycker att de känner henne. Det är 1970 och vi har aldrig haft en svart jurymedlem. Hon verkade lika bra som någon annan. Oroar det dig?"

"Jag tror det."

"Varför det? Vad är det för fel med att tjänstgöra i en jury? Det är på tiden att vi låter svarta göra det. Hon och hennes man har alltid varit ivriga att riva ner murar. Det är inte farligt. I alla fall brukar det inte vara farligt."

Jag hade inte pratat med miss Callie och jag skulle inte få göra det förrän efter rättegången. Domare Loopus hade givit order om att jurymedlemmarna skulle hållas isolerade resten av veckan. Vid det här laget gömde de sig på ett motell i en annan stad.

"Finns det några misstänkta figurer i juryn?" frågade jag.

"Kanske. Alla är oroliga för den där handikappade grabben från Dumas. Fargarson. Skadade ryggen i ett sågverk som ägdes av hans farbror. Farbrodern sålde virke till familjen Padgitt för många år sedan. Grabben är litet uppkäftig. Gaddis ville stryka honom men han fick inte stryka fler."

Den handikappade grabben gick med käpp och var minst tjugofem år. Harry Rex kallade alla "grabben" som var yngre än han, speciellt mig.

"Men man vet aldrig var man har familjen Padgitt", fortsatte han. "För fan, de skulle kunna äga halva juryn vid det här laget."

"Det tror du väl egentligen inte på?"

"Nej, men en oenig jury skulle inte heller förvåna mig. Ernie måste kanske göra två-tre försök med den här grabben innan han tar honom."

"Men han hamnar väl i fängelse?" Tanken på att Danny

Padgitt skulle slippa straff skrämde mig. Jag hade investerat mig själv i staden Clanton, och om rättvisan var så mutbar ville jag inte stanna.

"De kommer att slita honom i stycken."

"Bra. Dödsstraff?"

"Det är jag säker på, med tiden. Det här är spännet i bibelbältet, Willie. Öga för öga och så vidare. Loopus kommer att göra allt han kan för att hjälpa Ernie få igenom en dödsdom."

Sedan gjorde jag misstaget att fråga varför han arbetade så sent. En skilsmässoklient hade rest från staden i affärer och sedan smugit tillbaka för att avslöja sin fru på bar gärning med sin herrbekant. Klienten och Harry Rex hade tillbringat de senaste två timmarna i en lånad pickup bakom ett snabbmotell norr om staden. Det visade sig att frun hade två herrbekanta. Det tog en halvtimme att berätta historien.

15

På torsdagsmorgonen slösades nästan två timmar bort när advokaterna bråkade om några omtvistade yrkanden i domarens arbetsrum. "Antagligen fotografierna", sade Baggy gång på gång. "De bråkar alltid om fotografierna." Eftersom vi inte informerades om deras lilla krig väntade vi otåligt i rättssalen och höll våra platser. Jag fyllde sidor med meningslösa anteckningar med en oläslig handstil som vilken erfaren journalist som helst skulle ha beundrat. Skrivandet gav mig något att göra och höll mina blickar borta från familjen Padgitts ständiga stirrande. När juryn inte fanns i salen riktade de sin uppmärksamhet mot publiken, speciellt mig.

Jurymedlemmarna var inlåsta i konferensrummet med poliser vid dörren som om någon hade kunnat vinna något på att angripa dem. Rummet låg på andra våningen och hade stora fönster mot östra sidan av tingshusets gräsmatta. I nedre delen av ett fönster satt en bullrande luftkonditioneringsapparat som kunde höras överallt på torget när den gick för full gas. Jag tänkte på miss Callie och hennes blodtryck. Jag visste att hon läste Bibeln och det kanske lugnade henne. Jag hade ringt till Esau tidigt på morgonen. Han var mycket upprörd över att hon hade förts iväg och isolerats.

Esau satt i den bakersta bänkraden och väntade som vi andra.

När domare Loopus och advokaterna slutligen dök upp, såg de ut som om de hade varit i slagsmål. Domaren nickade till rättsbiträdet och jurymedlemmarna fördes in. Han hälsade dem välkomna, tackade dem, frågade om deras inkvartering, beklagade omaket, beklagade förseningen denna morgon, och lovade sedan att det skulle hända saker.

Ernie Gaddis placerade sig bakom podiet och började sitt inledningsanförande till juryn. Han hade ett anteckningsblock, men han såg inte på det. Med stor effektivitet läste han upp alla de nödvändiga moment som åklagarsidan skulle framlägga bevis för mot Danny Padgitt. När alla bevis hade framlagts och alla vittnen var färdiga, och advokaterna hade tystnat och domaren hade sagt sitt, återstod det för juryn att skipa rättvisa. Han var helt övertygad om att de skulle finna Danny Padgitt skyldig till våldtäkt och mord. Han sade inte ett ord i onödan, och varje ord träffade sitt mål. Han var barmhärtigt kortfattad. Hans självsäkra tonfall och koncisa redogörelse sade tydligt att han hade fakta och målet i sin hand, och att han skulle få sitt utslag. Han behövde inte långa, känslosamma utläggningar för att övertyga juryn.

Baggy älskade att säga: "När advokater har svaga argument, pratar de mycket mer."

Märkligt nog väntade Lucien Wilbanks med sitt inledningsanförande tills svarandesidan gjorde sin sakframställning, en möjlighet som sällan användes. "Han har något på gång", mumlade Baggy som om han och Lucien tänkte likadant. "Det är ingen överraskning."

Åklagarsidans första vittne var sheriff Coley själv. Det ingick i hans arbete att vittna i brottmål, men det var tveksamt om han någonsin drömt om att göra det mot en medlem av familjen Padgitt. Om några månader skulle han ställa upp för omval. Det var viktigt för honom att göra ett bra intryck på väljarna.

De gick igenom brottet med hjälp av Ernies omsorgsfulla planering och stöd. Det fanns stora skisser över Kassellaws hus, Deeces hus, vägarna runt Beech Hill, den exakta platsen där Danny Padgitt greps. Det fanns fotografier av området. Sedan kom fotografier av Rhodas lik, en serie bilder i format

18 x 24 som lämnades till juryn och skickades vidare. Deras reaktion var bestörtning. Alla var chockade. Några ryckte till. Några munnar öppnades. Miss Callie slöt ögonen och tycktes be. En annan dam i juryn, mrs Barbara Baldwin, flämtade till när hon såg dem och tittade bort. Sedan såg hon på Danny Padgitt som om hon skulle kunna skjuta honom på fläcken. "Herregud", mumlade en av männen. En annan satte handen för munnen som om han var nära att kräkas.

Jurymedlemmarna satt i stoppade snurrstolar som gungade en smula. Inte en enda stol var orörlig när de ohyggliga fotografierna skickades runt. Bilderna var provocerande, starkt negativa, men helt tillåtna, och när de väckte upprördhet i jurybåset tänkte jag att Danny Padgitt var så gott som död. Domare Loopus tillät bara att sex användes som bevis. En skulle ha räckt.

Klockan var strax över ett och alla behövde en paus. Jag betvivlade att jurymedlemmarna hade någon större aptit.

Åklagarens andra vittne var en av Rhodas systrar från Missouri. Hon hette Ginger McClure, och jag hade talat med henne flera gånger efter mordet. Hon tinade upp en smula när hon insåg att jag hade studerat i Syracuse och inte var född i Ford County. Hon hade motvilligt skickat mig ett fotografi till dödsrunan. Senare ringde hon och frågade om jag kunde skicka henne exemplar av The Ford County Times närhelst den nämnde mordet på Rhoda. Hon nämnde att hon hade svårt att få några informationer från allmänne åklagaren.

Ginger var en slank rödhårig kvinna, mycket attraktiv och välklädd, och när hon satte sig i vittnesbåset gav alla akt på henne.

Enligt Baggy vittnade alltid någon släkting till offret. Döden blev påtaglig när de nära och kära steg upp i vittnesbåset och såg på juryn.

Ernie ville att Ginger skulle ses av juryn och väcka deras medkänsla. Han ville också påminna juryn om att modern till två små barn hade tagits ifrån dem genom ett överlagt mord. Hennes vittnesmål var kort. Lucien Wilbanks hade klokt nog inga frågor till henne. När hon var färdig gick hon bort till en reserverad stol bakom skranket, nära Ernie Gaddis, och intog sin plats som representant för familjen. Folk följde hennes minsta rörelse tills nästa vittne kallades fram.

Sedan var det åter till blodigheterna. En rättspatolog från delstatens kriminaltekniska laboratorium kallades fram för att diskutera obduktionen. Han hade gott om fotografier, men inget av dem kom till användning. Inga behövdes. För att uttrycka det på lekmannens sätt var dödsorsaken uppenbar – blodförlust. Ett decimeterlångt snitt löpte nästan rakt ner från en punkt strax nedanför vänster öra. Det var nästan fem centimeter djupt och enligt hans åsikt, och han hade sett många skärsår, hade det förorsakats av ett snabbt och kraftfullt hugg med ett knivblad som var ungefär en och en halv decimeter långt och en kvarts decimeter brett. Personen som använde kniven var med all sannolikhet högerhänt. Snittet skar rakt genom vänstra halspulsådern, och i den stunden hade offret bara några minuter kvar att leva. Ett andra snitt var drygt en och en halv decimeter långt och en kvarts decimeter djupt, och sträckte sig från hakspetsen till högra örat, som nästan skurits itu. Detta sår skulle i sig förmodligen inte ha varit dödande.

Patologen beskrev dessa sår som om han talade om ett fästingbett. Inget märkligt. Inget ovanligt. I sitt arbete såg han detta slags slakt varje dag och beskrev det för jurymedlemmar. Men för alla andra i rättssalen var det obehagligt. Var och en av jurymedlemmarna tittade någon gång under vittnesmålet på Danny Padgitt och röstade tyst "Skyldig".

Lucien Wilbanks började sitt korsförhör ganska vänligt. De båda hade drabbat samman tidigare under rättegångar. Han fick patologen att medge att en del av hans åsikter möjligtvis kunde vara felaktiga, exempelvis mordvapnets storlek och huruvida angriparen var högerhänt. "Jag sade att detta var sannolikt", sade läkaren tålmodigt. Jag fick ett intryck av att han hade blivit korsförhörd så många gånger att ingenting kunde skaka om honom. Wilbanks petade och rotade litet, men han såg omsorgsfullt till att inte återkomma till de komprometterande bevisen. Juryn hade hört tillräckligt om hugg och snitt; det vore dumt att ta upp det igen.

Därefter kom ännu en patolog. Samtidigt med obduktionen hade han omsorgsfullt undersökt kroppen och hittat flera ledtrådar vad gällde mördarens identitet. I vaginaltrakten hittade han sperma som överensstämde exakt med Danny Padgitts blod. Under Rhodas högra pekfingernagel hade han hittat ett litet stycke människohud. Även det överensstämde med svarandens blodgrupp.

Under korsförhöret frågade Lucien Wilbanks honom om han personligen hade undersökt mr Padgitt. Nej, det hade han inte gjort. Var på sin kropp hade mr Padgitt skråmor eller klösmärken av den arten?

"Jag har inte undersökt honom", sade patologen.

"Undersökte ni fotografier av honom?"

"Nej."

"Så om han har förlorat litet hud, kan ni inte säga till juryn varifrån den kom, är det så?"

"Tyvärr inte."

Efter fyra timmars åskådliga vittnesmål var alla i rättssalen utmattade. Domare Loopus skickade ut juryn med stränga tillsägelser att undvika kontakter med omvärlden. Det föreföll överdrivet med tanke på att de hölls gömda i en annan stad och bevakades av poliser.

Baggy och jag skyndade tillbaka till redaktionen och skrev med rasande hast tills klockan närmade sig tio. Det var tisdag och Hardy ville inte starta tryckpressen senare än elva. De sällsynta veckor då det inte förekom några mekaniska problem, kunde han trycka femtusen exemplar på mindre än tre timmar.

Hardy satte texterna så snabbt som möjligt. Vi hade inte

tid med finslipning eller korrekturläsning, men jag oroade mig inte så mycket för det numret eftersom miss Callie satt i juryn och inte kunde se våra misstag. Baggy hade börjat dricka när vi var färdiga och ville komma iväg så fort som möjligt. Jag skulle just ge mig iväg hem när Ginger McClure kom inpromenerande från gatan och sade hej som om vi vore gamla vänner. Hon var klädd i åtsittande jeans och röd blus. Hon frågade om jag hade något att dricka. Inte på redaktionen, men det skulle inte hindra oss.

Vi lämnade torget i min Spitfire och körde till Quincy's där jag köpte en sexpack Schlitz. Hon ville se Rhodas hus en sista gång, från vägen, inte på alltför nära håll. När vi körde dit förhörde jag mig försiktigt om de två barnen. Rapporten var blandad. Båda bodde hos en annan syster – Ginger berätta snabbt för mig att hon nyligen hade skilt sig – och båda fick omfattande psykologhjälp. Pojken tycktes vara nästan normal, även om han ibland försjönk i tystnad under långa perioder. Det var mycket värre med flickan. Hon hade ständiga mardrömmar om sin mor och hade förlorat kontrollen över urinblåsan. Hon hittades ofta hopkrupen i fosterställning där hon sög på fingrarna och kved hjärtskärande. Läkarna prövade med olika mediciner.

Inget av barnen ville berätta för familjen eller läkarna hur mycket de såg den där natten. "De såg sin mor bli våldtagen och ihjälhuggen", sade hon och tömde sin första öl. Min var fortfarande halvfull.

Deeces hus såg ut som om paret Deece hade sovit flera dygn. Vi svängde in på uppfarten till det som en gång varit Kassellaws lyckliga lilla hem. Det var tomt och mörkt och verkade övergivet. En skylt med texten TILL SALU stod på gräsmattan. Huset var den enda betydande tillgången i Rhodas lilla dödsbo. Alla intäkter skulle gå till barnen.

På Gingers begäran släckte jag strålkastarna och slog av motorn. Det var inte en bra idé eftersom grannarna av naturliga skäl var lättskrämda. Dessutom var min Spitfire den enda av sitt slag i Ford County, och som sådan var den naturligtvis ett misstänkt fordon.

Hon lade lätt sin hand på min och sade: "Hur kom han in i huset?"

"Det fanns några fotspår vid dörren till uteplatsen. Den var förmodligen olåst." Och under en lång paus gick vi båda i tankarna igenom överfallet, våldtäkten, barnen som flydde genom mörkret och skrek till mr Deece att komma och rädda deras mor.

"Stod du henne nära?" frågade jag, sedan hörde jag att en bil närmade sig på avstånd.

"När vi var små, men inte på senare tid. Hon flyttade hemifrån för tio år sedan."

"Hur ofta träffade du henne?"

"Två gånger. Jag flyttade också, till Kalifornien. Vi förlorade kontakten. När hennes man dog bad vi henne att komma hem till Springfield, men hon sade att hon trivdes här. Sanningen var att hon och min mor aldrig drog jämnt."

En pickup saktade in på vägen strax bakom oss. Jag försökte verka obekymrad, men jag visste hur farligt det kunde vara i en så mörk del av länet. Ginger såg på huset, försjunken i någon förfärlig vision, och tycktes inte höra något. Tack och lov körde bilen vidare.

"Vi åker", sade hon och kramade till om min hand. "Jag är rädd."

När vi körde därifrån såg jag mr Deece som stod hopkurad i skuggan vid sitt garage med ett gevär i händerna. Han skulle bli åklagarsidans sista vittne.

Ginger bodde på ett motell i trakten, men hon ville inte åka dit. Det var efter midnatt, vi hade inte mycket att välja på, så vi körde till Hocutts hus där jag förde henne uppför trappan, över katterna och in i min lägenhet.

"Försök inget", sade hon när hon sparkade av sig skorna och satte sig i soffan. "Jag är inte på det humöret."

"Inte jag heller", ljög jag.

Hennes tonfall var nästan spefullt, som om hennes humör kunde förändras mycket snart och när det hände kunde vi göra något. Jag hade inget emot att vänta.

Jag hittade kallare öl i kylen och vi slog oss ner på våra platser som om vi skulle kunna prata till gryningen. "Berätta om din familj", sade hon.

Det var inte mitt bästa ämne, men jag pratade gärna för den här damen. "Jag är enda barnet. Min mor dog när jag var tretton. Min far bor i Memphis, i ett gammalt släkthus som han aldrig lämnar eftersom både han och huset har några skruvar lösa. Han har ett arbetsrum på vinden, och där sitter han dygnet runt och handlar med aktier. Jag vet inte hur bra affärerna går, men jag har en känsla av att han förlorar mer än han tjänar. Vi talar med varandra i telefon en gång i månaden."

"Är du förmögen?"

"Nej, min mormor är förmögen. BeeBee. Hon lånade mig pengar så jag kunde köpa tidningen."

Hon funderade på det medan hon smuttade på sin öl. "Vi var tre flickor, nu är vi två. Vi var ganska vilda när vi växte upp. Min far gick ut en kväll för att köpa mjölk och ägg, och kom aldrig tillbaka. Min mor har försökt med två andra sedan dess, men hon tycks inte få till det riktigt. Jag är frånskild. Min storasyster är frånskild. Rhoda är död." Hon sträckte fram flaskan och slog den mot min. "Skål för ett par fnoskiga familjer."

Det skålade vi för.

Frånskild, barnlös, vild och mycket söt. Jag skulle kunna tillbringa en del tid med Ginger.

Hon ville veta allt om Ford County och dess personligheter – Lucien Wilbanks, familjen Padgitt, sheriff Coley och så vidare. Jag pratade och pratade och väntade på att hon skulle bli på rätt humör.

Det blev hon inte. Någon gång efter klockan två på natten sträckte hon ut sig på soffan, och jag gick ensam i säng.

16

Tre medlemmar av familjen Hocutt – Max, Wilma och Gilma – stod och hängde vid garaget under min lägenhet när Ginger och jag kom ut några timmar senare. Jag antar att de ville träffa henne. De såg föraktfullt på henne när jag glatt presenterade dem för varandra. Jag förväntade mig nästan att Max skulle säga något fånigt i stil med: "Vi trodde inte att det skulle förekomma utomäktenskapliga förbindelser när vi hyrde ut lägenheten." Men det sades inget otrevligt och vi körde snabbt till redaktionen. Hon hoppade in i sin bil och försvann.

Senaste numret låg i travar från golv till tak i receptionen. Jag ögnade igenom ett exemplar. Rubriken var ganska återhållsam – RÄTTEGÅNGEN MOT DANNY PADGITT INLEDD: JURYN ISOLERAS. Där fanns inga fotografier av den åtalade. Vi hade redan tryckt tillräckligt många, och jag ville spara ett stort fotografi till nästa vecka då vi förhoppningsvis kunde ta en bild av den lille ligisten när han lämnade tingshuset efter att ha dömts till döden. Baggy och jag hade fyllt spalterna med det vi hade sett och hört de första två dagarna, och jag var ganska stolt över vår rapportering. Den var rättfram, korrekt, detaljerad, välskriven, och inte det minsta skandalartad. Rättegången var i sig tillräckligt stor för att hålla det hela uppe. Och uppriktigt sagt hade jag redan lärt min läxa när det gällde sensationsskriverier. Klockan åtta på morgonen fanns gratisexemplar av The Ford County Times överallt i tingshuset och på torget.

Det förekom inga inledande skärmytslingar på onsdagsförmiddagen. På slaget nio fördes jurymedlemmarna in och Ernie Gaddis kallade fram sitt nästa vittne. Han hette Chub Brooner, mångårig utredare hos sheriffen. Enligt både Baggy och Harry Rex var Brooner ökänd för sin inkompetens.

För att väcka juryn och fånga intresset hos oss andra tog Gaddis fram den blodiga vita skjorta som Danny Padgitt hade på sig natten då han greps. Den hade inte tvättats; blodfläckarna var mörkbruna. Ernie viftade lätt med den åt olika håll så vi alla kunde se den medan han småpratade med Brooner. Den hade tagits från Danny Padgitts kropp av en polis som hette Grice, i närvaro av Brooner och sheriff Coley. Tester hade visat att där fanns två sorters blod – O-positivt och B-positivt. Ytterligare tester av delstatens kriminaltekniska laboratorium visade att det B-positiva blodet överensstämde med Rhoda Kassellaws blod.

Jag såg på Ginger när hon såg på skjortan. Efter en liten stund tittade hon bort och började skriva något. Föga förvånande var hon ännu vackrare andra dagen i rättssalen. Jag var mycket intresserad av hennes humör.

Skjortan var uppsliten över bröstet. Danny hade skadat sig när han kröp ur sin kraschade bil och han hade sytts ihop med tolv stygn. Brooner skötte sig acceptabelt när han förklarade detta för juryn. Ernie tog sedan fram ett staffli och placerade på det två förstorade fotografier av de skoavtryck som hittats på Rhodas uteplats. Från bevisbordet tog han de skor Padgitt hade på sig när han kom till fängelset. Brooner stakade sig genom ett vittnesmål som borde varit mycket enklare, men det fastslogs att allt överensstämde.

Brooner var livrädd för Lucien Wilbanks och började stamma vid den första frågan. Lucien ignorerade klokt nog det faktum att Rhodas blod hade hittats på Dannys skjorta, och valde istället att ansätta Brooner med frågor om metoder att para samman skoavtryck. Utredaren medgav slutligen att han inte hade fått någon mer omfattande utbildning. Lucien siktade in sig på en taggig kant på högra skons klack, och Brooner kunde inte hitta några avtryck på bilderna. Tyngden och rörelsen brukar göra att klacken ger tydligare avtryck än resten av sulan, enligt Brooners vittnesmål. Lucien satte åt honom tills alla blivit förvirrade, och jag måste medge att jag var tveksam till skoavtrycken. Inte för att det spelade någon roll. Det fanns gott om andra bevis.

"Hade mr Padgitt handskar på sig när han greps?" frågade Lucien.

"Det vet jag inte. Det var inte jag som grep honom."

"Ert folk tog hans skjorta och skor. Tog de några handskar?"

"Inte såvitt jag vet."

"Ni har gått igenom hela bevisförteckningen, inte sant, mr Brooner?"

"Ja."

"I själva verket är ni som utredningschef väl insatt i alla aspekter av det här fallet, inte sant?"

"Ja, sir."

"Har ni sett någon hänvisning till några handskar som burits eller tagits ifrån mr Padgitt?"

"Nej."

"Utmärkt. Sökte ni efter fingeravtryck på brottsplatsen?"

"Ja."

"En rutinåtgärd, inte sant?"

"Ja, alltid."

"Och ni tog naturligtvis mr Padgitts fingeravtryck när han greps, eller hur?"

"Ja."

"Utmärkt. Hur många av mr Padgitts fingeravtryck hittade ni på brottsplatsen?"

"Inga."

"Inte ett enda?"

"Inga alls."

Därmed valde Lucien ett bra tillfälle att sätta sig. Det var svårt att tro att mördaren kunde ta sig in i huset, gömma sig där en stund, våldta och mörda sitt offer och sedan fly utan att lämna fingeravtryck efter sig. Men Chub Brooner ingav inte särskilt mycket förtroende. När han ledde utredningen kändes det som om det fanns stora möjligheter att man kunde ha missat dussintals fingeravtryck.

Domare Loopus avbröt förhandlingarna för en paus, och när jurymedlemmarna reste sig fångade jag miss Callies blick. Hennes ansikte exploderade i ett väldigt leende. Hon nickade som för att säga: "Oroa dig inte för mig."

Vi sträckte på benen och viskade om vad vi just hade fått höra. Det gladde mig att se att så många i rättssalen läste The Ford County Times. Jag gick bort till skranket och böjde mig ner för att tala med Ginger. "Är allt bra?" frågade jag.

"Jag vill bara åka hem", sade hon med låg röst.

"Vad sägs om lunch?"

"Avgjort."

Åklagarens sista vittne var mr Aaron Deece. Han gick fram till vittnesbåset strax före klockan 11, och vi spände oss inför hans hågkomster av den där natten. Ernie Gaddis ställde en rad frågor som syftade till att göra Rhoda och hennes barn till påtagliga individer. De hade varit grannar i sju år, perfekta grannar, underbara människor. Han saknade dem mycket, kunde inte fatta att de var borta. En gång torkade mr Deece en tår ur ögonvrån.

Det hade absolut ingenting med saken att göra, och Lucien lät det tappert fortgå en stund. Sedan reste han sig och sade artigt: "Ers nåd, det här är mycket rörande, men det är inte godtagbart som bevis."

"Fortsätt, mr Gaddis", sade domare Loopus.

Mr Deece beskrev den natten, tidpunkten, temperaturen, vädret. Han hörde femåringen Michaels skräckslagna röst som skrek hans namn och bad om hjälp. Han hittade barnen utomhus i sina pyjamasar, blöta av dagg, i chocktillstånd. Han tog in dem och hans fru virade in dem i filtar. Han tog på sig skor och hämtade geväret och var på väg ut ur huset när han såg Rhoda komma vacklande emot honom. Hon var naken och frånsett ansiktet var hon helt täckt av blod. Han lyfte upp henne, bar henne till veranden och lade henne i en hammock.

Lucien hade rest sig och väntade.

"Sade hon något?" frågade Ernie.

"Ers nåd, jag protesterar mot att vittnet vittnar om något som offret sagt. Det är uppenbarligen hörsägen."

"Ert yrkande har förts till handlingarna, mr Wilbanks. Vi har haft vår diskussion enskilt och det har noterats. Ni får besvara frågan, mr Deece."

Mr Deece svalde tungt, andades in och ut och såg på juryn. "Två-tre gånger sade hon: 'Det var Danny Padgitt. Det var Danny Padgitt.'"

Ernie lät för effektens skull dessa kulor slå genom luften och studsa runt i rättssalen medan han låtsades läsa i några papper. "Har ni någonsin träffat Danny Padgitt, mr Deece?"

"Nej, sir."

"Hade ni någonsin hört det namnet före den natten?"

"Nej, sir."

"Sade hon något mer?"

"Det sista hon sade var: 'Ta hand om mina barn.'"

Ginger baddade ögonen med en pappersnäsduk. Miss Callie bad. Flera av jurymedlemmarna tittade ner i golvet.

Han avslutade sin berättelse – han ringde till sheriffen; hans fru hade låst in sig och barnen i badrummet; han duschade eftersom han var nerblodad; poliserna kom och gjorde sin undersökning; ambulansen kom och förde bort kroppen; han och hans fru hade kvar barnen hos sig till tvåtiden på natten, då de följde med dem till sjukhuset i Clanton. De stannade hos dem där tills en släkting kom från Missouri.

Det fanns ingenting i hans vittnesmål som kunde ifrågasättas eller förklenas, så Lucien Wilbanks avstod från korsförhör. Åklagaren hade inget att tillägga, så vi tog lunchpaus.

Jag körde Ginger till Karaway, till den enda mexikanska restaurangen jag kände till, och vi åt enchilada under en ek och pratade om allt utom rättegången. Hon var dämpad och ville komma bort från Ford County för evigt.

Jag ville verkligen att hon skulle stanna.

Lucien Wilbanks inledde sitt försvar med ett litet uppiggande tal om vilken trevlig ung man Danny Padgitt egentligen var. Han hade gått ur gymnasiet med fina betyg, han arbetade på familjens sågverk, han drömde om att en dag ha en egen firma. Han hade aldrig varit i klammeri med rättvisan. Hans enda lagöverträdelse var ett, ett enda, bötesstraff för fortkörning när han var sexton år.

Luciens förmåga att övertyga var ganska finslipad, men han krossades under påfrestningarna. Det var omöjligt att få en Padgitt att framstå som rar och snäll. Många i rättssalen skruvade på sig, en och annan hånflinade. Men det var inte vi som dömde i målet. Lucien talade till juryn, han såg dem i ögonen, och ingen visste om han och hans klient inte redan hade försäkrat sig om en röst eller två.

Danny var emellertid inget helgon. I likhet med flertalet stiliga unga män hade han upptäckt att han uppskattade kvinnligt sällskap. Han hade emellertid träffat fel person, en kvinna som råkade vara gift med en annan. Danny var tillsammans med henne natten då Rhoda Kassellaw mördades.

"Hör på mig!" röt Lucien till juryn. "Min klient dödade inte miss Kassellaw! När det förfärliga mordet begicks var han tillsammans med en annan kvinna, i hennes hem inte långt från Kassellaws hus. Han har ett vattentätt alibi."

Detta påstående sög luften ur rättssalen, och en lång stund väntade vi på nästa överraskning. Lucien spelade upp dramat perfekt. "Denna kvinna, hans älskarinna, är vårt första vittne", sade han.

Hon fördes in strax efter det att Lucien hade hållit sin sakframställning. Hon hette Lydia Vince. Jag viskade till Baggy och han sade att han aldrig hade hört talas om henne; han kände inte till någon Vince i Beech Hill. Det viskades en hel del i rättssalen när folk försökte placera henne, och de rynkade pannorna och förbryllade minerna och huvudskakningarna tydde på att kvinnan var totalt okänd. Luciens inledande frågor avslöjade att hon i mars bodde i ett hyrt hus på Hurt Road men att hon nu bodde i Tupelo, att hon och hennes man höll på att skiljas, att hon hade ett barn, att hon hade växt upp i Tyler County och att hon för närvarande var arbetslös. Hon var i trettioårsåldern, en smula attraktiv på ett slampigt sätt – kort kjol, åtsittande blus över stora bröst, blonderat hår – och hon var skräckslagen för rättegången.

Hon och Danny hade haft en utomäktenskaplig förbindelse i ungefär ett år. Jag kastade en blick på miss Callie och såg utan förvåning att det inte uppskattades.

Natten då Rhoda mördades var Danny hemma hos henne. Hennes man Malcolm Vince hade sagt att han var i Memphis och gjorde något tillsammans med kompisarna, hon visste inte riktigt vad. Han var borta en hel del på den tiden. Hon och Danny låg med varandra två gånger och någon gång kring midnatt skulle han ge sig iväg när hennes mans bil svängde in på uppfarten. Danny smet ut genom bakdörren och försvann.

Det chockerande i att en gift kvinna erkände inför en domstol att hon hade begått äktenskapsbrott syftade till att övertyga juryn om att hon måste tala sanning. Ingen, respektabel eller inte, skulle annars erkänna något sådant. Det skulle skada hennes rykte, om hon nu brydde sig om det. Det skulle definitivt försvåra hennes skilsmässa, kanske göra att hon förlorade omvårdnaden av sitt barn. Det skulle till och med kunna ge hennes man en möjlighet att stämma Danny Padgitt för berövande av kärlek, fast det var tveksamt om jurymedlemmarna tänkte så långt framåt.

Hennes svar på Luciens frågor var korta och väl inrepeterade. Hon vägrade se på jurymedlemmarna eller på sin påstådde tidigare älskare. Istället tittade hon ner och tycktes betrakta Luciens skor. Både advokaten och vittnet var noga med att inte gå utanför manuskriptet. "Hon ljuger", viskade Baggy högt, och jag höll med honom.

När det inledande förhöret var klart reste Ernie Gaddis sig och gick långsamt fram till vittnesbåset där han med djup misstänksamhet såg på kvinnan som erkänt att hon var äktenskapsbryterska. Han hade läsglasögonen på nästippen och kikade över dem med rynkad panna och smalnande ögon. I hög grad läraren som just kommit på en dålig elev med att fuska.

"Miss Vince, det där huset på Hurt Road. Vem ägde det?"

"Jack Hagel."

"Hur länge bodde ni där?"

"Ungefär ett år."

"Skrev ni på ett hyreskontrakt?"

Hon tvekade en sekund för länge och sade sedan: "Min man kanske gjorde det. Jag minns faktiskt inte."

"Hur hög var månadshyran?"

"Trehundra dollar."

Ernie antecknade varje svar med stor omsorg, som om varje detalj skulle fingranskas och lögner skulle avslöjas.

"När flyttade ni ifrån det huset?"

"Jag minns inte, för ungefär två månader sedan."

"Hur länge bodde ni i Ford County?"

"Jag minns inte, ett par år."

"Registrerade ni er någonsin som väljare i Ford County?"

"Nej."

"Er man?"

"Nej."

"Vad var det nu han hette?"

"Malcolm Vince."

"Var bor han nu?"

"Jag vet inte riktigt. Jag flyttar runt en hel del. Senast jag hörde ifrån honom var han någonstans nära Tupelo."

"Och ni ligger i skilsmässa, är det så?"

"Ja."

"När begärde ni skilsmässa?"

Hon tittade snabbt upp och kastade en blick mot Lucien, som lyssnade uppmärksamt men inte ville se på henne. "Vi har egentligen inte lämnat in någon ansökan än", sade hon.

"Ursäkta mig, jag tyckte ni sade att ni låg i skilsmässa."

"Vi har flyttat isär, och vi har skaffat varsin advokat."

"Och vem är er advokat?"

"Mr Wilbanks."

Lucien ryckte till som om detta vore något nytt för honom. Ernie lät det sjunka in, sedan fortsatte han: "Vem är er mans advokat?"

"Jag minns inte vad han heter."

"Begär han skilsmässa, eller är det tvärtom?"

"Vi gör det gemensamt."

"Hur många män låg ni med?"

"Bara Danny."

"På så sätt. Och ni bor i Tupelo, stämmer det?"

"Ja."

"Ni säger att ni är arbetslös, är det så?"

"Just nu."

"Och ni har separerat från er man."

"Jag sade ju just att vi har flyttat isär."

"Var i Tupelo bor ni?"

"I en lägenhet."

"Vad betalar ni i hyra?"

"Tvåhundra i månaden."

"Bor ni där med ert barn?"

"Ja."

"Arbetar barnet?"

"Barnet är fem år."

"Hur betalar ni då hyra och annat?"

"Jag hankar mig fram." Ingen kunde ha trott på hennes svar.

"Vilket slags bil har ni?"

Hon tvekade igen. Det var det slags fråga som kunde kontrolleras med några telefonsamtal. "En Mustang 68."

"Det är en fin bil. När köpte ni den?"

Även här fanns kontrakt som kunde kontrolleras och till och med Lydia, som inte var så intelligent, anade fällan. "För ett par månader sedan", sade hon trotsigt.

"Står bilen i ert namn?"

"Ja."

"Är lägenheten hyrd i ert namn?"

"Ja."

Papper, papper. Hon kunde inte ljuga om det, och hon hade definitivt inte råd med de där sakerna. Ernie tog några anteckningar från Hank Hooten och granskade dem misstänksamt.

"Hur länge låg ni med Danny Padgitt?"

"En kvart för det mesta."

Svaret gav upphov till en del spridda skratt i den spända rättssalen. Ernie tog av sig sina glasögon, gned dem med slipsen, gav henne ett otrevligt leende och omformulerade frågan. "Ert förhållande med Danny Padgitt, hur länge pågick det?"

"Nästan ett år."

"Var träffade ni honom första gången?"

"På klubbarna vid delstatsgränsen."

"Var det någon som presenterade er för varandra?"

"Det minns jag faktiskt inte. Han var där, jag var där, vi dansade. Det ena ledde till det andra."

Det rådde inga tvivel om att Lydia Vince hade tillbringat många kvällar på många dansställen och att hon aldrig hade lämnat en ny danspartner. Ernie behövde bara kunna beslå henne med ytterligare några lögner.

Han ställde en serie frågor om hennes och hennes mans bakgrund – födelsedatum, utbildning, äktenskap, anställning, släkt. Namn och datum och händelser som kunde verifieras som sanna eller falska. Hon var till salu. Familjen Padgitt hade hittat ett vittne som de kunde köpa.

Jag var förvirrad och obehaglig till mods när vi lämnade rättssalen sent på eftermiddagen. Jag hade i flera månader varit övertygad om att Danny Padgitt dödat Rhoda Kassellaw, och jag tvivlade fortfarande inte. Men juryn hade plötsligt något som den kunde bli oenig om. Ett insvuret vittne hade begått en förfärlig mened, men det var möjligt att en jurymedlem kunde hysa rimliga tvivel.

Ginger var mer nedslagen än jag, så vi bestämde oss för att supa oss fulla. Vi köpte hamburgare och pommes frites och en låda öl och åkte till hennes lilla motellrum där vi åt och sedan dränkte vår fruktan och avskyn för ett korrupt rättssystem. Hon sade mer än en gång att hennes redan splittrade familj inte kunde hålla ihop om Danny Padgitt släpptes fri. Hennes mor var inte stabil och en friande dom skulle bli för mycket för henne. Vad skulle de säga till Rhodas barn en dag?

Vi försökte se på TV, men ingenting intresserade oss. Vi tröttnade på att oroa oss för rättegången. När jag höll på att somna kom Ginger naken ut från badrummet, och kvällen förändrades till det bättre. Vi älskade gång på gång tills alkoholen tog överhanden och vi somnade.

17

Utan min vetskap – och det fanns inga skäl till att jag
skulle veta det eftersom jag var så ny i trakten och
definitivt inte inblandad i juridiska ärenden, dessut-
om hade jag bokstavligen händerna fulla av Ginger och under
några underbara timmar förlorade vi intresset för rättegången
– hölls ett hemligt möte strax efter förhandlingarnas slut på
onsdagen. Ernie Gaddis gick till Harry Rex kontor för att ta
ett glas efter rättegången, och båda sade att de tyckte inten-
sivt illa om Lydias vittnesmål. De började ringa till folk, och
inom en timme hade de fått ihop en grupp jurister som de
kunde lita på, och några politiker dessutom.

De var ense om att familjen Padgitt höll på att slingra sig
ur vad som tycktes vara ett väl underbyggt åtal. De hade
lyckats hitta ett vittne som de kunde muta. Lydia hade uppen-
barligen fått betalt för att koka ihop sin historia, och hon var
antingen för pank eller för enfaldig för att inse riskerna med
en mened. Ändå hade hon givit juryn ett skäl, om än svagt,
till att ha en annan åsikt än åklagaren.

Ett frikännande från ett så solklart åtal skulle göra staden
rasande och håna rättssystemet. En oenig jury skulle säga
samma sak – rättvisan kunde köpas i Ford County. Ernie,
Harry Rex och de övriga juristerna arbetade hårt varje dag
för att manipulera systemet för sina klienters räkning, men
reglerna användes rättvist. Systemet fungerade eftersom do-
marna och jurymedlemmarna var opartiska och objektiva. Det
skulle leda till obotliga skador om Lucien Wilbanks och fa-
miljen Padgitt tilläts fördärva processen.

Man var ense om att en oenig jury var helt möjlig. Lydia Vince lämnade åtskilligt att önska som trovärdigt vittne, men jurymedlemmarna var inte så vana vid falska vittnesmål och skurkaktiga klienter. Juristerna var ense om att Fargarson, "den handikappade pojken", tycktes vara fientligt inställd till åklagarsidan. Efter två dagar och nästan femton timmars granskning av jurymedlemmarna ansåg advokaterna att de förstod sig på dem.

Mr John Deere, döpt efter traktorfabriken, var också ett bekymmer för dem. Hans riktiga namn var Mo Teale och han hade varit mekaniker på traktorfabriken i mer än tjugo år. Han var en enkel man med begränsad garderob. När juryn slutligen hade valts sent på måndagen och domare Loopus skickade hem dem för att snabbt packa innan de åkte iväg med bussen, hade Mo helt enkelt samlat ihop veckans arbetskläder. Varje morgon marscherade han in i jurybåset klädd i klargul skjorta med gröna bårder och gröna byxor med gula bårder, som om han vore redo för ännu en hård dag med skiftnyckeln.

Mo satt med armarna i kors och såg bister ut varje gång Ernie Gaddis reste sig. Hans kroppsspråk skrämde åklagarsidan.

Harry Rex ansåg att det var viktigt att hitta Lydias före detta man. Om de verkligen låg i skilsmässa, var den sannolikt inte vänskaplig. Det var svårt att tro att hon hade ett förhållande med Danny Padgitt, men det föreföll också osannolikt att kvinnan inte var främmande för utomäktenskapliga förbindelser. Den äkta mannen hade kanske vittnesuppgifter som starkt kunde skada Lydias påståenden.

Ernie ville rota i hennes privatliv. Han ville väcka tvivel om hennes ekonomi så han kunde skrika till juryn: "Hur kan hon leva så gott när hon är arbetslös och ligger i skilsmässa?"

"För att hon har fått tjugofemtusen dollar av familjen Padgitt", sade en av advokaterna. Gissningar om mutans storlek blev ett genomgående diskussionsämne under kvällen.

Sökandet efter Malcolm Vince började med att Harry Rex och två andra ringde runt till alla advokater i fem län. Vid tiotiden på kvällen hittade de en advokat i Corinth, två timmars väg från Clanton, som sade att han en gång hade talat med en Malcolm Vince om en skilsmässa, men att han inte fått uppdraget. Mr Vince bodde i en husvagn någonstans ute på bonnlandet nära gränsen till Tishomingo County. Advokaten mindes inte var Vince arbetade, men han var säker på att han hade det bland papperen på kontoret. Allmänne åklagaren tog själv telefonen och övertalade advokaten att åka till sitt kontor.

Klockan åtta nästa morgon, ungefär vid den tid då jag lämnade Ginger på motellet, gick domare Loopus beredvilligt med på att kalla Malcolm Vince inför rätta. Tjugo minuter senare stoppade en polisman i Corinth en gaffeltruck på ett lager och meddelade dess förare att han just hade fått en kallelse att inställa sig på en rättegång i Ford County.

”Varför i helvete ska jag göra det?” frågade mr Vince.

”Jag bara lyder order”, sade polismannen.

”Vad ska jag göra?”

”Du har två val, kompis”, sade polisen. ”Stanna här hos mig tills de kommer och hämtar dig, eller också ger vi oss iväg nu så vi får det överstökat.” Malcolms chef sade till honom att ge sig iväg och skynda sig tillbaka.

Juryn fördes in efter nittio minuters försening. Mr John Deere var stilig som alltid, men de övriga började verka trötta. Det kändes som om rättegången hade pågått en månad.

Miss Callie fångade min blick och gav mig ett återhållet leende, inte ett av hennes strålande dagsförgyllare. Hon höll fortfarande i ett litet Nya testamentet.

Ernie reste sig och meddelade rätten att han inte hade fler frågor till Lydia Vince. Lucien sade att han också var färdig med henne. Ernie sade att han hade ett svarsvittne som han ville kalla trots att det inte föranmälts. Lucien Wilbanks protesterade och de grälade om det hos domaren. När Lucien fick veta vem vittnet var blev han synbart upprörd. Ett gott tecken.

Domare Loopus var uppenbarligen också orolig för en olämplig dom. Han avslog svarandesidans protester, och en djupt vilsen Malcolm Vince kallades in i rättssalen för att vittna. Ernie hade tillbringat mindre än tio minuter med honom i ett inre rum, så han var lika oförberedd som han var förvirrad.

Ernie började långsamt, med grundinformationerna – namn, adress, anställning, aktuella familjeförhållanden. Malcolm medgav litet motvilligt att han var gift med Lydia och delade hennes önskan att slippa ifrån äktenskapet. Han sade att han inte hade träffat vare sig hustrun eller barnet på ungefär en månad. Han hade haft mycket sporadiska anställningar på senare tid, men han försökte skicka henne femtio dollar i månaden som underhåll för barnet.

Han visste att hon var arbetslös men bodde i en fin lägenhet. "Är det inte ni som betalar för lägenheten?" frågade Ernie med stor misstänksamhet och såg försiktigt på juryn.

"Nej sir, det gör jag inte."

"Betalar hennes släkt för lägenheten?"

"Hennes släkt skulle inte kunna betala ens en natt på ett motell", sade Malcolm mycket belåtet.

Lydia hade lämnat rättssalen så fort hon var klar med vittnesmålet, och hon befann sig förmodligen på flykt från länet. Hennes insats var färdig, hennes föreställning var slut, hon hade fått sitt honorar. Hon skulle aldrig mer sätta sin fot i Ford County. Det är tveksamt om hennes närvaro skulle ha hämmat Malcolms vittnesmål, men hennes frånvaro gav honom alla möjligheter att vara så tarvlig som han önskade.

"Står ni inte nära hennes släkt?" frågade Ernie i förbigående.

"De flesta sitter inne."

"På så sätt. Hon vittnade i går om att hon för ett par månader sedan köpte en Ford Mustang 1968. Hjälpte ni henne med det köpet?"

"Nej."

"Vet ni hur denna arbetslösa kvinna kunde ha råd med det?" frågade Ernie med en blick mot Danny Padgitt.

"Nej."

"Vet ni om hon har gjort några andra ovanliga inköp på senare tid?"

Malcolm såg på juryn, fann några vänliga ansikten och sade: "Ja, hon köpte en ny färg-TV åt sig själv och en ny motorcykel åt sin bror."

Det tycktes som om alla vid svarandesidans bord hade slutat andas. Planen där hade varit att snabbt ta in Lydia, låta henne säga sina lögner, bekräfta alibi, få bort henne ur vittnesbåset och sedan raska på fram till domslutet innan hon hunnit bli misskrediterad. Hon hade känt mycket få människor i länet och bodde nu en timmes väg bort.

Planen trasslade till sig med katastrofalt resultat, och hela rättssalen kunde se och känna spänningarna mellan Lucien och hans klient.

"Känner ni till en man vid namn Danny Padgitt?" frågade Ernie.

"Har aldrig hört talas om honom", sade Malcolm.

"Er hustru vittnade i går om att hon haft ett förhållande med honom nästan ett år."

Det är sällan man får se en intet ont anande äkta man få en sådan upplysning så offentligt, men Malcolm tycktes klara det bra. "Verkligen?" sade han.

"Ja. Hon sade i sitt vittnesmål att förhållandet upphörde för ungefär två månader sedan."

"Nja, sir, jag måste säga... det är litet svårt att tro på det."

"Varför det?"

Malcolm skruvade på sig, plötsligt intresserad av sina skor. "Nja, det är faktiskt litet personligt", sade han.

"Ja, mr Vince, det är jag säker på. Men ibland måste personliga förhållanden diskuteras under en rättegång. En man står inför rätta här, anklagad för mord. Det är allvarligt, och vi måste få veta sanningen."

Malcolm lade vänstra benet över det högra och kliade sig på hakan några sekunder. "Nå, sir, så här ligger det till. Vi slutade ha sex för ungefär två år sedan. Det är därför vi skiljer oss."

"Fanns det något speciellt skäl till att ni slutade ha sex?" frågade Ernie och höll andan.

"Ja, sir. Hon sade att hon avskydde att ha sex med mig, hon sade att hon mådde illa av det. Hon sade att hon föredrog att ha sex med, ni vet, andra damer."

Ernie hade vetat vilket svaret skulle bli, men han lyckades ändå se passande chockerad ut. Liksom alla andra. Han drog sig tillbaka från vittnesbåset och samrådde med Hank Hooten, bara en kort paus för att ge juryn en möjlighet att smälta upplysningen. Slutligen sade han: "Inga ytterligare frågor, Ers nåd."

Lucien närmade sig Malcolm Vince som om han stirrade på en laddad revolver. Han smög runt ämnet några minuter. Enligt Baggy ställer en bra advokat aldrig en fråga om han inte vet svaret, speciellt inte när det gäller ett så farligt vittne som Malcolm. Lucien var en bra advokat, och han hade ingen aning om vad Malcolm kunde säga.

Han medgav att han inte hyste någon tillgivenhet för Lydia, att han ville få skilsmässan klar så fort som möjligt, att de senaste åren med henne inte hade varit trevliga, och så vidare. Typiskt skilsmässoprat. Han mindes att han hört talas om Kassellawmordet morgonen efter. Han hade varit ute kvällen innan och kommit hem mycket sent. Lucien vann en poäng genom att bevisa att Lydia verkligen varit ensam den kvällen, som hon sagt.

Men det spelade ingen större roll. Jurymedlemmarna och vi andra var fortfarande skakade av Lydias ofantliga syndaregister.

Efter en lång paus reste sig Lucien långsamt och sade till rätten: "Ers nåd, försvaret har inga ytterligare vittnen. Emellertid vill min klient vittna. Jag vill att det förs till protokollet att han vittnar mot min inrådan."

"Det är noterat", sade Loopus.

"Ett idiotiskt misstag. Otroligt", viskade Baggy så högt att halva rättssalen kunde höra det.

Danny Padgitt for upp på fötter och gick svassande fram till vittnesbåset. Hans försök att le blev bara ett hånflin. Hans försök att verka självsäker framstod som stöddighet. Han svor på att säga sanningen, men ingen förväntade sig att få höra den.

"Varför begär ni att få vittna?" var Luciens första fråga, och det blev tyst och stilla i rättssalen.

"För att jag vill att de här fina människorna ska få höra vad som verkligen hände", svarade han och såg på jurymedlemmarna.

"Berätta det då", sade Lucien med en gest mot juryn.

Hans version av händelserna var underbart uppfinningsrik eftersom det inte fanns någon där som kunde säga emot honom. Lydia hade givit sig iväg, Rhoda var död. Han började med att säga att han varit några timmar hos sin väninna Lydia Vince, som bodde mindre än en kilometer från Rhoda Kassellaw. Han visste exakt var Rhoda bodde eftersom han hade varit hemma hos henne flera gånger. Hon ville ha ett seriöst förhållande, men han hade varit fullt upptagen av Lydia. Ja, han och Rhoda hade varit intima vid två tillfällen. De hade träffats på klubbarna vid delstatsgränsen och ägnat många timmar åt att dricka och dansa. Hon var het och lösaktig och det var välkänt att hon gick i säng med vem som helst.

Ginger sänkte huvudet och höll för öronen när det han sade gjorde ont värre. Det undgick inte juryn.

Han trodde inte på Lydias mans struntprat om hennes homosexuella tendenser; hon tyckte om att vara intim med män. Malcolm ljög för att få vårdnaden om deras barn.

Padgitt var inte ett dåligt vittne, men han vittnade naturligtvis för sitt liv. Alla svar kom snabbt, det riktades för många falska leenden mot jurybåset, hans skildring var rak och prydlig och passade litet för bra ihop. Jag lyssnade på honom och såg på jurymedlemmarna, och jag såg inte mycket medkänsla. Fargarson, den handikappade pojken, verkade lika skeptisk som han varit mot alla andra vittnen. Mr John Deere satt med rynkad panna och armarna i kors över bröstet. Miss Callie tyckte inte om Padgitt, men å andra sidan skulle hon förmodligen lika gärna sätta honom i fängelse för äktenskapsbrott som för mord.

Lucien höll det kortfattat. Hans klient hade gott om rep att hänga sig med, det fanns ingen anledning att göra det enklare för åklagaren. När Lucien satte sig, blängde han på de äldre medlemmarna av familjen Padgitt som om han verkligen hatade dem. Sedan spände han sig inför det som skulle komma.

Det är en åklagares dröm att få korsförhöra en så skyldig person. Ernie gick långsamt fram till bevisbordet och tog upp Dannys blodiga skjorta. "Bevisföremål nummer åtta", sade han till rättsstenografen och höll upp den så juryn kunde se den igen.

"Var köpte ni den här skjortan, mr Padgitt?"

Danny stelnade till, osäker på om han skulle förneka att den var hans, eller medge att han ägde den, eller försöka erinra sig var han köpte fanskapet.

"Ni stal den väl inte?" röt Ernie till honom.

"Nej."

"Svara då på min fråga, och försök minnas att ni är under ed. Var köpte ni den här skjortan?" Medan Ernie talade höll han upp skjortan framför sig med fingertopparna, som om blodet fortfarande vore blött och kunde fläcka ner kostymen.

"Borta i Tupelo, tror jag. Jag minns faktiskt inte. Det är bara en skjorta."

"Hur länge har ni ägt den?"

Ännu en paus. Hur många män kan minnas var de köpte en speciell skjorta?

"Kanske ett år eller så. Jag för inte bok över kläder."

"Inte jag heller", sade Ernie. "Hade ni tagit av er den här skjortan när ni var i sängen med Lydia den där kvällen?"

Ett mycket försiktigt: "Ja."

"Var fanns den medan ni båda hade, eh, umgänge?"

"På golvet, antar jag."

När det nu var fastslaget att skjortan var hans, kunde Ernie fritt massakrera vittnet. Han tog fram rapporten från delstatens kriminaltekniska laboratorium, läste upp den för Danny och frågade hur det kom sig att hans eget blod fanns på skjortan. Detta ledde till en diskussion om hans körförmåga, hans svaghet för fortkörning, fordonstypen och det faktum att han var berusad när han slog runt med sin bil. Jag tvivlar på att ett fall av rattfylla någonsin har verkat så livsfarligt, så som Ernie gick på honom. Danny var föga förvånande stingslig och började bli ilsken när han utsattes för Ernies vassa och fräna frågor.

Vidare till Rhodas blodfläckar. Om han var i sängen med Lydia, med skjortan på golvet, hur i hela världen kunde då Rhodas blod ta sig från hennes sovrum till Lydias, nästan en kilometer därifrån?

Det var en sammansvärjning, sade Danny som därmed framlade en ny teori och grävde en grop åt sig som han aldrig kunde ta sig ur. Alltför lång tid i en fängelsecell kan vara farlig för en skyldig brottsling. Nja, försökte han förklara, någon annan hade hällt Rhodas blod på hans skjorta, en teori som var mycket klargörande för juryn, eller det var mer troligt att någon mystisk person som hade undersökt skjortan helt enkelt ljög, alltsammans i ett försök att få honom fälld. Ernie hade en högtidsstund med båda teorierna, men han fick in sina hårdaste slag med en serie skoningslösa frågor om varför Danny, som definitivt hade råd att anlita de bästa advokater som existerade, inte hade anlitat en egen expert som kunde komma till rättssalen och förklara de oriktiga blodtesterna för juryn.

Kanske hade man inte hittat någon expert eftersom ingen

expert kunde dra de vanvettiga slutsatser som Padgitt ville ha.

Likadant med sperman. Om Danny hade tömt ut den hemma hos Lydia, hur kunde den då komma till Rhoda? Inga problem – det ingick i en stor sammansvärjning för att få honom fälld för brottet. Laboratorierapporterna var felaktiga, polisens arbete var bristfälligt. Ernie gick åt honom tills vi alla var utmattade.

Halv ett reste sig Lucien upp och föreslog att vi skulle ta lunchpaus. "Jag är inte färdig!" skrek Ernie genom rättssalen. Han ville avsluta tillintetgörandet innan Lucien kunde ta tag i sin klient och återupprätta honom, något som föreföll omöjligt. Padgitt hängde mot repen, mörbultad och andfådd, och Ernie tänkte inte ställa sig i neutral ringhörna.

"Fortsätt", sade domare Loopus, och Ernie skrek plötsligt till Padgitt: "Vad gjorde ni med kniven?"

Frågan överraskade alla, speciellt vittnet som ryggade bakåt och snabbt sade: "Jag, äh..." och tystnade.

"Ni vad? Ut med språket, mr Padgitt, berätta för oss vad ni gjorde med kniven, mordvapnet."

Danny skakade häftigt på huvudet och tycktes vara för rädd för att säga något. "Vilken kniv?" lyckades han få fram. Han kunde inte ha sett mer skyldig ut om kniven hade fallit ur hans flicka och ner på golvet.

"Kniven som ni använde mot Rhoda Kassellaw."

"Det var inte jag."

Likt en långsamt och grym bödel gjorde Ernie en lång paus och samrådde med Hank Hooten igen. Sedan tog han obduktionsrapporten och frågade Danny om han mindes den förste patologens vittnesmål. Ingick hans rapport också i sammansvärjningen? Danny visste inte riktigt vad han skulle svara. Alla bevisen användes mot honom, så jodå, han antog att den också var förfalskad.

Och det hudstycke som hittades under hennes nagel, ingick det i sammansvärjningen? Och hans egen sperma? Och så vidare och så vidare; Ernie hamrade på. Ibland kastade Lucien en blick över axeln mot Dannys far med en min som sade: "Vad var det jag sade?"

Dannys placering i vittnesbåset gjorde att Ernie än en gång kunde framlägga alla bevis, och effekten var förödande. Hans svaga protester att allt var förfalskat av en sammansvärjning lät löjliga, till och med skrattretande. Det var ganska angenämt att se honom bli så totalt utslagen inför juryn. De goda vann. Juryn tycktes vara redo att ta fram bössorna och bilda en exekutionspluton.

Ernie slängde sitt anteckningsblock på sitt bord och tycktes slutligen vara redo för lunch. Han körde ner båda händerna i byxfickorna, blängde på vittnet och sade: "Säger ni under ed till denna jury att ni inte våldtog och mördade Rhoda Kassellaw?"

"Jag gjorde det inte."

"Följde ni inte efter henne hem från delstatsgränsen den där lördagskvällen?"

"Nej."

"Smög ni er inte in genom dörren från uteplatsen?"

"Nej."

"Och gömde er inte i hennes garderob tills hon hade stoppat sina barn i säng?"

"Nej."

"Och anföll ni henne inte när hon kom in för att ta på sig nattlinnet?"

"Nej."

Lucien reste sig och sade ilsket: "Jag protesterar, Ers nåd, nu är det mr Gaddis som vittnar."

"Protesten avslås!" fräste Loopus mot svarandesidans bord. Domaren ville ha en korrekt rättegång. För att motverka alla de lögner som framförts av försvaret, gavs åklagaren betydande frihet i beskrivningen av mordet.

"Band ni inte för hennes ögon med en halsduk?"

Padgitt skakade hela tiden på huvudet när beskrivningen närmade sig sin klimax.

"Och skar upp hennes trosor med er kniv?"

"Nej."

"Och våldtog ni henne inte i hennes egen säng medan hennes två små barn sov inte långt därifrån?"

"Nej."

"Och väckte ni dem inte med ert buller?"

"Nej."

Ernie gick så nära vittnesbåset som domaren tillät, och såg sorgset på juryn. Sedan vände han sig mot Danny och sade: "Michael och Teresa sprang för att titta till sin mamma, gjorde de inte det, mr Padgitt?"

"Det vet jag inte."

"Och de fann er ovanpå henne, inte sant?"

"Jag var inte där."

"Rhoda hörde deras röster, inte sant? Skrek de åt er, bad de er att lämna henne?"

"Jag var inte där."

"Och Rhoda gjorde vad varje mor skulle göra – hon skrek till dem att springa, inte sant, mr Padgitt?"

"Jag var inte där."

"Ni var inte där!" röt Ernie, och väggarna tycktes skaka. "Er skjorta var där, era skoavtryck var där, ni lämnade er sperma där! Tror ni att den här juryn är dum, mr Padgitt?"

Vittnet fortsatte skaka på huvudet. Ernie gick långsamt bort till sin stol och drog fram den. När han skulle sätta sig sade han: "Ni är en våldtäktsman. Ni är en mördare. Och ni är en lögnare, inte sant, mr Padgitt?"

Lucien for upp och skrek: "Protest, Ers nåd. Det här räcker."

"Protesten godkänns. Några ytterligare frågor, mr Gaddis?"

"Nej, Ers nåd, kärandesidan är färdig med detta vittne."

"Något nytt förhör, mr Wilbanks?"

"Nej, Ers nåd."

"Vittnet kan återgå." Danny reste sig långsamt. Flinet och svassandet var för länge sedan borta. Hans ansikte var rött av vrede och fuktigt av svett.

När han skulle lämna vittnesbåset och återvända till svarandesidans bord, vände han sig plötsligt mot juryn och sade något som chockade rättssalen. Hans ansikte förvreds av öppet hat och han körde ut högra pekfingret. "Om ni fäller mig", sade han, "ska jag ta varenda en av er."

"Vakt!" sade domare Loopus och grep efter sin klubba. "Det räcker, mr Padgitt."

"Varenda satans en av er!" upprepade Danny med högre röst. Ernie for upp på fötter men kunde inte komma på något att säga. Och varför skulle han göra det? Den åtalade ströp sig själv. Lucien var på fötter, lika osäker på vad han skulle göra. Två polismän rusade fram och föste Padgitt mot svarandesidans bord. När han gick stirrade han på jurymedlemmarna som om han skulle vilja kasta en handgranat mot dem.

När det lugnade ner sig märkte jag att mitt hjärta slog våldsamt av upprördhet. Till och med Baggy var för chockad för att säga något.

"Lunchpaus", sade Hans nåd, och vi flydde från rättssalen. Jag var inte längre hungrig. Jag hade velat skynda hem och duscha.

170

18

Förhandlingarna återupptogs klockan tre. Alla i juryn var på plats; familjen Padgitt hade inte tagit livet av någon under lunchen. Miss Callie log brett mot mig, men det var halvhjärtat.

Domare Loopus förklarade för juryn att det nu var dags för slutpläderingen, sedan skulle han läsa upp sina formella föreskrifter för dem, varefter de om ett par timmar skulle överta målet. De lyssnade uppmärksamt, men jag är säker på att de fortfarande var skakade efter att ha hotats så öppet. Hela staden var skakad. Jurymedlemmarna var ett statistiskt urval av oss, det övriga samfundet, och att hota dem var att hota alla.

Ernie började, och inom några minuter var den blodiga skjortan framme igen. Han var emellertid noga med att inte gå till överdrift. Juryn förstod. De var väl införstådda med bevisen.

Allmänne åklagaren var omsorgsfull men överraskande kortfattad. Vi granskade jurymedlemmarnas ansikten när han för sista gången vädjade om en fällande dom. Jag såg ingen medkänsla med den åtalade. Fargarson, den handikappade pojken, till och med nickade när han lyssnade på Ernie. Mr John Deere rätade på sina korslagda armar och lyssnade på varje ord.

Lucien var ännu mer kortfattad, men han hade å andra sidan mindre att arbeta med. Han började med sin klients sista ord till juryn. Han bad om ursäkt för hans uppförande. Han skyllde det på stundens påfrestningar. Tänk er, sade han till jurymedlemmarna, att vara tjugofem år och ställas inför livstids fängelse eller något värre, gaskammaren. Pressen på hans unge klient – han kallade honom alltid "Danny", som om han vore en oskyldig liten pojke – var så enorm att han var orolig för hans psykiska stabilitet.

Eftersom han inte kunde gå vidare med den idiotiska konspirationsteori som hans klient kommit med, och eftersom han visste bättre än att diskutera bevisen, ägnade han en halvtimme åt att prisa de hjältar som skrivit vår konstitution och författning. Luciens sätt att tyda den förutsatta oskulden och kravet att åklagaren skall bevisa sina påståenden bortom varje rimligt tvivel fick mig att undra hur någon förbrytare någonsin kunde bli fälld.

Åklagaren fick en möjlighet till genmäle; det fick inte svarandesidan. Så Ernie fick sista ordet. Han ignorerade bevisen och nämnde inte den åtalade, utan valde istället att tala om Rhoda. Hennes ungdom och skönhet, hennes enkla liv borta i Beech Hill, hennes mans död och svårigheterna med att ensam fostra två små barn.

Detta var mycket effektivt, och jurymedlemmarna slukade varje ord. "Låt oss inte glömma henne", var Ernies refräng. Som skicklig talare sparade han det bästa till sist.

"Och låt oss inte glömma hennes barn", sade han och såg jurymedlemmarna i ögonen. "De var där när hon dog. Det de såg var så ohyggligt att de kommer att ha ärr för evigt. De har en röst här i denna rättssal, och den rösten tillhör er."

Domare Loopus läste upp sina föreskrifter för juryn och skickade sedan iväg dem till deras överläggningar. Klockan var över fem på eftermiddagen, en tid då affärerna runt torget hade stängt och handlarna och deras kunder för länge sedan hade givit sig iväg. Trafiken brukade vara gles, det var lätt att hitta parkeringsplatser.

Men inte när en jury överlägger!

En stor del av de nyfikna dröjde kvar på tingshusets gräsmatta där de rökte, skvallrade, gissade hur lång tid det skulle dröja innan utslaget kom. Andra trängdes inne på serveringarna för en sista kopp kaffe eller en tidig middag. Ginger följde mig till mitt arbetsrum där vi satt på balkongen och såg på verksamheten runt tingshuset. Hon var känslomässigt slut och ville bara komma bort från Ford County.

"Hur väl känner du Hank Hooten?" frågade hon när vi satt där.

"Har aldrig träffat honom. Hurså?"

"Han kom fram till mig under lunchen, sade att han kände Rhoda väl, sade att han visste säkert att hon inte gick i säng med vem som helst, speciellt inte med Danny Padgitt. Jag sade att jag inte trodde för ett ögonblick att hon hade ihop det med det där kräket."

"Sade han att han hade sällskap med henne?" frågade jag.

"Han sade det inte, men jag fick en känsla av att han hade det. När vi gick igenom hennes saker en vecka eller så efter begravningen, hittade jag hans namn och telefonnummer i hennes adressbok."

"Du har träffat Baggy", sade jag.

"Ja."

"Baggy har varit här i evigheter, han tror att han vet allt. När rättegången inleddes i måndags sade han att Rhoda och Hank hade sällskap. Han sade att Hank har avverkat ett par fruar, han vill gärna vara känd som en kvinnokarl."

"Är han alltså inte gift?"

"Jag tror inte det. Jag ska fråga Baggy."

"Jag borde kanske vara glad för att min syster låg med en advokat."

"Varför skulle det göra dig gladare?"

"Jag vet inte."

Hon sparkade av sig sina skor och den korta kjolen hasade ännu längre upp över låren. Jag började gnida dem och mina tankar lämnade rättegången.

Men bara för ett ögonblick. Det blev uppståndelse runt tingshusets port och jag hörde någon hojta något om ett "utslag".

Juryn var klar efter bara en timmes överläggningar. När advokaterna och åskådarna hade kommit på plats sade domare

Loopus till rättsbiträdet: "För in dem."

"Skyldig som synden", viskade Baggy till mig när dörren öppnades och Fargarson kom haltande ut som den förste. "Snabba utslag är alltid skyldig."

Baggy hade faktiskt förutspått en oenig jury, men jag påminde honom inte om det, i alla fall inte just då.

Juryns ordförande lämnade ett hopvikt papper till biträdet, som lämnade det vidare till domaren. Loopus begrundade det en lång stund, sedan lutade han sig fram mot mikrofonen. "Vill den åtalade vara vänlig att resa sig", sade han. Både Padgitt och Lucien reste sig, långsamt och osäkert som om en exekutionspluton siktade in sig.

Domare Loopus läste: "Vad beträffar den första åtalspunkten, anklagelsen för våldtäkt, finner juryn att den åtalade Danny Padgitt är skyldig. Vad beträffar den andra åtalspunkten, anklagelsen för överlagt mord, finner juryn att den åtalade Danny Padgitt är skyldig."

Lucien rörde inte en min och Padgitt försökte att inte göra det. Han såg på jurymedlemmarna så ondskefullt han förmådde, men han fick mer tillbaka av samma sak.

"Sitt ner", sade Hans nåd och vände sig sedan till juryn. "Mina damer och herrar, tack för er insats hittills. Detta avslutar den del av rättegången som berör skuld eller oskuld. Vi övergår nu till den del där ni kommer att anmodas avgöra om den åtalade ska få dödsstraff eller livstids fängelse. Ni ska nu återvända till ert hotell, och vi tar paus till klockan nio i morgon. Tack och god kväll."

Det var över så snabbt att åskådarna inte rörde sig under ett ögonblick. Padgitt fördes ut i handbojor, och hans familj föreföll totalt förvirrad. Lucien hann inte prata med dem.

Baggy och jag gick till redaktionen där han började skriva med rasande hast. Sista manuslämningen låg flera dagar i framtiden, men han ville fånga stunden. Typiskt nog slappnade han emellertid av efter en halvtimme när whiskyn kallade. Det var nästan mörkt när Ginger återkom i åtsittande jeans, åtsittande blus, utkammat hår och en blick som sade: "Ta mig någonstans."

Vi gjorde återigen en avstickare till Quincy's, där jag köpte ännu en sexpack för resan, sedan körde vi med nerfälld sufflett och med den kvava luften blåsande förbi oss mot Memphis, nittio minuters väg bort.

Hon sade inte mycket, och jag snokade inte. Hennes släkt hade tvingat henne att komma till rättegången. Hon hade inte bett om den här mardrömmen. Lyckligtvis hade hon hittat mig och fått litet roligt.

Jag kommer aldrig att glömma den kvällen. Jag körde på de tomma, mörka småvägarna, drack kall öl, höll hand med en vacker dam som hade kommit till mig, en som jag redan hade legat med och säkert skulle ligga med igen.

Vår rara lilla romans hade bara några timmar kvar. Jag kunde nästan räkna dem. Baggy trodde att straffdelen skulle ta mindre än en dag, så rättegången skulle avslutas i morgon, fredag. Ginger längtade efter att komma bort från Clanton och skudda dess stoft av fötterna, och jag kunde naturligtvis inte följa med henne. Jag hade tittat i en kartbok – Springfield i Missouri låg långt bort, minst sex timmar med bil. Det vore svårt att pendla, fast jag skulle definitivt försöka om hon ville.

Men något sade mig att Ginger skulle försvinna ur mitt liv lika fort som hon hade dykt upp. Jag var säker på att hon hade en pojkvän eller två hemma, så jag skulle inte vara välkommen. Och om hon såg mig i Springfield skulle hon bli påmind om Ford County och dess förfärliga minnen.

Jag kramade hennes hand och svor på att göra det mesta möjliga av de sista timmarna.

När vi kommit till Memphis begav vi oss till de höga husen vid floden. Den mest berömda restaurangen i staden var ett revbensspjällsställe som hette Rendezvous, ett landmärke som ägdes av en grekisk familj. Nästan all bra mat i Memphis tillagades av greker eller italienare.

1970 var centrala Memphis inte en trygg plats. Jag parkerade i ett garage och vi skyndade tvärs över en gränd till Rendezvous. Rök från dess grillar bolmade ut ur ventilationsrör och hängde som tjock dimma bland byggnaderna. Det var den ljuvligaste doft jag någonsin hade upplevt, och i likhet med andra gäster var jag utsvulten när vi gick nerför en trappa och kom in i restaurangen.

Det var ganska lugnt på torsdagarna. Vi väntade fem minuter, och när mitt namn ropades upp följde vi en kypare som tog sig fram i sicksack mellan borden, genom mindre rum, allt längre in i källarrummen. Han blinkade till mig och gav oss ett bord för två i ett mörkt hörn. Vi beställde revbensspjäll och tog på varandra medan vi väntade.

Det fällande utslaget var en stor lättnad. Allt annat skulle varit en katastrof för staden, och Ginger skulle ha flytt därifrån för att aldrig återkomma. Hon skulle fly i morgon, men jag hade henne för ögonblicket. Vi skålade för utslaget. För Ginger innebar det att rättvisan faktiskt hade segrat. För mig innebar det samma sak, men det gav oss också ännu en natt tillsammans.

Hon åt mycket litet, vilket gjorde att jag kunde äta mitt revbensspjäll och därefter ge mig i kast med hennes. Jag berättade för henne om miss Callie och luncherna på hennes veranda, om hennes fantastiska barn och hennes bakgrund. Ginger sade att hon beundrade miss Callie, precis som hon beundrade de övriga elva.

Den sortens beundran skulle inte hålla i sig länge.

Som jag hade förväntat mig hade min far gömt sig på vinden, vilket alltid varit vad han kallat sitt arbetsrum. Det var egentligen högst upp i ett viktorianskt torn i främre hörnet på vårt sjaskiga och illa skötta hus i centrala Memphis. Ginger ville se det, och i mörkret såg det betydligt mer imponerande ut än på dagen. Det var ett underbart skuggigt gammalt område fullt av förfallna hus ägda av förfallna familjer som karskt levde vidare i lysande armod.

"Vad gör han där uppe?" frågade hon. Vi satt i min bil vid trottoarkanten med motorn avstängd. Mrs Ducksworths urgamla schnauzer skällde på oss fyra dörrar längre bort.

"Det har jag ju sagt. Han handlar med aktier."

"På nätterna?"

"Han gör marknadsundersökningar. Han går aldrig ut."

"Förlorar han pengar?"

"Han tjänar definitivt inga."

"Ska vi hälsa på?"

"Nej. Det skulle bara göra honom förbannad."

"När träffade du honom senast?"

"För tre-fyra månader sedan." Det sista jag ville göra just nu var att besöka min far. Jag var full av åtrå och ivrig att få komma igång. Vi körde ut ur staden, ut i förstäderna, och hittade ett Holiday Inn vid huvudvägen.

19

På fredagsmorgonen hittade Esau Ruffin mig i korridoren utanför rättssalen och jag fick en trevlig överraskning. Tre av hans söner, Al, Max och Bobby (Alberto, Massimo och Roberto) var där med honom, ivriga att säga hej till mig. Jag hade talat med alla tre en månad tidigare när jag skrev artikeln om miss Callie och hennes barn. Vi skakade hand och utbytte artigheter. De tackade mig belevat för min vänskap med deras mor, och för de vänliga ord jag skrivit om deras familj. De var lika lågmälda, vänliga och vältaliga som miss Callie.

De hade kommit sent kvällen innan för att ge henne moraliskt stöd. Esau hade talat med henne en gång på hela veckan – varje jurymedlem hade fått ringa ett telefonsamtal – och hon mådde bra men var orolig för sitt blodtryck.

Vi småpratade litet medan folk trängde sig in till rättssalen, och gick in tillsammans. De satte sig precis bakom mig. När miss Callie strax därefter intog sin plats såg hon mot mig och upptäckte sina tre söner. Leendet var som ett blixtnedslag. Tröttheten runt hennes ögon försvann omedelbart.

Under rättegången hade jag sett en viss stolthet i hennes ansikte. Hon satt där ingen svart någonsin hade suttit, sida vid sida med andra medborgare, för att för första gången i Ford County döma en vit. Jag hade också anat den ängslan som kommer av att söka sig in på okända vatten.

Nu när hennes söner var där för att se på henne, fylldes hennes ansikte av stolthet och det fanns inga tecken till fruktan. Hon rätade litet på sig, och fast hon hittills inte hade missat något i rättssalen for hennes blickar omkring överallt för att uppfånga allt och avsluta värvet.

Domare Loopus förklarade för jurymedlemmarna att i straffdelen av rättegången skulle åklagarsidan framlägga bevis för försvårande omständigheter för att understödja dess begäran om dödsstraff. Svarandesidan skulle framlägga förmildrande bevis. Han trodde inte det skulle dra ut på tiden. Det var fredag; rättegången hade redan pågått i evighet; jurymedlemmarna och alla andra i Clanton ville att Padgitt skulle försvinna så livet kunde återgå till det normala.

Ernie Gaddis gjorde en korrekt bedömning av stämningen i rättssalen. Han tackade jurymedlemmarna för att de helt riktigt hade funnit den åtalade vara skyldig, och erkände att han inte ansåg att några ytterligare vittnesmål behövdes. Brottet var så ohyggligt att inget försvårande kunde läggas till det. Han bad jurymedlemmarna att erinra sig de uttrycksfulla fotografierna av Rhoda i hammocken på mr Deeces veranda, och patologens vittnesmål om hennes förfärliga skador och hur hon dog. Och hennes barn, glöm inte hennes barn.

Som om någon skulle kunna göra det.

Han gjorde ett lidelsefullt inlägg till försvar för dödsstraffet. Han gav en kort historik över varför vi, som präktiga amerikaner, trodde så starkt på det. Han förklarade varför det var ett avskräckningsmedel och ett straff. Han hänvisade till Bibeln.

Under nästan trettio år som åklagare i sex län hade han aldrig sett ett fall som i så hög grad krävde dödsstraff. När jag såg på jurymedlemmarnas ansikten var jag övertygad om att han skulle få det han begärde.

Han avslutade det hela med att erinra juryn om att var och en hade valts på måndagen efter att ha försäkrat att de skulle följa lagen. Han läste upp den lag som rörde dödsstraff. "Delstaten Mississippi har visat riktigheten i sitt åtal", sade han och slog igen den tjocka gröna lagboken. "Ni har befunnit Danny Padgitt skyldig till våldtäkt och mord. Lagen kräver nu dödsstraff. Ni är skyldiga att utdöma det."

Ernies fängslande framträdande varade i femtioen minuter – jag försökte notera allt – och när han var färdig visste jag att juryn inte skulle hänga Padgitt bara en gång utan två.

Enligt Baggy brukade en åtalad som kunde dömas till döden efter att ha hävdat sin oskuld under hela rättegången och dömts av juryn vanligen säga att han ångrade det brott han hade förnekat hela veckan. "De tigger och ber", sade Baggy. "Det är en fin föreställning."

Men Padgitts katastrof dagen innan hindrade honom från att komma i närheten av juryn. Lucien kallade hans mor Lettie Padgitt som vittne. Hon var en kvinna i femtioårsåldern med trevligt utseende och kort grånande hår, och hon var svartklädd som om hon redan sörjde sin son. Med Luciens hjälp inledde hon darrande ett vittnesmål som tycktes vara skrivet i förhand ända ner till varje liten paus. Där fanns den lille gossen Danny som fiskade alla dagar efter skolan, som bröt benet när han föll ner från en trädkoja, som vann stavningstävlingen i fjärde klass. Han var aldrig till något som helst besvär på den tiden, inte alls. Faktum var att Danny aldrig var till något besvär när han växte upp, han var en ren glädje. Hans två bröder ställde alltid till det för sig, men aldrig Danny.

Vittnesmålet var så orimligt och egennyttigt att det närmade sig det löjeväckande. Men det fanns tre mödrar i juryn – miss Callie, mrs Barbara Baldwin och Maxine Root – och Lucien siktade in sig på en av dem. Han behövde bara en.

Föga förvånande brast mrs Padgitt snart i gråt. Hon kunde aldrig tro att hennes son hade gjort sig skyldig till ett så förfärligt brott, men om juryn ansåg det, skulle hon försöka acceptera det. Men varför dräpa? Varför döda hennes lille pojke? Vad skulle världen vinna på att han dödades?

Hennes smärta var äkta. Hennes känslor var hudlösa och svåra att betrakta, att sitta igenom. Vilken människa som helst skulle känna medlidande med en mor som håller på att förlora ett barn. Hon föll slutligen samman och Lucien lät henne gråta i vittnesbåset. Det som börjat som en svulstig uppvisning slutade i en intensiv vädjan som tvingade de flesta i juryn att titta ner i golvet.

Lucien sade att han inte hade fler vittnen. Han och Ernie gjorde en kortfattad slutplädering, och klockan elva fick juryn återigen målet för bedömning.

Ginger försvann i trängseln. Jag gick till redaktionen och väntade, och när hon inte dök upp gick jag över torget till Harry Rex kontor. Han lät sin sekreterare köpa smörgåsar och vi åt dem i hans överbelamrade sammanträdesrum. I likhet med flertalet advokater i Clanton tillbringade han större delen av sin tid i rättssalen med att följa mål som inte betydde någonting för honom ekonomiskt sett.

"Kommer din donna att stå på sig?" frågade han med munnen full av kalkon och ost.

"Miss Callie?" frågade jag.

"Ja. Är gaskammaren OK för henne?"

"Jag har ingen aning. Vi har inte talat om det."

"Vi var oroliga för henne, hon och den där satans ofärdiga grabben."

Harry Rex hade diskret engagerat sig i målet på ett sådant sätt att man kunde tro att han arbetade för Ernie Gaddis och myndigheterna. Men han var inte den ende advokaten i staden som i hemlighet hjälpte åklagarsidan.

"Det tog dem mindre än en timme att förklara honom skyldig", sade jag. "Är det inte ett gott tecken?"

"Kanske det, men jurymedlemmar uppträder konstigt när det är dags att underteckna en dödsdom."

"Än sen? I så fall får han livstid. Efter vad jag har hört om Parchmanfängelset kan livet där vara värre än gaskammaren."

"Livstid är inte livstid, Willie", sade han och torkade sig i ansiktet med en pappersservett.

Jag lade ifrån mig min smörgås medan han tog en ny tugga.

"Vad är livstid?" frågade jag.

"Tio år, kanske mindre."

Jag försökte fatta det. "Menar du att ett livstidsstraff i Mississippi är tio år?"

"Rätt. Efter tio år, mindre om han har skött sig, har en mördare som fått livstid möjlighet till benådning. Är det inte vansinnigt?"

"Men varför..."

"Försök inte förstå det, Willie, lagen är bara sådan. Har varit det i femtio år. Och det värsta är att juryn inte har en aning om det. Får inte berätta det för dem. Vill du ha mer vitkålssallad?"

Jag skakade på huvudet.

"Vår framstående Högsta domstol har sagt att juryn kanske skulle vara mer benägen att utdöma dödsstraff om den visste hur milt ett livstidsstraff egentligen är. Alltså vore det orätt mot den åtalade."

"Livstid är tio år", mumlade jag för mig själv. I Mississippi hålls spritbutikerna stängda på valdagen, som om väljarna annars skulle bli berusade och välja fel personer. En annan otrolig lag.

"Precis", sade Harry Rex och svalde sedan återstoden av sin sandwich i en enda väldig munsbit. Han tog ner ett kuvert från en hylla, öppnade det och sköt över ett stort svartvitt fotografi till mig. "Avslöjad, grabben", sade han med ett förtjust skratt.

Det var ett fotografi av mig när jag kom ut från Gingers motellrum på torsdagsmorgonen. Jag verkade trött, bakfull, skuldmedveten för något, men också egendomligt belåten.

"Vem tog det här?" frågade jag.

"En av mina grabbar. Han jobbade med en skilsmässa, såg din lilla kommunistbil svänga in den där natten, bestämde sig för att ha litet skoj."

"Han var inte den ende."

"Hon är inte illa. Han försökte fotografera genom gardinerna, men fick inte rätt vinkel."

"Ska jag skriva min autograf på den?"

"Behåll den."

Efter tre timmars överläggningar skickade juryn ett meddelande till domare Loopus. De hade kört fast och gjorde inga framsteg. Han meddelade att domstolen skulle samlas och vi rusade över gatan.

Om juryn inte enhälligt beslutade om dödsstraff, måste domaren enligt lag utdöma livstidsstraff.

Fruktan vilade över de församlade när vi väntade på jurymedlemmarna. Något var på tok där borta. Hade familjen Padgitt till slut hittat rätt?

Miss Callies ansikte var som hugget i sten, en blick som jag aldrig sett tidigare. Mrs Barbara Baldwin hade uppenbarligen gråtit. Flera av männen gav intryck av att deras knytnävsslagsmål just hade avbrutits och att de var ivriga att börja slåss igen.

Juryns ordförande reste sig och förklarade nervöst för Hans nåd att juryn var splittrad och inte gjort några som helst framsteg den senaste timmen. Han var inte optimistisk när det gällde ett enhälligt utslag, och alla ville bege sig hem.

Domare Loopus frågade sedan var och en av jurymedlemmarna om han eller hon trodde att de kunde nå ett enhälligt utslag. De sade enhälligt nej.

Jag kunde känna vreden växa hos de församlade. Folk skruvade på sig och viskade, och det hjälpte definitivt inte juryn.

Domare Loopus utlöste sedan vad Baggy efteråt kallade "dynamitladdningen", en improviserad utläggning om att lyda lagen och hålla löften som givits under juryvalet. Det var ett bistert och långt förmaningstal, kryddat med en hel del förtvivlan.

Det hjälpte inte. Två timmar senare lyssnade en förbluffad rättssal när domare Loopus återigen frågade ut jurymedlemmarna, med samma resultat. Han tackade dem surt och skickade hem dem.

När de hade gått kallade han fram Danny Padgitt, och gav honom en officiell utskällning som kom mig att rysa. Han kallade honom våldtäktsman, mördare, ynkrygg, lögnare, och värst av allt tjuv för att han tagit ifrån två små barn deras enda förälder. Det var ett hätskt, tillintetgörande angrepp. Jag försökte skriva ner det ord för ord, men det var så fängslande att jag måste avbryta det och lyssna. En fanatisk gatupredikant kunde inte ha öst mer ovett över synden.

Om han haft möjlighet skulle han ha dömt honom till döden, och en snabb och smärtsam sådan dessutom.

Men lagen var lagen och han måste följa den. Han dömde honom till livstids fängelse och befallde sheriff Coley att omedelbart föra honom till delstatsfängelset i Parchman. Coley satte handbojor på honom och så försvann han.

Loopus slog klubban i bordet och rusade ut ur salen. Det blev slagsmål i bakre änden av rättssalen när en av Dannys farbröder stötte ihop med Doc Crull, en frisör i staden och välkänt brushuvud. Det lockade snabbt till sig åskådare och flera andra förbannade familjen Padgitt och sade till dem att ge sig tillbaka till sin ö. "Ge er iväg hem till ert träsk!" skrek någon gång på gång. De skingrades av poliser och familjen Padgitt lämnade rättssalen.

Åskådarna dröjde kvar en stund, som om rättegången inte var slut, som om rättvisan inte hade segrat helt och fullt. Där fanns vrede och folk svor, och jag fick en aning om hur lynchmobbar skapas.

Ginger dök inte upp. Hon hade sagt att hon skulle titta in på redaktionen och säga adjö när hon hade checkat ut från motellet, men hon hade uppenbarligen ändrat sig. Jag kunde föreställa mig hur hon gasade på i natten, hur hon grät och svor och räknade kilometrarna tills hon kom ut ur Mississippi. Vem kunde klandra henne?

Vår tredagarshistoria fick ett abrupt slut på det sätt som vi båda förväntat oss men ingen hade medgivit. Jag kunde inte tänka mig att våra vägar någonsin skulle korsas igen, och om de gjorde det skulle det bli ännu en rond eller två i sängen innan livet kallade och vi skildes åt. Hon skulle passera många män innan hon hittade en som stod sig. Jag satt på balkongen utanför mitt arbetsrum och väntade på att hon skulle stanna bilen nedanför, väl medveten om att hon förmodligen var i Arkansas vid den tiden. Vi hade inlett dagen tillsammans i sängen, ivriga att återvända till rättssalen för att se hennes systers mördare få dödsstraff.

I min upprördhet började jag skriva en ledare om utslaget. Den skulle bli ett svidande angrepp på delstatens strafflagar. Den skulle vara ärlig och uppriktig, och den skulle falla i god jord hos läsarna.

Esau ringde och avbröt mig. Han var på sjukhuset med miss Callie och bad mig komma snabbt.

Hon hade svimmat när hon skulle sätta sig i bilen utanför tingshuset. Esau och de tre sönerna hade snabbt tagit henne till sjukhuset, vilket var klokt gjort. Hennes blodtryck var farligt högt, och läkaren fruktade att det kunde vara ett slag- anfall. Efter några timmar hade emellertid hennes tillstånd stabiliserats och det hela såg bättre ut. Jag höll hennes hand en liten stund och sade att jag var mycket stolt över henne, och så vidare. Vad jag egentligen ville ha var sanningen om vad som hade hänt där borta i juryrummet.

Det var en historia som jag aldrig skulle få höra.

Jag drack kaffe med Al, Max, Bobby och Esau i sjukhusets kafeteria till midnatt. Hon hade inte sagt ett ord om juryns överläggningar.

Vi pratade om dem och om deras syskon, och om deras barn och deras arbete och om hur det varit att växa upp i Clanton. Historierna flödade och jag tog nästan fram papper och penna.

20

Det första halvåret jag bodde i Clanton, brukade jag fly därifrån över veckosluten. Det fanns så litet att göra. Frånsett en och annan getfest hos Harry Rex, och ett förfärligt cocktailparty som jag lämnade tjugo minuter efter det att jag kommit, förekom inget sällskapsliv. Praktiskt taget alla ungdomar i min ålder var gifta, och deras uppfattning om en brakfest var en "nattvard" med glass på lördagskvällen i någon av stadens oräkneliga kyrkor. Flertalet av dem som gav sig iväg för att studera på universitet kom aldrig tillbaka.

Av ren leda tillbringade jag ibland veckosluten i Memphis, vanligen i en väns lägenhet, nästan aldrig hemma. Jag reste flera gånger till New Orleans, där en gammal flickvän från gymnasiet bodde, och svirade. Men Ford County Times var ändå min för den närmaste framtiden. Jag bodde i Clanton. Jag måste lära mig handskas med livet i en småstad, inklusive de trista veckosluten och så vidare. Redaktionen blev min tillflyktsort.

Jag gick dit på lördagen efter utslaget, vid middagstid. Jag hade flera artiklar om rättegången som jag ville skriva, dessutom var min ledare långt ifrån klar. Sju brev låg på golvet innanför dörren. Det hade i många år varit tradition på tidningen. Vid de sällsynta tillfällen då Fläcken skrev något som gjorde att en läsare reagerade, kom brevet till utgivaren oftast med bud och stacks in under dörren mot gatan.

Fyra var undertecknade, tre var anonyma. Två var skrivna med maskin, de övriga var handskrivna, ett kunde jag knappt tyda. Alla sju uttryckte vrede över att Danny Padgitt kommit undan med livet. Stadens blodtörst förvånade mig inte. Det gjorde mig också bestört att sex av de sju anspelade på miss Callie. Det första var maskinskrivet och anonymt. Det löd:

Till redaktören. Vårt samhälle har sjunkit till en ny bottennivå när en bandit som Danny Padgitt kan våldta och mörda utan att straffas. Det faktum att en neger ingick i juryn bör få oss att inse att dessa människor inte tänker så som laglydiga människor tänker.

Mrs Edith Caravelle från Beech Hill skrev med vacker handstil:

Till redaktören. Jag bor en och en halv kilometer från platsen där mordet skedde. Jag är mor till två tonåringar. Hur ska jag förklara domen för dem? Bibeln säger: "Öga för öga." Det gäller kanske inte i Ford County.

En annan anonym person skrev på parfymerat rosa papper med en ram av blommor:

Till redaktören. Se vad som händer när svarta placeras på ansvarsfulla poster. En helvit jury skulle ha hängt Padgitt i rättssalen. Nu säger Högsta domstolen till oss att svarta ska undervisa våra barn, upprätta ordningen på våra gator och få offentliga ämbeten. Gud hjälpe oss.

Som redaktör (och ägare och utgivare) hade jag total kontroll över vad som trycktes i The Ford County Times. Jag kunde redigera breven, strunta i dem, välja ut de jag ville trycka. När det gällde kontroversiella ämnen och händelser gav brev till tidningen näring åt debatten och gjorde folk upprörda. Och de höjde upplagan, för det var bara i tidningen de kunde tryckas. De var helt gratis och erbjöd alla ett forum där de kunde sjunga ut.

När jag läste den första laddningen beslöt jag att inte trycka något som kunde skada miss Callie. Och det gjorde mig rasande att folk utgick från att hon på något sätt hade gjort juryn oenig och förhindrat ett dödsstraff.

Varför var staden så angelägen om att skylla en impopulär dom på den enda svarta jurymedlemmen? Och utan några som helst bevis? Jag lovade mig själv att ta reda på vad som verkligen hände i juryrummet, och jag kom omedelbart att tänka på Harry Rex. Baggy skulle naturligtvis stappla in på måndagsmorgonen med sin sedvanliga baksmälla och låtsas veta exakt hur juryn splittrades. Förmodligen skulle han ha fel. Om någon kunde få fram sanningen, vore det Harry Rex.

Wiley Meek tittade in med skvaller. Folk på serveringarna var upprörda. Padgitt var ett fult ord. Lucien Wilbanks föraktades, men det var inget nytt. Sheriff Coley kunde lika gärna avgå; han skulle inte få femtio röster. Två motkandidater gjorde sig redan hörda och valet var ett halvår avlägset.

Enligt en version hade elva röstat för gaskammaren och en hade satt sig emot det. "Antagligen niggern", hade någon sagt och därmed uttryckt den allmänna uppfattningen på Tea Shoppe vid sjutiden den morgonen. En polis som bevakat juryrummet påstods ha viskat till någon som någon kände att det hade stått sex mot sex, men detta betvivlades allmänt på serveringarna vid niotiden. Två huvudteorier dundrade runt torget den morgonen: enligt den första hade miss Callie klantat till det helt enkelt för att hon var svart; enligt den andra hade familjen Padgitt stuckit litet pengar till två eller tre av jurymedlemmarna, likadant som de hade gjort till den där "lögnaktiga subban" Lydia Vince.

Wiley trodde att teori nummer två hade fler anhängare än nummer ett, men många tycktes vara beredda att tro på vad som helst. Jag lärde mig att kaféskvaller var värdelöst.

Sent på lördagseftermiddagen korsade jag järnvägen och körde sakta genom Lowtown. Gatorna var fulla av barn på cykel, bollspel, verandorna var fulla av folk, musik strömmade ut genom danshakens öppna dörrar, män skrattade på gatan utanför butikerna. Alla var utomhus och liksom mjukade upp sig inför lördagsnattens strapatser. Folk vinkade och stirrade, mer intresserade av min lilla bil än av min ljusa hy.

Det var fullt av folk på miss Callies veranda. Al, Max och Bobby var där tillsammans med pastor Thurston Small och en annan välklädd diakon från kyrkan. Esau var inne i huset och pysslade om sin fru. Hon hade skrivits ut från sjukhuset på morgonen med stränga förhållningsorder att ligga till sängs och inte lyfta ett finger. Max tog mig in till hennes rum.

Hon satt upp i sängen stödd mot kuddar och läste Bibeln. Hon gav mig ett snabbt leende när hon såg mig och sade: "Mr Traynor, så rart av er att komma. Var snäll och sätt er. Esau, hämta litet te åt mr Traynor." Esau for som alltid iväg när hon utdelade en befallning.

Jag satte mig på en hård trästol intill hennes säng. Jag tyckte inte att hon verkade det minsta sjuk. "Jag är verkligen orolig för lunchen på torsdag", började jag, och vi skrattade.

"Jag lagar maten", sade hon.

"Nej, inte alls. Jag har ett bättre förslag. Jag tar med mig mat."

"Varför oroar det mig?"

"Jag köper den någonstans. Något litet enklare, till exempel en smörgås."

"En smörgås vore fint", sade hon och klappade mig på knät. "Mina tomater är snart mogna."

Hon slutade klappa och le och tittade bort för ett ögonblick. "Vi gjorde inte så bra ifrån oss, eller hur, mr Traynor?" Hennes ord andades både sorg och besvikelse.

"Det var inte ett populärt utslag", sade jag.

"Det var inte vad jag ville ha", sade hon.

Och det var det närmaste hon kom överläggningarna på många år. Esau berättade senare för mig att de övriga elva i juryn hade svurit på Bibeln att inte tala om sitt beslut. Miss

Callie ville inte svära på Bibeln, men hon gav dem sitt ord på att hon skulle bevara deras hemlighet.

Jag lät henne vila där och gick ut på verandan, där jag tillbringade flera timmar med att lyssna när hennes söner och deras gäster talade om livet. Jag satt i ett hörn och drack te och försökte hålla mig utanför deras samtal. Ibland drev tankarna iväg och jag lyssnade på Lowtowns ljud en lördagskväll.

Pastorn och diakonen gick och bara familjen Ruffin fanns kvar på verandan. Samtalet kom slutligen in på rättegången och utslaget och hur det uppfattades på andra sidan järnvägen.

"Hotade han verkligen juryn?" frågade Max mig. Jag berättade, och Esau bidrog när det behövdes. De var lika bestörta som de av oss som hade sett det.

"Gud vare lov att han är inspärrad på livstid", sade Bobby, och jag kunde inte förmå mig att berätta sanningen för dem. De var oerhört stolta över sin mor, som de alltid hade varit.

Jag var trött på rättegången. Jag gav mig iväg vid niotiden och körde långsamt och planlöst tillbaka genom Lowtown, jag var ensam och saknade Ginger.

Clanton rasade länge över utslaget. Vi fick arton brev till tidningen, av vilka jag tryckte sex i nästa nummer. Hälften handlade om rättegången, och detta gjorde naturligtvis upprördheten ännu större.

När sommaren släpade sig vidare började jag tro att staden aldrig skulle sluta prata om Danny Padgitt och Rhoda Kassellaw.

Sedan tillhörde de båda plötsligt det förflutna. På ett ögonblick, bokstavligen inom loppet av tjugofyra timmar, glömdes rättegången bort.

Clanton, på båda sidor om järnvägen, hade något betydligt viktigare att reta sig på.

II

21

I ett radikalt utslag som inte gav utrymme för tvivel eller
dröjsmål beordrade Högsta domstolen ett omedelbart av-
brytande av systemet med dubbla skolor. Inga fler undan-
flykter, inga fler domstolsprocesser, inga fler löften. Omedel-
bar integrering, och Clanton var lika bestört som alla andra
städer i Södern.

Harry Rex gav mig Högsta domstolens utslag och försökte
förklara dess innehåll. Det var inte så komplicerat. Varje skol-
distrikt måste omedelbart genomföra en desegregeringsplan.

"Det här kommer att sälja en del lösnummer", förkunnade
han med den otända cigarren inkörd i munnen.

Alla slags möten ordnades omedelbart i staden, och jag beva-
kade alla. En olidligt het kväll mitt i juli anordnades en offent-
lig sammankomst i gymnasiets gymnastiksal. Åskådarläktarna
var packade, golvet var fullt av oroliga föräldrar. Tidningens
advokat Walter Sullivan var också skolstyrelsens jurist. Han
skötte det mesta av pratandet eftersom han inte var vald till
någonting. Politikerna föredrog att gömma sig bakom honom.
Han var rättfram och sade att om sex veckor skulle Ford Coun-
tys skolsystem öppnas och bli helt segregerat.

Ett mindre möte hölls i den svarta skolan på Burley Street.
Baggy och jag var där, tillsammans med Wiley Meek som
fotograferade. Återigen förklarade mr Sullivan för de närva-
rande vad som skulle ske. Hans framställning avbröts två
gånger av applåder.

Olikheterna mellan dessa två möten var häpnadsväckande.
De vita föräldrarna var rasande och rädda och jag såg flera

kvinnor som grät. Den ödesdigra dagen hade slutligen kommit. I den svarta skolan rådde segerstämning. Föräldrarna var oroliga, men de var också upprymda för att deras barn äntligen skulle få gå i bättre skolor. Även om de hade miltals att gå när det gällde bostäder, arbete och sjukvård, var integrering i de kommunala skolorna ett ofantligt steg framåt i deras kamp för medborgerliga rättigheter.

Miss Callie och Esau var där. De behandlades med stor respekt av sina grannar. Sex år tidigare hade de gått in genom den vita skolans port med Sam och lämnat honom till lejonen. I tre år var han det enda svarta barnet i sin klass, och familjen betalade ett högt pris för det. Nu förefoll alltsammans värt det, åtminstone för dem. Sam kunde inte tillfrågas eftersom han inte var där.

Det hölls också ett möte i helgedomen First Baptist Church. Endast vita, och de församlade tillhörde en något övre medelklass. Arrangörerna hade samlat in pengar för att låta bygga en privat högskola, och nu var plötsligt penninginsamlandet mer brådskande. Flera läkare och advokater fanns där, och flertalet av medlemmarna i de finare klubbarna. Deras barn var uppenbarligen för fina för att gå i samma skola som svarta barn.

De lade snabbt upp planer för att ordna undervisning i en övergiven fabriksbyggnad söder om staden. Byggnaden skulle hyras ett år eller två, tills deras insamling var klar. De kämpade med att anställa lärare och beställa läroböcker, men det allra viktigaste, förutom att fly från de svarta, var hur man skulle få fram ett fotbollslag. Ibland var stämningen hysterisk, som om ett till sjuttiofem procent vitt skolsystem skulle utgöra stor fara för deras barn.

Jag skrev långa artiklar och satte stora rubriker, och Harry Rex hade rätt. Tidningens upplaga steg. I slutet av juli 1970 hade upplagan faktiskt passerat femtusen, en fantastisk omsvängning. Efter Rhoda Kassellaw och desegregeringen anade jag litet av det min vän Nick Diener från Syracuse sagt: "En bra småstadstidning trycker inte tidningar. Den trycker pengar."

Jag behövde nyheter, och i Clanton fanns inte alltid sådana tillgängliga. En nyhetsfattig vecka kunde jag trycka en upptrissad notis om de senaste yrkandena i överklagandet av domen mot Padgitt. Den brukade placeras längst ner på första sidan och gav intryck av att grabben kunde promenera ut från fängelset vilken minut som helst. Jag vet inte om mina läsare var så intresserade längre. Men i mitten av augusti fick tidningen ännu ett lyft när Davey Bigmouth Bass förklarade den amerikanska skolfotbollens ritualer för mig.

Wilson Caudle var inte intresserad av sport, vilket var utmärkt, men alla andra i Clanton levde och dog med laget Cougars på fredagskvällarna. Han placerade Bigmouth längst bak i tidningen och tryckte sällan några bilder. Jag kände lukten av pengar, och Cougars blev förstasidesnyhet.

Min fotbollskarriär slutade i nionde klass, i händerna på en sadistisk före detta marinsoldat som min veka skola av någon anledning hade anställt för att träna oss. Memphis i augusti är tropikerna; fotbollsträning borde vara förbjuden där och då. Jag sprang varv efter varv runt övningsplanen i full utrustning, hjälm och så vidare, i fyrtiogradig hetta och total luftfuktighet, och tränaren vägrade av någon anledning att ge oss vatten. Tennisbanorna låg intill planen, och när jag hade kräkts färdigt tittade jag ditåt och såg två flickor som spelade tennis med två grabbar. Flickorna gjorde att alltsammans såg mycket trevligt ut, men det som verkligen väckte mitt intresse var de stora flaskor med iskallt vatten som de drack ur närhelst de behagade.

Jag slutade med fotbollen och övergick till tennis och flickor, och jag ångrade mig aldrig för ett ögonblick. Min skola hade sina matcher på lördagseftermiddagarna, så jag hade inte döpts in i fredagsfotbollens religion.

Jag blev senare en lycklig konvertit.

När Cougars samlades till sin första träning var Bigmouth och Wiley där för att rapportera om det. Vi tryckte ett stort fotografi på första sidan med fyra spelare, två vita och två svarta, och ett annat med tränarna, där det ingick en svart assistent. Bigmouth skrev om laget och dess spelare och framtidslöften, och detta var bara första träningsveckan.

Vi bevakade invigningen av skolan, med intervjuer med elever, lärare och kontorspersonal, och vår vinkling var öppet positiv. Faktum var att Clanton hade mycket litet av de rasoroligheter som allmänt förekom i den djupa Södern när skolorna öppnades i augusti.

Ford County Times tryckte stora artiklar om hejarklacksledarna, musikkåren, skollagen – allt vi kunde komma på. Och i varje artikel fanns flera fotografier. Jag vet inte hur många barn som inte hamnade i tidningen, men de var inte många.

Den första matchen var ett årligen återkommande familjebråk med Karaway, en mycket mindre stad som hade en mycket bättre tränare. Jag satt tillsammans med Harry Rex och vi skrek oss hesa. Matchen var utsåld och de flesta åskådarna var vita.

Men de vita som varit sådana orubbliga motståndare till att ta emot svarta elever, förvandlades plötsligt på fredagskvällen. I den första matchens första kvartsperiod föddes en stjärna när Ricky Patterson, en pytteliten svart grabb som kunde flyga, rusade åttio meter första gången han rörde vid bollen. Andra gången kom han fyrtiofem, och därefter reste sig hela publiken upp och skrek varje gång bollen slängdes till honom. Sex veckor efter det att staden drabbades av segregeringsordern såg jag fördomsfulla, intoleranta vita sydstatare skrika som galningar och hoppa på stället varje gång Ricky fick bollen.

Clanton vann med 34-30 i en rysarmatch, och vi ägnade oss skamlöst åt matchen. Hela första sidan ägnades uteslutande åt fotboll. Vi startade omedelbart en Månadens Spelare, med ett studiestipendium på hundra dollar till någon obestämd fond som tog oss månader att klura ut. Ricky var vår förste pristagare, och det krävde ännu en intervju och ännu ett fotografi.

När Clanton vann sina första fyra matcher fanns tidningen på plats för att underblåsa upphetsningen. Vår upplaga steg till 5.500.

En mycket het dag i början av september promenerade jag runt torget på väg från redaktionen till banken. Jag hade min vanliga klädsel – nötta jeans, skrynklig bomullsskjorta med uppvikta ärmar, sportskor utan strumpor. Jag var nu tjugofyra år och eftersom jag ägde en affärsverksamhet vändes mina tankar långsamt bort från universitetet och mot yrkeslivet. Mycket långsamt. Jag var långhårig och klädde mig fortfarande som en student. Jag ägnade i allmänhet mycket litet uppmärksamhet åt hur jag var klädd eller vilket intryck jag gav.

Denna brist på intresse delades inte av alla.

Mr Mitlo högg tag i mig på trottoaren och föste in mig i sin lilla herrekipering. "Jag har väntat på er", sade han med kraftig brytning, en av de få i Clanton. Han var ungrare och hade en spännande bakgrund som innefattade flykt från Europa där han lämnat kvar ett barn eller två. Han stod på min lista med människoöden att skriva om så fort fotbollssäsongen var slut.

"Se på er!" fräste han när jag stod vid en hängare med bälten strax innanför dörren. Men han log och när det gäller utlänningar kan man lätt vifta bort deras burdusa sätt som problem med språket.

Jag kikade på mig själv. Exakt vad var fel?

Tydligen en hel del. "Ni är en akademiker", meddelade han mig. "En mycket betydelsefull man i den här staden, och ni är klädd som, ah, tja..." Han kliade sin skäggiga haka medan han letade efter rätt förolämpning.

Jag försökte hjälpa honom. "En student."

"Nej", sade han och viftade fram och åter med pekfingret som om ingen student någonsin hade sett så illa ut. Han gav upp försöken att trycka ner mig och fortsatte sin predikan.

"Ni är unik – hur många äger en tidning? Ni har bildning,

vilket är sällsynt här. Och ni kommer norrifrån! Ni är ung, men ni borde inte verka så... så... omogen. Vi måste arbeta med ert utseende."

Vi skred till verket, inte för att jag hade något val. Han annonserade en hel del i tidningen, så jag kunde knappast be honom dra åt skogen. Dessutom hade han rätt. Studenttiden var över, revolutionen var slut. Jag hade undsluppit Vietnam och sextiotalet och universitetet, och även om jag inte var redo för att slå mig till ro med fru och föräldraskap, började jag känna av min ålder.

"Ni måste ha kostym", bestämde han när han gick igenom klädhängarna. Det hade hänt att Mitlo gått fram till en bankdirektör och inför andra människor anmärkt på en opassande kombination av skjorta och kostym, eller en ful slips. Han och Harry Rex trivdes inte ihop.

Jag tänkte inte börja använda grå kostym och tvåfärgade skor. Han drog fram en ljusblå seersuckerkostym, hittade en vit skjorta och gick sedan raka vägen till slipsstället där han valde ut den perfekta röd-och-guldrandiga flugan. "Vi försöker med det här", förkunnade han när han hade gjort sitt val. "Där borta", sade han och pekade mot en provhytt. Lyckligtvis var vi ensamma i butiken. Jag hade inget val.

Jag gav upp försöken att knyta flugan. Mitlo sträckte sig upp och ordnade den elegant på en sekund. "Mycket bättre", sade han när han granskade den färdiga produkten. Jag betraktade mig länge i spegeln. Jag var inte helt säker, men å andra sidan fascinerades jag av förvandlingen. Den skänkte mig karaktär och personlighet.

Antingen jag ville det eller ej skulle klädseln bli min. Jag måste använda den minst en gång.

Som kronan på verket hittade han en vit panamahatt som satt snyggt på mitt oklippta huvud. När han rättade till den här och där drog han i en hårtofs vid örat och sade: "För mycket hår. Ni är en akademiker. Klipp er."

Han gjorde några ändringar på byxorna och kavajen och

pressade skjortan, och dagen därpå kom jag för att hämta min nya klädsel. Jag tänkte helt enkelt hämta plaggen, ta hem dem och vänta tills det var folktomt i staden innan jag tog dem på mig. Jag tänkte gå raka vägen till Mitlos butik så han kunde se mig i sin skapelse.

Han hade naturligtvis andra planer. Han krävde att jag skulle prova kläderna, och när jag hade gjort det krävde han att jag skulle ta en sväng runt hela torget för att få beröm.

"Jag har faktiskt bråttom", sade jag. Det pågick domstols-förhandlingar och det fanns mycket folk i omlopp i stadens centrum.

"Jag kräver det", sade han dramatiskt och hötte med fing-ret som om han inte tänkte förhandla en sekund.

Han rättade till hatten, och den sista rekvisitan var en lång svart cigarr som han snoppade, satte in i min mun och tände med en tändsticka. "En kraftfull personlighet", sade han stolt. "Stadens ende tidningsutgivare. Iväg med er."

Ingen kände igen mig i det första halva kvarteret. Två bön-der utanför foderbutiken glodde på mig, men jag gillade inte deras klädsel heller. Jag kände mig som Harry Rex med cigar-ren. Min var emellertid tänd, och mycket stark. Jag skyndade förbi hans kontor. Mrs Gladys Wilkins skötte sin mans för-säkringsagentur. Hon var i fyrtioårsåldern, mycket vacker och alltid välklädd. När hon såg mig tvärstannade hon och sade: "Nej, men Willie Traynor. Så distingerad ni ser ut."

"Tack."

"Påminner litet om Mark Twain."

Jag gick vidare, på litet bättre humör. Två sekreterare stir-rade. "Vilken snygg fluga", hojtade en av dem efter mig. Mrs Clare Ruth Seagraves hejdade mig och pratade länge om nå-got som jag skrivit flera månader tidigare och totalt glömt. Medan hon pratade granskade hon min kostym och flugan och hatten och klagade inte ens på cigarren. "Ni är riktigt stilig, mr Traynor", sade hon slutligen och verkade generad för sin uppriktighet. Jag gick med allt långsammare steg runt torget och bestämde mig för att Mitlo hade rätt. Jag var en akademiker, en tidningsutgivare, och en ny gestalt krävdes.

Men vi måste hitta några svagare cigarrer. När jag hade gått runt torget var jag yr och måste sätta mig.

Mr Mitlo köpte in ännu en blå seersuckerkostym och två ljusgrå för min räkning. Han bestämde att min garderob inte skulle vara mörk som advokaters och bankfolks, utan ljus och sval och litet okonventionell. Han gav sig själv i uppdrag att skaffa mig några enastående flugor och passande tyger för hösten och vintern.

Inom en månad hade Clanton vant sig vid att ha en ny personlighet vid torget. Jag började observeras, speciellt av det motsatta könet. Harry Rex skrattade åt mig, men hans klädsel var å andra sidan komisk.

Damerna älskade det.

22

I slutet av september inträffade två betydelsefulla dödsfall under loppet av en vecka. Den förste var mr Wilson Caudle. Han dog hemma, ensam i det sovrum där han hade isolerat sig sedan dagen då han lämnade The Ford County Times. Det var märkligt att jag inte hade talat med honom en enda gång under det halvår jag hade ägt tidningen, men jag hade varit för upptagen för att tänka på det. Jag ville definitivt inte ha några råd av Fläcken. Och sorgligt nog kände jag inte till en enda som hade sett eller talat med honom det senaste halvåret.

Han dog på torsdagen och begravdes på lördagen. På fredagen skyndade jag över till mr Mitlo och vi hade en klädselkonferens rörande den lämpligaste begravningsklädseln för en man av min betydelse. Han ansåg att jag måste ha en svart kostym, och han hade den perfekta flugan. Den var smal, med svarta och rödbruna ränder, mycket värdig, mycket aktningsfull, och när den var knuten och jag var ordentligt klädd måste jag medge att intrycket var imponerande. Han tog en svart filthatt ur sin privata samling och lånade mig den stolt för begravningen. Han sade ofta att det var skamligt att amerikanska män inte längre bar hatt.

Kronan på verket var en blänkande svart käpp. Jag bara stirrade när han tog fram den. "Jag behöver ingen käpp", sade jag. Den verkade litet löjlig.

"Det är en promenadkäpp", sade han och stack fram den till mig.

"Vad gör det för skillnad?"

Han gav sig nu in på en förvirrande historik över den avgörande roll som promenadkäppar hade spelat i utvecklingen av det moderna Europas herrmode. Han kände starkt för det, och ju mer upphetsad han blev, dess kraftigare blev hans brytning och dess mindre förstod jag. Jag tog käppen för att få tyst på honom.

När jag nästa dag kom in i metodistkyrkan för att närvara vid Fläckens begravning, stirrade damerna på mig. En del av männen gjorde det också, de flesta undrade varför i helvete jag hade en svart hatt och en käpp. Min bankman Stan Atcavage sade bakom mig, precis så högt att jag kunde höra det: "Jag antar att han tänker sjunga och dansa för oss."

"Han var varit hos Mitlo igen", viskade någon annan.

Jag råkade av misstag slå käppen mot bänken framför mig, och ljudet kom de sörjande att rycka till. Jag visste inte riktigt vad man skulle göra med en käpp när man var på begravning. Jag klämde fast den mellan mina ben och lade hatten i knät. Det krävdes arbete för att skapa rätt personlighet. Jag såg mig omkring och upptäckte Mitlo. Han log brett mot mig.

Kören började med "Amazing Grace" och vi försjönk i allvarliga tankar. Pastor Clinkscale gick sedan igenom de väsentliga punkterna i mr Caudles liv – född 1896, enda barnet till vår älskade miss Emma Caudle, en änkling utan egna barn, soldat i första världskriget, och i drygt femtio år utgivare av vår lokaltidning. Där gjorde han dödsrunorna till en konstform som för evigt skulle göra Fläcken ryktbar.

Pastorn pratade på en stund, sedan bröts monotonin av en sångare. Det var min fjärde begravning sedan jag kom till Clanton. Frånsett min mors hade jag aldrig tidigare varit på någon. De var de stora händelserna i småstaden, och jag hörde ofta pärlor som: "Var det inte en underbar begravning", och "Ta hand om dig, vi ses på begravningen", och min favorit: "Hon skulle ha älskat den."

"Hon" var naturligtvis den avlidna.

Folk tog ledigt och klädde sig söndagsfint. Om man inte

gick på begravningar var man underlig. Eftersom jag redan ansågs vara tillräckligt underlig, var jag fast besluten att hedra de döda.

Det andra dödsfallet inträffade samma natt, och när jag fick veta det på måndagen körde jag till min lägenhet och tog fram min revolver.

Malcolm Vince sköts två gånger i huvudet när han kom ut från ett danshak i en mycket enslig del av Tishomingo County. Tishomingo var torrlagt, danshaket var illegalt, det var därför det var undangömt långt ut på bondvischan.

Det fanns inga vittnen till mordet. Malcolm hade druckit öl och spelat biljard, han hade skött sig och inte ställt till med bråk. Två bekanta sade till polisen att Malcolm hade gått därifrån ensam vid elvatiden på kvällen, efter att ha varit på haket ungefär tre timmar. Han var på gott humör och inte berusad. Han sade adjö till dem och gick ut, och inom några sekunder hörde de skottlossning. De var nästan helt säkra på att han inte var beväpnad.

Krogen låg i änden av en stig, och fyrahundra meter bort bevakades infarten av en vakt med gevär. Hans skulle i princip meddela ägaren om polisen eller någon otrevlig person närmade sig. Tishomingo låg vid delstatsgränsen, och det hade sedan gammalt förekommit bråk med en del ligister i Alabama. Den här sortens krogar var populära platser om man ville ge igen för gamla oförrätter. Vaktposten hörde skotten som dödade Malcolm, och han var säker på att inget fordon hade givit sig iväg efteråt. Varje fordon måste ha passerat honom.

Den som dödade Malcolm måste ha kommit till fots från skogen och utfört mordet. Jag talade med sheriffen i Tishomingo County. Han ansåg att någon varit ute efter Malcolm. Det var definitivt inte ett vardagligt krogbråk.

”Har ni någon aning om vem som kunde ha varit ute efter mr Vince?” frågade jag i det förtvivlade hoppet att Malcolm hade skaffat sig fiender på ett par timmars avstånd.

"Ingen aning", sade han. "Grabben hade inte bott här så länge."

Jag hade revolvern i fickan i två dagar, sedan tröttnade jag återigen på den. Om familjen Padgitt ville ta livet av mig eller någon av jurymedlemmarna, eller domare Loopus eller Ernie Gaddis eller någon annan som de ansåg vara skyldig till att ha satt fast Danny, kunde vi inte göra så mycket för att hindra dem.

Den veckans nummer av tidningen ägnades mr Wilson Caudle. Jag plockade fram några gamla fotografier ur arkivet och spred ut dem över första sidan. Vi tryckte minnesord, anekdoter och mängder av betalda minnesrunor från hans många vänner. Sedan stuvade jag om allt jag tidigare skrivit om honom och skrev den längsta dödsrunan i tidningens historia.

Fläcken förtjänade det.

Jag visste inte riktigt hur jag skulle hantera Malcolm Vince. Han hörde inte hemma i Ford County, alltså hade han egentligen inte rätt till en dödsruna. Våra regler var ganska flexibla när det gällde den saken. En framstående invånare i Ford County som flyttade från länet var fortfarande berättigad till en dödsruna, men det måste naturligtvis finnas något att skriva om. En person som bara passerat genom länet och antingen inte hade släkt där eller bidragit mycket litet var inte kvalificerad. Så var fallet med Malcolm Vince.

Om jag blåste upp historien skulle familjen Padgitt få glädjen att ytterligare plåga länet. De skulle skrämma oss igen. (Ingen av dem som hört talas om mordet trodde att några andra än familjen Padgitt kunde ligga bakom det.)

Om jag ignorerade saken, skulle jag vara rädd och smita ifrån mitt ansvar som journalist. Baggy ansåg att det hörde hemma på första sidan, men där fanns inget utrymme när jag var färdig med vårt avsked till mr Caudle. Jag placerade artikeln högst upp på sidan tre, med rubriken PADGITTVITTNE MÖRDAD I TISHOMINGO COUNTY. Min första rubrik hade varit MALCOLM VINCE MÖRDAD I TISHOMINGO COUNTY, men Baggy ansåg bestämt att vi borde använda namnet Padgitt tillsammans med ordet "mördad" i rubriken. Artikeln var trehundra ord lång.

Jag körde till Corinth för att snoka litet. Harry Rex gav mig namnet på Malcolms skilsmässoadvokat, en lokal kraft som hette Pud Perryman. Han hade sitt kontor på Main Street, mellan en frisör och en kinesisk sömmerska, och när jag öppnade dörren insåg jag omedelbart att mr Perryman var den minst framgångsrike advokat jag någonsin skulle träffa. Stället stank av förlorade mål, missnöjda klienter och obetalda räkningar. Mattan var fläckig och luggsliten. Inredningen var kvar sedan femtiotalet. En frän lukt av ny och gammal cigarrettrök hängde i skikt i luften, farligt nära mitt huvud.

Mr Perryman själv visade inga tecken till välmåga. Han var ungefär fyrtiofem, rundmagad, ovårdad, orakad, med rödsprängda ögon. Den senaste baksmällan sjönk långsamt undan. Han meddelade mig att han jobbade med skilsmässor och egendomsmål, och det förmodades imponera på mig. Antingen tog han för litet betalt eller också lockade han till sig klienter med mycket litet att sälja eller slåss om.

Han hade inte träffat Malcolm på en månad, sade han medan han letade efter en aktmapp i den soptipp som täckte hans skrivbord. Skilsmässan hade aldrig gått till domstol. Hans försök att nå en överenskommelse med Lydias advokat hade varit resultatlösa. "Hon rymde fältet", sade han.

"Ursäkta?"

"Hon är borta. Packade efter rättegången där borta och stack. Tog ungen och försvann."

Jag struntade i vad som hade hänt med Lydia. Jag var betydligt mer intresserad av dem som hade skjutit Malcolm. Pud kom med några obestämda teorier, men de föll samman efter några enkla frågor. Han påminde mig om Baggy – en lokal skvallertant i tingshuset som hittade på ett rykte om han inte hörde något på en timme.

Lydia hade inga pojkvänner eller bröder eller några andra som kunde vilja skjuta Malcolm i upprördheten kring en fientlig skilsmässa. Och det hade förstås inte blivit någon skilsmässa. Fiendskapen hade inte ens börjat!

Mr Perryman gav intryck av att vara en människa som hellre pratade och ljög hela dagarna än skötte sina papper. Jag var på hans kontor nästan en timme, och när jag slutligen kunde gå skyndade jag ut för att få frisk luft.

Jag körde en halvtimme till Iuka, centralorten i Tishomingo County, där jag kom till sheriff Spinner precis lagom för att bjuda honom på lunch. Han berättade för mig om mordet över grillad kyckling på en överfull servering. Det var ett prydligt mord av någon som var väl hemmastadd i trakten. De hade inte hittat någonting – inga fotspår, inga patronhylsor, ingenting. Vapnet hade varit en fyrtiofyra Magnum, och de båda skotten hade praktiskt taget sprängt bort Malcolms huvud. Han drog teatraliskt sin tjänsterevolver och gav mig den. "Det här är en fyrtiofyra", sade han. Den var dubbelt så tung som mitt ynkliga vapen. Jag förlorade den lilla aptit jag hade.

Polisen hade talat med alla bekanta de kunde hitta. Malcolm hade bott ungefär fyra månader i trakten. Han fanns inte i polisregistret, han hade aldrig gripits, det fanns inga uppgifter om slagsmål, inget spelande, inga bråk eller fylleslagsmål. Han åkte till danshaket en gång i veckan och spelade biljard och drack öl och blev aldrig stökig. Det fanns inga lån eller räkningar som hade gått mer än sextio dagar över tiden. Det tycktes inte finnas några utomäktenskapliga förbindelser eller svartsjuka äkta män.

"Jag kan inte hitta något motiv", sade sheriffen. "Det är obegripligt."

Jag berättade för honom om Malcolms vittnesmål under rättegången mot Padgitt, och hur Danny hade hotat juryn. Han lyssnade uppmärksamt, och efteråt sade han inte så mycket. Jag fick en stark känsla av att han föredrog att stanna i

Tishomingo County och inte ville ha något med familjen Padgitt att göra.

"Det skulle kunna vara motivet", sade jag när jag var färdig.

"Hämnd?"

"Visst. Det där är otrevliga människor."

"Jag har hört talas om dem. Tur för oss att vi inte satt i den där juryn, eller hur?"

När jag körde tillbaka till Clanton kunde jag inte förjaga bilden av sheriffens ansikte när han sade det. Borta var den överlägsna minen hos en välbeväpnad lagens väktare. Spinner var verkligen tacksam för att han befann sig två län bort och inte hade något med familjen Padgitt att göra.

Hans utredning var klar. Fallet var avslutat.

23

Den ende juden i Clanton var mr Harvey Kohn, en elegant liten man som i årtionden hade sålt skor och handväskor till damer. Hans butik låg vid torget, granne med Sullivans advokatbyrå, i en huslänga som han köpt under depressionen. Han var änkling och hans barn hade flytt från Clanton efter gymnasiet. Mr Kohn körde till Tupelo för att gå i den närmaste synagogan.

Kohn's Shoes siktade in sig på den övre delen av marknaden, vilket var besvärligt i en småstad som Clanton. De få förmögna damerna i staden föredrog att göra sina inköp i Memphis där de kunde betala högre priser och prata om det hemma. För att göra sina skor lockande satte mr Kohn häpnadsväckande höga priser på dem, och gav sedan hög rabatt. Stadens damer kunde sedan säga vilket pris de ville när de skröt med sina senaste inköp.

Han skötte butiken själv, öppnade tidigt och stängde sent, vanligen med hjälp av en deltidsstudent. Två år innan jag kom till Clanton anställde han en sextonårig svart grabb som hette Sam Ruffin för att packa upp varor, flytta saker, städa, svara i telefonen. Sam visade sig vara intelligent och flitig. Han var artig, belevad, välklädd, och han kunde snart sköta butiken när mr Kohn varje dag exakt kvart i tolv gick hem för en snabb lunch och en lång tupplur.

En dam vid namn Iris Durant tittade in vid tolvtiden en dag och fann att Sam var helt ensam. Iris var fyrtioett år, mor till två tonåriga pojkar, varav en som gått i Sams klass i Clanton High School. Hon var en smula tilldragande, hon tyckte om att flirta och ha minikjol, och hon brukade välja skor ur mr Kohns mer exotiska urval. Hon provade ungefär två dussin olika par, köpte ingenting och tog god tid på sig. Sam kunde sina varor och handskades mycket försiktigt med hennes fötter.

Hon kom tillbaka nästa dag, samma tid, kortare kjol, mer makeup. Hon förförde barfota Sam på mr Kohns skrivbord i hans lilla kontorsrum bakom kassaapparaten. Därmed inleddes ett lidelsefullt förhållande som skulle förändra bådas liv.

Iris gick för att handla skor flera gånger i veckan. Sam hittade en bekvämare plats på en gammal soffa en trappa upp. Han låste butiken för en kvart, släckte ljuset och skyndade upp.

Iris man var polisinspektör vid Mississippis motorvägspolis. Han observerade antalet nya skor i hennes garderob och blev misstänksam. Misstänksamhet hade blivit en del av livet med Iris.

Han anlitade Harry Rex för att undersöka saken. En scout kunde ha avslöjat de älskande. Vid samma tid tre dagar i rad gick hon in på Kohn's Shoes; tre dagar i rad låste Sam snabbt dörren medan han såg sig omkring åt alla håll; tre dagar i rad släcktes ljuset och så vidare. Den fjärde dagen tog sig Harry Rex och Rafe in genom butikens bakdörr. De hörde ljud på övervåningen. Rafe stormade in i kärleksnästet och fick på fem sekunder ihop tillräckligt med bevis för att fälla båda två.

Mr Kohn avskedade Sam en timme senare. Harry Rex ansökte om skilsmässa samma eftermiddag. Iris togs senare in på sjukhus med skärsår, skrubbsår och en knäckt näsa. Hennes man misshandlade henne med knytnävarna tills hon var medvetslös. När det hade blivit mörkt knackade tre delstatspoliser på dörren till Sams hem i Lowtown. De förklarade för hans föräldrar att han var efterlyst av polisen i samband med någon obestämd anklagelse om förskingring i skobutiken. Om han fälldes kunde han dömas till tjugo års fängelse. De berättade också, naturligtvis helt inofficiellt, att Sam hade tagits på bar gärning när han låg med en vit kvinna, en annan mans hustru, och det hade utlovats skottpengar för honom. Femtusen dollar.

Iris lämnade staden, utskämd, frånskild, utan sina barn och skräckslagen för att återvända.

Jag hade hört olika versioner av historien om Sam. Det var gammalt skvaller när jag kom till Clanton, men det var fortfarande tillräckligt sensationellt för att dyka upp i många samtal. I Södern var det inte ovanligt att vita män hade svarta älskarinnor, men Sam var det första bestyrkta fallet där en vit kvinna i Clanton gick över färggränsen.

Baggy var en av dem som hade berättat historien för mig. Harry Rex hade bekräftat mycket av det.

Miss Callie vägrade tala om det. Sam var hennes yngsta barn, och han kunde inte komma hem. Han hade flytt, hoppat av studierna och tillbringat de senaste två åren hos sina syskon. Nu kontaktade han mig.

Jag gick till tingshuset och rotade i arkivet. Jag hittade inget åtal mot Sam Ruffin. Jag frågade sheriff Coley om han hade någon efterlysning som fortfarande gällde. Han undvek frågan och ville veta varför jag snokade i ett så gammalt fall. Jag frågade om Sam skulle gripas om han kom hem. Återigen inget direkt svar. "Var försiktig, mr Traynor", sade han varnande men utan att förklara sig närmare.

Jag gick till Harry Rex och frågade om de nu legendariska skottpengarna för Sam. Han berättade om sin klient, polisinspektör Durant, en före detta marinsoldat, prickskytt och expert på åtskilliga vapen, karriärpolis, ett brushuvud som blivit djupt kränkt av Iris snedsprång, och som ansåg att hedern krävde att han dödade hennes älskare. Han hade funderat på att döda henne, men han ville inte hamna i fängelse. Det kändes tryggare att döda en svart grabb. En jury i Ford County skulle vara mer förstående.

"Och han vill göra det själv", sade Harry Rex. "På det sättet kan han spara femtusen."

Han gillade att ge mig den sortens ohyggliga informationer, men han medgav att han inte hade träffat sin klient på ett och ett halvt år och att han inte visste om inte mr Durant redan hade gift om sig.

Vid middagstid på torsdagen satte vi oss vid bordet på verandan och tackade Gud för den utsökta måltid vi skulle ta emot. Esau arbetade.

Vi hade avnjutit många vegetariska luncher när trädgårdens grönsaker mognade under sensommaren. Röda och gula tomater, gurkor och lök i ättika, limabönor, skärbönor, vanliga bönor, okra, squash, kokt potatis, majskolvar, och alltid nybakt majsbröd. Nu när luften var svalare och löven började gulna lagade miss Callie tyngre maträtter – ankstuvning, lammstuvning, chili, röda bönor och ris med fläskkorv, och den gamla vanliga fläsksteken.

Lunchen den dagen var kyckling med klimp. Jag åt långsamt, något som hon uppmuntrade mig att göra. Jag var halvfärdig när jag sade: "Sam har ringt till mig, miss Callie."

Hon hejdade sig och svalde och sade: "Hur är det med honom?"

"Det är bra. Han vill komma hem till jul, han sade att alla andra ska komma hem och han vill vara här."

"Vet ni var han är?" frågade hon.

"Vet ni?"

"Nej."

"Han är i Memphis. Vi ska träffas där i morgon."

"Varför ska ni träffa Sam?" Hon föreföll mycket misstänksam mot min inblandning.

"Han vill att jag ska hjälpa honom. Max och Bobby berättade för honom att vi är vänner. Han sade att han tror att jag är en vit som han kan lita på."

"Det kan vara farligt", sade hon.

"För vem?"

"För er båda."

Hennes läkare var orolig för hennes vikt. Ibland var hon det också, men inte alltid. När det var mycket kraftig mat, som stuvningar och klimp, tog hon små portioner och åt sakta. Nyheten om Sam gav henne en anledning att sluta äta helt och hållet. Hon vek ihop sin servett och började berätta.

Sam lämnade Clanton mitt i natten med en Greyhoundbuss till Memphis. Han ringde till Callie och Esau när han hade kommit dit. Nästa dag körde en vän dit med pengar och kläder. När historien om Iris snabbt spreds i staden blev Callie och Esau övertygade om att deras yngste son skulle mördas av polisen. Motorvägspolisens bilar gled dag och natt förbi deras hus. De fick anonyma telefonsamtal med hotelser och svordomar.

Mr Kohn inlämnade en stämning. Dagen för målet kom och gick utan att Sam visade sig. Miss Callie såg aldrig någon anklagelseakt, men hon visste å andra sidan inte riktigt hur en sådan såg ut.

Memphis kändes för nära, så Sam drog sig till Milwaukee där han gömde sig hos Bobby några månader. I två år hade han nu flyttat från ett syskon till ett annat, alltid flyttat på natten, alltid rädd för att bli upptäckt. De äldre av Ruffins barn ringde hem ofta och skrev en gång i veckan, men de vågade inte nämna Sam. Någon kunde lyssna.

"Han gjorde fel som hade ihop det med en kvinna på det där sättet", sade miss Callie och läppjade på sitt te. Jag hade förstört hennes lunch, men inte min. "Men han var så ung. Han jagade inte efter henne."

Nästa dag blev jag inofficiell mellanhand mellan Sam Ruffin och hans föräldrar.

Vi träffades på en servering i ett köpcentrum i södra Memphis. Han såg mig vänta en halvtimme från en plats på avstånd innan han dök upp ur ingenstans och satte sig mittemot mig. Två års flykt hade lärt honom ett och annat.

Hans unga ansikte visade spår av livet på rymmen. Han såg sig av gammal vana omkring hela tiden. Han ansträngde sig för att ha ögonkontakt, men han kunde bara göra det några sekunder i taget. Föga förvånande var han lågmäld, vältalig, mycket artig. Och mycket tacksam för att jag var beredd att ställa upp och undersöka möjligheterna att hjälpa honom.

Han tackade mig för den vänskap och vänlighet jag hade visat hans mor. Bobby i Milwaukee hade visat honom artiklarna i Times. Vi talade om hans syskon, hans flykt till UCLA i Kalifornien, vidare till Duke University, sedan till Toledo, sedan till Grinnell University i Iowa. Han kunde inte leva på det sättet så länge till. Han var förtvivlat angelägen om att få ett slut på eländet hemma så han kunde leva som vanligt igen. Han hade avslutat gymnasiestudierna i Milwaukee och tänkte med tiden börja studera juridik. Men han kunde inte göra det när han levde som en flykting.

"Jag utsätts för en hel del påtryckningar", sade han. "Sju bröder och systrar, sju doktorer."

Jag beskrev mitt fruktlösa sökande efter en anklagelse, mina frågor till sheriff Coley och mitt samtal med Harry Rex om mr Durants attityd just nu. Sam tackade mig översvallande för upplysningarna, och för min villighet att göra en insats.

"Det finns ingen överhängande fara att bli gripen", försäkrade jag honom. "Men det finns en risk att du får en kula i dig."

"Jag skulle hellre bli gripen", sade han.

"Jag också."

"Han är en förfärlig människa", sade Sam om mr Durant. Han berättade sedan en historia där jag inte uppfattade alla detaljer. Det tycktes som om Iris nu bodde i Memphis. Sam hade kontakt med henne. Hon hade berättat en del hemska saker för honom om sin före detta man och hennes två tonårspojkar och de hotelser som hon fått från dem. Hon var inte välkommen någonstans i Ford County. Hennes liv kunde också sväva i fara. Hennes söner hade många gånger sagt att de hatade henne och inte ville se henne igen.

Hon var en bruten kvinna som plågades av skuldkänslor och hade fått ett nervöst sammanbrott.

"Och det var mitt fel", sade Sam. "Jag hade fått en bättre uppfostran."

Vårt möte pågick en timme och vi kom överens om att träffas igen om ett par veckor. Han gav mig två långa brev som han skrivit till sina föräldrar, och vi tog avsked. Han försvann i en hop människor och jag kunde inte låta bli att fråga mig var en artonåring håller sig gömd. Hur reser han, hur färdas han omkring? Hur överlever han från dag till dag? Och Sam var inte ett gatubarn som lärt sig att överleva med hjälp av fiffighet och knytnävar.

Jag berättade för Harry Rex om sammanträffandet i Memphis. Mitt högstämda mål var att på något sätt förmå mr Durant att låta Sam vara ifred.

Eftersom jag utgick från att mitt namn fanns på en lista över mindre uppskattade personer på Padgitt Island, hade jag inget intresse av att hamna på ännu en lista. Jag fick Harry Rex att lova att bevara hemligheten, och jag var övertygad om att han skulle hålla tyst om min roll som mellanhand.

Sam skulle gå med på att lämna Ford County, avsluta sina studier i norr, och sedan stanna där under universitetstiden och förmodligen resten av livet. Pojken ville helt enkelt träffa sina föräldrar, göra korta besök i Clanton, och kunna leva utan att ständigt se sig över axeln.

Harry Rex struntade i honom och ville inte bli inblandad. Han lovade vidarebefordra meddelandet till mr Durant, men han trodde inte att det skulle få ett välvilligt mottagande. "Han är en otrevlig skit", sade han mer än en gång.

24

Tidigt i december återvände jag till Tishomingo County för att följa upp samtalet med sheriff Spinner. Det förvånade mig inte att utredningen av mordet på Malcolm Vince inte hade givit något nytt. Mer än en gång beskrev Spinner det som ett "prydligt mord", där inget fanns att se förutom ett lik och två kulor som i praktiken var omöjliga att spåra. Hans poliser hade talat med varje tänkbar vän, bekant och arbetskamrat, och inte hittat någon som kunde ge något skäl till att Malcolm skulle få ett så våldsamt slut.

Spinner hade också talat med sheriff Mackay Don Coley, och vår sheriff hade föga förvånande uttryckt tvivel om att mordet kunde ha något att göra med Padgitträttegången i Ford County. Det föreföll som om de båda sheriferna haft med varandra att göra tidigare, och det gladde mig att höra Spinner säga: "Gamle Coley skulle inte kunna ta en gådrulle på Main Street."

Jag skrattade högt och tillade hjälpsamt: "Jo, och han och familjen Padgitt känner varandra sedan gammalt."

"Jag sade att ni hade varit här och snokat. Han sade: 'Den där grabben kommer att råka illa ut.' Jag tyckte bara att ni borde veta det."

"Tack", sade jag. "Coley och jag ser olika på saker och ting."

"Det är val om några månader."

"Ja. Coley lär ha några motkandidater."

"Det behövs bara en."

Han lovade mig återigen att ringa om något nytt dök upp,

men vi visste båda två att det inte skulle hända. Jag lämnade Iuka och körde till Memphis.

Polisinspektör Durant blev förtjust när han fick veta att hans hotelser fortfarande plågade Sam Ruffin. Harry Rex hade slutligen vidarebefordrat meddelandet att pojken fortfarande var på flykt men var förtvivlat angelägen om att få komma hem och träffa sin mor.

Durant hade inte gift om sig. Han var mycket ensam och utomordentligt bitter och oerhört besvärad av sin hustrus otrohet. Han höll en lång utläggning för Harry Rex om hur hans liv hade förstörts, och ännu värre, hur hans två söner hånades och plågades på grund av det deras mor hade gjort. De vita barnen i skolan hånade dem ständigt. De svarta barnen, deras nya klasskamrater på Clanton High School, hånflinade och kom med spydiga kommentarer.

Båda pojkarna var prickskyttar och ivriga jägare, och de tre herrarna Durant hade svurit på att sätta en kula i Sam Ruffins huvud om de fick en chans. De visste precis var i Lowtown familjen Ruffin bodde. Durant kommenterade den årliga pilgrimsfärd som många svarta gjorde norrifrån vid jultid. "Om den där grabben smyger hem, kommer vi att vänta på honom", lovade han Harry Rex.

Han hade också en del giftiga utgjutelser om mig, och om mina hjärtevärmande artiklar om miss Callie och hennes äldre barn. Han gissade helt rätt att jag var familjens kontakt med Sam.

"Det är bäst för dig om du håller näsan utanför den här röran", sade Harry Rex varnande till mig efter sin träff med Durant. "Det är en otrevlig typ."

Jag såg inte fram mot att ha ännu en som såg fram mot min plågsamma död.

Jag träffade Sam på ett långtradarkafé nära delstatsgränsen, drygt en kilometer inne i Tennessee. Miss Callie hade skickat med mig tårtor och pajer och brev och litet pengar, en hel kartong som fyllde passagerarsätet i min Spitfire. Det var första gången på två år som hon kunnat röra vid honom på något sätt. Han försökte läsa ett av hennes brev men övermannades av sina känslor och stoppade ner det i kuvertet igen. "Jag längtar hem så mycket", sade han och torkade bort stora tårar samtidigt som han försökte dölja dem för chaufförerna som satt och åt i närheten. Han var en ensam, rädd liten pojke.

Jag återgav med brutal uppriktighet samtalet med Harry Rex. Sam hade naivt trott att hans erbjudande att hålla sig borta från Ford County men ibland komma på besök skulle vara acceptabelt för mr Durant. Han hade mycket litet begrepp om det hat han hade väckt. Han tycktes emellertid inse faran.

"Han kommer att döda dig, Sam", sade jag allvarligt.

"Och han kommer inte att få något straff, eller hur?"

"Vad gör det dig? Du kommer ändå att vara död. Miss Callie vill hellre ha dig levande norrut än död på Clantons kyrkogård."

Vi bestämde att träffas igen om två veckor. Han hade börjat göra sina julinköp och skulle då ha julklappar till föräldrar och syskon.

Vi tog avsked och lämnade serveringen. Jag var nästan framme vid min bil när jag bestämde mig för att gå tillbaka till toaletten. Den fanns bakom en smaklös presentbutik intill serveringen. Jag kastade en blick ut genom fönstret och såg Sam på ett mycket misstänkt sätt kliva in i en bil med en vit kvinna vid ratten. Hon verkade äldre än han, litet över de fyrtio. Iris, förmodade jag. En del lär sig aldrig.

Familjen Ruffin började samlas tre dagar före jul. Miss Callie hade lagat mat i en vecka. Två gånger skickade hon mig på nödutryckningar till speceriaffären. Jag blev snabbt adopterad i familjen och fick fullständiga rättigheter, där de finaste var att äta när och vad jag ville.

När barnen växte upp i huset hade deras liv kretsat runt föräldrarna, varandra, Bibeln och köksbordet. Under helgerna fanns alltid något nylagat på bordet, och ytterligare två eller tre saker på spisen eller i ugnen. Meddelandet "Pekanpajen är färdig!" skickade chockvågor genom det lilla huset, ut på verandan och till och med ut på gatan. Familjen samlades runt bordet där Esau ganska hastigt återigen tackade Herren för sin familj och deras hälsa och för maten som de stod i begrepp att "dela"; sedan skars pajen upp i stora bitar, placerades på fat och bars iväg åt alla håll.

Samma ritual följdes när det gällde pumpapajerna, kokosnötspajerna, jordgubbstårtorna, listan bara fortsatte. Och det där var bara små mellanmål som hjälpte dem från en måltid till nästa.

Till skillnad från sin mor var barnen Ruffin inte det minsta kraftiga. Och jag fick snart veta varför. De klagade över att de inte längre kunde äta så här. Maten där de bodde var smaklös, och mycket av den var fryst och industritillverkad. Det fanns mycket lokal mat som de helt enkelt inte kunde smälta. Och folk kastade i sig maten. Listan med klagomål blev allt längre.

Jag hade en känsla av att de var så bortskämda av miss Callies kokkonst att ingenting dög längre.

Carlota, som var ensamstående och undervisade i storstadsforskning på universitetet i Los Angeles, var speciellt underhållande när hon berättade historier om de senaste vansinniga matvanorna som svepte genom Kalifornien. För tillfället var det sista skriket rå mat – lunchen var en tallrik råa morötter och rå selleri som tvingades ner med en liten mugg hett örtte.

Gloria, som undervisade i italienska på Duke University, betraktades som den mest lyckligt lottade av de sju eftersom hon fortfarande bodde i Södern. Hon och miss Callie jämförde olika recept på majsbröd, brunswickstuvning och till och med grönkål. Dessa diskussioner blev ofta djuplodande, männen kom med synpunkter och åsikter, och mer än en gång blev det gräl.

Efter en tretimmars lunch bad Leon (Leonardo), som undervisade i biologi vid Purdue University, mig att följa med på en åktur. Han var den näst äldste och gav ett akademiskt intryck som de andra lyckats undvika. Han hade skägg, rökte pipa, bar tweedblazer med nötta skinnlappar på armbågarna, och använde en vokabulär som han måste ha ägnat mycket övning åt.

Vi körde omkring på Clantons gator i hans bil. Han frågade om Sam, och jag berättade allt. Min åsikt, vad den nu var värd, var att det var för farligt för honom att visa sig i Ford County.

Och han frågade om rättegången mot Danny Padgitt. Jag hade skickat tidningen till hela familjen Ruffin. En av Baggys artiklar hade framhållit det hot som Danny riktat mot jurymedlemmarna. Han hade strukit under hotet: "Om ni fäller mig ska jag ta varenda en av er."

"Kommer han någonsin att släppas ut ur fängelset?" frågade Leon.

"Ja", sade jag motvilligt.

"När?"

"Ingen vet. Han fick livstid för mord och livstid för våldtäkt. Det är tio år minimum för var och en, men det lär hända underliga saker i Mississippis benådningssystem."

"Alltså minst tjugo år?" Jag är säker på att han tänkte på sin mors ålder. Hon var femtionio.

"Inget vet riktigt. Han kanske sköter sig, vilket kortar minimitiden."

Han föreföll lika förvirrad av detta som jag hade varit. Sanningen var att ingen som hade att göra med rättsskipningen eller fångvården hade kunnat besvara mina frågor om Dannys strafftid. Benådning i Mississippi var en svart avgrund, och jag vågade inte gå alltför nära.

Leon sade att han hade frågat ut sin mor en hel del om utslaget. Speciellt om hon hade röstat för livstids fängelse eller dödsstraff. Hennes svar var att jurymedlemmarna hade lovat varandra att hålla tyst om sina överläggningar. "Vad vet du?" frågade han mig.

Inte så mycket. Hon hade tydligt antytt för mig att hon inte hade stött utslaget, men hon hade varit obestämd. Veckorna efter domen hade det spekulerats en hel del. Flertalet regelbundna rättegångsåhörare hade fastnat för teorin att tre, kanske fyra, jurymedlemmar hade vägrat rösta för dödsstraff. Miss Callie ansågs i allmänhet inte tillhöra den gruppen.

"Påverkade familjen Padgitt dem?" frågade han. Vi svängde in på den långa, skuggiga uppfarten till Clanton High School.

"Det är den förhärskande teorin", sade jag. "Men ingen vet egentligen. På fyrtio år har ingen vit fått dödsstraff i det här länet."

Han stannade bilen och vi såg på skolbyggnadens stadiga ekportar. "Den har alltså blivit integrerad till slut", sade han.

"Ja."

"Jag trodde aldrig att jag skulle få se det." Han log belåtet. "Jag drömde om att få gå i den här skolan. Min far arbetade som fastighetsskötare här när jag var liten, och jag brukade komma hit på lördagarna och gå i de långa korridorerna och såg hur fint allt var. Jag förstod varför jag inte var välkommen här, men jag accepterade det aldrig."

Jag hade inte så mycket att tillägga, så jag bara lyssnade. Han verkade mer sorgsen än bitter.

Vi körde slutligen därifrån och korsade järnvägen. När vi var tillbaka i Lowtown blev jag överraskad av antalet fina bilar med skyltar från andra delstater som stod parkerade tätt tillsammans på gatorna. Stora familjer satt på verandorna i den kyliga luften; barn lekte på tomterna och gatorna. Fler bilar anlände, alla med färggrant inslagna paket i baksätena.

"Hemma är där mamma är", sade Leon. "Och alla kommer hem till jul."

När vi stannade nära huset tackade Leon mig för att jag hade hjälpt hans mor. "Hon pratar alltid om dig", sade han.

"Jag kommer bara hit för att få lunch", sade jag och vi skrattade båda två. En ny doft drev ner från huset till grinden. Leon stelnade till, sniffade djupt och sade: "Pumpapaj." Det var erfarenhetens röst.

Alla akademikerna tackade mig vid olika tillfällen för min vänskap med miss Callie. Hon hade delat sitt liv med många, hon hade många nära vänner, men i drygt åtta månader hade hon varit speciellt glad för tiden med mig.

Jag lämnade dem sent på julaftonskvällen när de gjorde sig redo för att gå till kyrkan. Efteråt skulle det bli julklappsutdelning och sång. Mer än tjugo familjemedlemmar bodde i huset; jag förstod inte var alla kunde sova, och jag var inte så säker på att någon var så noga med det.

Trots att jag var så accepterad, kände jag att jag någon gång måste ge mig iväg från dem. Senare skulle det bli kramar och tårar, och sång och historieberättande, och fast jag säkerligen gärna fick vara med om allt, visste jag att det fanns stunder då familjer ville vara för sig själva.

Vad visste jag om familjer?

Jag körde till Memphis där mitt barndomshem inte hade upplevt en julprydnad på tio år. Min far och jag åt middag på en kinakrog inte långt från huset. Medan jag tvingade i mig usel wontonsoppa kunde jag inte låta bli att tänka på miss Callies kök och alla de där underbara maträtterna som togs ur ugnen.

Min far ansträngde sig för att verka intresserad av min tidning. Jag skickade honom tjänstvilligt ett exemplar varje vecka, men efter några minuters småprat märkte jag att han aldrig läste ett enda ord. Han var fullt upptagen av någon illavarslande förbindelse mellan aktiemarknaden och kriget i Sydostasien.

Vi åt snabbt och gick åt varsitt håll. Sorgligt nog hade ingen av oss tänkt på att utbyta presenter.

Jag åt jullunchen med BeeBee som till skillnad från min far var förtjust över att se mig. Hon bjöd in tre av sina små hennafärgade änkeväninnor på sherry och skinka, och vi fem drack oss berusade. Jag underhöll dem med berättelser från Ford County, en del sanna, en del starkt utbroderade. Umgänget med Baggy och Harry Rex hade lärt mig historieberättandets konst.

Klockan tre sov vi alla. Tidigt nästa morgon skyndade jag tillbaka till Clanton.

25

En kall dag i januari knallade skott någonstans vid torget. Jag satt vid mitt skrivbord och skrev fridsamt på en artikel om mr Lamar Farlowe och hans återförening nyligen i Chicago med sin fallskärmsbataljon, när en kula krossade en fönsterruta sex meter från mitt huvud. En nyhetsfattig vecka fick därmed ett plötsligt slut.

Min kula var den andra eller tredje i en ganska snabb serie. Jag slängde mig ner på golvet med alla möjliga tankar i huvudet – Var fanns min revolver? Var det familjen Padgitt som gick till anfall mot staden? Var polisinspektör Durant och hans pojkar ute efter mig? Jag kröp på händer och knän bort till min portfölj medan nya skott knallade; det lät som om de kom från andra sidan gatan, men i ögonblickets fasa kunde jag inte avgöra det så noga. De lät mycket starkare efter det att ett hade träffat mitt rum.

Jag tömde portföljen och mindes sedan att revolvern fanns antingen i min bil eller i lägenheten. Jag var obeväpnad och kände mig som en ynkrygg som inte kunde försvara mig. Harry Rex och Rafe hade lärt upp mig bättre än så.

Jag var så rädd att jag inte kunde röra mig. Sedan erinrade jag mig att Bigmouth Bass var på sitt rum en trappa ner, och i likhet med flertalet riktiga karlar i Clanton hade han en samling vapen i sin närhet. Han hade handeldvapen i skrivbordet, och han hade två jaktgevär hängande på väggen för den händelse att han skulle få för sig att rusa ut och skjuta ett rådjur under lunchtimmen. Den som försökte skjuta mig skulle mötas av hårt motstånd. Det hoppades jag åtminstone.

Det blev paus i anfallet, sedan hördes panikslagna rop och kaotiska ljud från gatan. Klockan var nästan två, i normala fall en tid då mycket folk var i rörelse i centrum. Jag kröp in under mitt skrivbord så som jag fått lära mig att göra under orkanövningarna. Någonstans på bottenvåningen hörde jag Bigmouth skrika: "Stanna på era rum!" Jag kunde nästan se hur han slet till sig en bössa och en patronask innan han med stor förväntan slängde sig in i en dörröppning. Jag kunde inte föreställa mig en värre plats för en dåre att börja skjuta. Det fanns tusentals eldvapen inom räckhåll runt torget. Varje pick-up hade två gevär i hållaren ovanför vindrutan och en hagel-bössa under sätet. De där människorna längtade efter att få använda sina vapen!

Det skulle inte dröja länge innan folk började besvara el-den. Sedan skulle kriget bli riktigt otäckt.

Sedan hördes skottlossning igen. Det hade inte kommit när-mare, ansåg jag, och försökte andas normalt och analysera situationen under skrivbordet. Medan sekunderna långsamt tickade förbi insåg jag att anfallet inte var riktat mot mig. Jag råkade bara ha ett fönster i närheten. Sirener närmade sig, sedan hördes fler skott och fler rop. Vad i hela världen!

En telefon ringde på bottenvåningen och någon svarade snabbt.

"Willy! Är det bra med dig?" skrek Bigmouth från trap-pans nedre ände.

"Ja!"

"Det är en krypskytt på tingshusets tak!"

"Strålande!"

"Ligg lågt!"

"Oroa dig inte!"

Jag slappnade av litet och kröp bara fram så mycket att jag kunde ta telefonen. Jag ringde hem till Wiley Meek, men han var redan på väg till oss. Sedan kröp jag över golvet till ett av de franska fönstren och öppnade det. Tydligen observerade krypskytten det. Han träffade en glasruta en och en halv meter ovanför mig och glassplitter föll som tungt regn. Jag sjönk ner på mage och slutade andas under vad som kändes som en timme. Eldgivningen var obarmhärtig. Vem det än var så var han definitivt upprörd över något.

Åtta skott, alla lät mycket starkare nu när jag var utomhus. Femton sekunders paus när han laddade om, sedan åtta till. Jag hörde glas krossas, kulor rikoschettera mot tegelväggar, kulor slå in genom träkarmar. Någon gång under eldgivningen tystnade rösterna.

När jag kunde röra mig igen välte jag försiktigt omkull en av gungstolarna och kröp ihop bakom den. Balkongen omgavs av ett smidesjärnsräcke, och det och stolen framför mig gjorde att jag var dold och skyddad. Jag vet inte riktigt varför jag absolut ville komma närmare krypskytten, men jag var tjugofyra år och ägde tidningen och visste att jag skulle skriva en lång artikel om den här dramatiska händelsen. Jag måste ha detaljuppgifter.

När jag slutligen kikade fram mellan stolen och räcket, såg jag krypskytten. Tingshuset pryddes av en egendomligt tillplattad kupol, på vars topp fanns en liten överbyggnad med fyra fönster. Han hade slagit sig till ro där, och första gången jag såg honom kikade han ut över en av fönsterbrädorna. Han tycktes ha svart ansikte och vitt hår, och det kom mig att rysa ännu mer. Vi hade att göra med en psykopat i världsklass.

Han laddade om, och när han var klar höjde han sig litet och började skjuta totalt på måfå. Han tycktes vara naken på överkroppen vilket verkade ännu underligare med tanke på situationen, för det var nollgradigt och skulle kanske snöa litet senare på dagen. Jag frös och jag var klädd i en ganska snygg yllekostym från Mitlos butik.

Hans bröst var vitt med svarta ränder, ungefär som på en zebra. Det var en vit man som hade målat sig delvis svart.

Att trafik var försvunnen. Polisen hade spärrat av gatorna och poliser sprang omkring, hukade sig och tog skydd bakom sina bilar. I butiksfönstren dök ett ansikte ibland fram för att ta sig en snabb titt och försvann igen. Skjutandet upphörde och krypskytten duckade och var försvunnen en stund. Tre länspoliser rusade längs trottoaren och in i tingshuset. Långa minuter gick.

Wiley Meek rusade uppför trappan till mitt rum och var snart vid min sida. Han flåsade så tungt att jag trodde att han hade sprungit från sitt hus ute på landet. "Han träffade oss!" viskade han som om krypskytten kunde höra honom. Han granskade glassplittret.

"Två gånger", sade jag och nickade upp mot de trasiga rutorna.

"Var är han?" frågade han medan han drog fram en kamera med teleobjektiv.

"Kupolen", sade jag och pekade. "Var försiktig. Han träffade dörren när jag öppnade den."

"Har du sett honom?"

"Man, vit, med svart dekor."

"Åh, en sån."

"Håll huvudet nere."

Vi stannade hopkurade på platsen flera minuter. Fler poliser sprang omkring utan att egentligen vara på väg någonstans, och gav ett starkt intryck av att de gillade att vara där men inte visste riktigt vad de skulle göra.

"Är någon skadad?" frågade Wiley, plötsligt orolig för att han kanske hade missat blod.

"Hur skulle jag kunna veta det?"

Sedan kom fler skott, mycket snabba och överraskande. Vi kikade ut och såg honom från axlarna och upp när han brassade på. Wiley ställde in skärpan och började ta bilder med teleobjektivet.

Baggy och grabbarna var i Advokatbaren på tredje våningen, inte rakt under kupolen men inte långt därifrån. I själva verket var de förmodligen de människor som befann sig närmast krypskytten när han började sin skjutövning. När skjutandet började igen för nionde eller tionde gången blev de tydligen ännu räddare och bestämde sig för att ta saken i egna händer, övertygade om att de snart skulle bli skjutna. På något sätt lyckades de bända upp det motspänstiga fönstret i sitt lilla gömställe. Vi såg hur en elkabel slängdes ut och nådde nästan ända ner till marken tolv meter längre ner. Därefter uppenbarade sig Baggys ben när han stack det ut över fönsterbrädan och klämde ut sin korpulenta kropp genom öppningen. Föga förvånande hade Baggy krävt att ta sig ut först.

"Herregud", sade Wiley litet skadeglatt och höjde kameran. "De är fulla som svin."

Baggy hävde sig ut från fönstret medan han höll fast i elkabeln med all kraft han kunde uppamma, och började nedstigningen till säkerheten. Det var oklart hur han tänkt sig göra det. Han tycktes inte hala sig nerför kabeln, händerna var orörliga ovanför huvudet. Tydligen fanns det gott om kabel inne i Advokatbaren, och hans gäng skulle hissa ner honom.

När hans händer drogs allt högre ovanför huvudet, blev byxorna kortare. Snart slutade de strax under hans knän och blottade ett långt stycke vit hud före de svarta strumporna som hade hasat ner runt vristerna. Baggy var inte noga med sitt utseende – före, under eller efter historien med krypskytten.

Skjutandet upphörde och en stund hängde Baggy bara där och vreds runt intill väggen, ungefär en meter nedanför fönstret. Inne i rummet kunde man se Majoren som höll ett stadigt tag i kabeln. Emellertid hade han bara ett ben och jag fruktade att det snabbt skulle ge efter. Bakom honom kunde jag se två gestalter, förmodligen Wobble Tackett och Chick Elliot, det vanliga pokergänget.

Wiley började skratta, ett undertryckt skratt som skakade hela hans kropp.

Varje gång skjutandet upphörde drog staden efter andan, kikade omkring sig och hoppades att det var över. Och varje ny salva skrämde oss mer än den föregående.

Två skott small. Baggy ryckte till som om han blivit träffad

227

– fast i själva verket hade krypskytten inte ens kunnat se honom, och den oväntade påfrestningen blev tydligen för mycket för Majorens ben. Det gav efter, kabeln lossnade och Baggy skrek högt när han föll som en sten ner i en buxbomsplantering som hade placerats där av kvinnoföreningen Daughters of the Confederacy. Buxbomen tog emot tyngden, slog tillbaka ungefär som en trampolin och slungade ut Baggy på trottoaren där han landade som en melon och blev den ende som skadades under hela episoden.

Jag hörde skratt på avstånd.

Wiley förevigade hela föreställningen, utan ett spår av misskund. Fotografierna skulle under många år skickas runt i smyg i Clanton.

Baggy låg en lång stund orörlig. "Låt den skiten ligga där", hörde jag en polis skrika nedanför oss.

"Ett fyllo klarar sig alltid", sade Wiley när Baggy piggnade till.

Efter en stund tog sig Baggy upp på händer och knän. Långsamt och kvalfullt kröp han likt en hund som blivit påkörd av en bil in i buxbomsplanteringen som räddat hans liv, och där red han ut stormen.

En polisbil stod tre dörrar från Tea Shoppe. Krypskytten avlossade en salva mot den, och när bensintanken exploderade glömde vi Baggy. Krisen växte till nästa nivå när tjock rök sprutade ut under bilen, sedan såg vi lågorna. Krypskytten tyckte det var roligt, och under några minuter sköt han bara på bilar. Jag var övertygad om att min Spitfire skulle vara oemotståndlig, men den var kanske för liten.

Han tappade emellertid modet när elden slutligen besvarades. Två av sheriff Coleys män tog sig upp på hustak, och när de gav eld mot kupolen duckade krypskytten och sköt inte längre.

"Jag fick honom!" skrek en av poliserna ner till sheriff Coley.

Vi väntade i tjugo minuter; allt var tyst. Baggys gamla tvåfärgade skor och svarta strumpor syntes under buxbomen, men resten av kroppen var dold. Ibland tittade Majoren ner med ett glas i handen och skrek något till Baggy, som mycket väl kunde ha legat där och dött.

Fler poliser sprang in i tingshuset. Vi slappnade av och satte oss i gungstolarna, men vi tog inte ögonen från kupolen. Bigmouth, Margaret och Hardy kom upp till oss på balkongen. De hade sett Baggys nedfärd genom fönstret på bottenvåningen. Bara Margaret var orolig för hans skador.

Polisbilen brann tills brandkåren slutligen dök upp. Tingshusets port öppnades och några av de anställda kom ut och började röka ivrigt. Två poliser lyckades få ut Baggy ur buxbomen. Han kunde knappt gå och hade uppenbarligen mycket ont. De satte honom i en polisbil och körde iväg med honom.

Sedan såg vi en polis uppe i kupolen, och staden var trygg igen. Vi fem skyndade bort till tingshuset tillsammans med resten av centrala Clanton.

Tredje våningen var avspärrad. Det pågick ingen rättegång, så sheriff Coley skickade oss till rättssalen där han lovade oss en snabb orientering. När vi gick in i rättssalen såg jag Majoren, Chick Elliot och Wobble Tackett som fördes bort i korridoren av en polis. De var uppenbarligen berusade och skrattade så våldsamt att de knappt kunde hålla sig på benen.

Wiley gick ner för att snoka. En kropp skulle föras ut ur tingshuset och han ville ta en bild av krypskytten. Det vita håret, det svarta ansiktet, de målade ränderna – det fanns mycket att fråga om.

Polisens prickskyttar hade tydligen missat. Krypskytten identifierades som Hank Hooten, advokaten som hade hjälpt Ernie Gaddis under rättegången mot Danny Padgitt. Han var oskadad och hade gripits.

Vi blev bestörta och förvirrade när sheriff Coley berättade det i rättssalen. Vi var redan ordentligt omskakade, men det här var otroligt. "Mr Hooten hittades i den lilla trappan upp till övre kupolen", sade Coley, men jag var för häpen för att anteckna något. "Han gjorde inget motstånd och är nu i häkte."

"Vad hade han på sig?"

"Ingenting."

"Ingenting?"

"Ingenting alls. Han hade vad som tycktes vara svart skokräm i ansiktet och på bröstet, men för övrigt var han naken som ett nyfött barn."

"Vilket slags vapen?" frågade jag.

"Vi hittade två kraftiga gevär, det är allt jag kan säga just nu."

"Sade han något?"

"Inte ett ord."

Wiley sade att de virade in Hank i några lakan och stoppade in honom i baksätet på en polisbil. Han tog några bilder men han var inte optimistisk. "Det fanns dussintals poliser omkring honom", sade han.

Vi körde till sjukhuset för att titta till Baggy. Hans fru hade nattskiftet på akutmottagningen. Någon hade ringt och väckt henne och bett henne komma till sjukhuset, och när vi träffade henne där var hon på uselt humör. "Bara en bruten arm", sade hon, uppenbarligen besviken över att det inte var något allvarligare. "Några skråmor och blåmärken. Vad gjorde den idioten?"

Jag såg på Wiley och Wiley såg på mig.

"Var han full?" frågade hon. Baggy var alltid full.

"Jag vet inte", sade jag. "Han trillade ut genom fönstret i tingshuset."

"Gosse. Han var full."

Jag beskrev kortfattat Baggys flykt och försökte få det att låta som om han hade gjort något heroiskt mitt i allt det där skjutandet.

"Tredje våningen?" frågade hon.

"Ja."

"Han spelade alltså poker och drack whisky, och hoppade ut från fönstret på tredje våningen."

"I princip, ja", sade Wiley, oförmögen att hålla tyst.

"Inte direkt", sade jag, men hon hade redan lämnat oss.

Baggy snarkade när vi slutligen kom till hans rum. Medicineringen hade blandats med whiskyn och han föreföll djupt medvetslös. "Han kommer att önska att han kunde sova för evigt", viskade Wiley.

Och han hade rätt. Historien om Studsande Baggy berättades oräkneliga gånger under de följande åren. Wobble Tackett svor på att Chick Elliot var den förste som släppte greppet om kabeln, och Chick hävdade att det var Majorens ben som gav efter och startade kedjereaktionen. Folk i staden trodde att vem som än släppt taget först, hade de tre idioterna som Baggy lämnat kvar i Advokatbaren medvetet släppt ner honom i buxbomplanteringen.

Två dagar senare skickades Hank Hooten till delstatens mentalsjukhus i Whitfield, där han skulle komma att stanna i flera år. Han åtalades för att ha försökt döda halva Clanton, men åtalet lades ner med tiden. Han lär ha sagt till Ernie Gaddis att han inte sköt på någon speciell, han ville inte skada någon, han var bara rasande för att staden inte hade skickat Danny Padgitt i döden.

Det blev med tiden känt i Clanton att man hade konstaterat att han var höggradigt schizofren. "Bindgalen", var slutsatsen på gatorna.

Aldrig i Ford Countys historia hade en människa förlorat besinningen på ett så uppseendeväckande sätt.

26

Ett år efter det att jag hade köpt tidningen skickade jag en check på 55.000 dollar till BeeBee – hennes lån plus tio procents ränta. Hon hade inte sagt något om ränta när hon gav mig pengarna, och jag hade inte skrivit på någon växel. Tio procent var litet drygt, och jag hoppades att det skulle förmå henne att skicka tillbaka checken. Jag skickade den, höll andan, bevakade inkommande post, och ungefär en vecka senare kom mycket riktigt ett brev från Memphis.

Käre William,

Jag bifogar din check, som jag inte hade väntat mig och som jag inte har behov av just nu. Om jag av någon osannolik anledning skulle behöva pengarna framledes, ska vi diskutera den saken då. Ditt erbjudande att betala gjorde mig utomordentligt stolt över dig och din redbarhet. Det du har åstadkommit där nere är en källa till stor stolthet för mig, och jag berättar med stor glädje för mina väninnor om dina framgångar som tidningsutgivare och redaktör.

Jag måste bekänna att jag var orolig för dig när du kom hem från Syracuse. Du verkade sakna inriktning och motivering, och ditt hår var för långt. Du har visat att jag hade fel, och du har dessutom klippt håret (en smula). Du har också blivit en riktig gentleman i klädsel och uppförande.

Du är allt jag har, William, och jag älskar dig mycket. Var snäll och skriv oftare till mig.

Med kärlek, BeeBee

P.S. Tog den arme mannen verkligen av sig alla kläder och sköt omkring sig i staden? Vilka människor ni har där nere!

BeeBees förste man hade dött 1924 i någon spännande sjukdom. Sedan gifte hon sig med en bomullshandlare och de fick ett barn, min stackars mor. Den andre mannen, min morfar, avled 1938, och efterlämnade en stor förmögenhet till BeeBee. Hon slutade gifta sig och hade ägnat de senaste drygt trettio åren åt att räkna pengar, spela bridge och resa. Som hennes enda barnbarn skulle jag få ärva allt hon hade, fast jag hade ingen aning om hur stor hennes förmögenhet var.

Om BeeBee ville ha fler brev från mig, skulle hon definitivt få det.

Jan rev förtjust sönder checken, gick ner till banken och lånade ytterligare 50.000 dollar av Stan Atcavage. Hardy hade hittat en lätt begagnad offsetpress i Atlanta, och jag köpte den för 108.000 dollar. Vi skrotade vår urgamla boktryckspress och klev in i det tjugonde århundradet. Ford County Times fick ett nytt utseende – prydligare tryck, skarpare fotografier, elegantare layout. Vår upplaga låg på sextusen exemplar och jag kunde ana en stadig, vinstgivande tillväxt. Valet 1971 var definitivt till stor hjälp.

Jag förbluffades av det antal människor som försökte bli valda till offentliga ämbeten i Mississippi. Varje län var uppdelat i fyra distrikt, och varje distrikt hade en vald polisman som hade polisbricka och revolver och den uniform han kunde skrapa ihop, och om han hade råd med det, vilket han alltid hade, satte han larmljus på sin bil och hade rättighet att hejda vem som helst när som helst för vilket slags lagöverträdelse som helst. Ingen utbildning krävdes. Ingen skolning. Ingen kontroll gjordes av länets sheriff eller den kommunala polisen, ingen annan än av väljarna vart fjärde år. I teorin skulle han överlämna stämningar, men så fort de blivit valda kunde flertalet sådana poliser inte motstå driften att hänga på sig bössan och leta efter folk att gripa.

Ju fler trafikböter en polis skrev ut, dess mer pengar tjänade han. Det var ett deltidsjobb med obetydlig lön, men åtminstone en av de fem i varje län försökte livnära sig på tjänsten. Det var den mannen som ställde till med mest problem.

Varje distrikt hade en vald fredsdomare, en juridisk ämbetsman utan någon som helst juridisk utbildning, i alla fall inte 1971. Ingen skolning krävdes för arbetet. Ingen erfarenhet. Bara röster. Fredsdomaren dömde alla dem som polisen grep, och deras förhållande var trevligt och misstänkt. Bilförare från andra delstater som greps av en sådan polisman i Ford County brukade råka illa ut i händerna på fredsdomaren.

Varje län hade fem kommunala förvaltningsfunktionärer, fem småkungar som hade den verkliga makten. För sina anhängares räkning skötte de vägar, reparerade kulvertar, skänkte bort grus. För sina fiender gjorde de mycket litet. Alla föreskrifter i länet verkställdes av förvaltningsrådet.

Varje län hade också en vald sheriff, en vald skatteuppbördsman, en vald taxeringsman, en vald tingsnotarie och en vald coroner. Landsbygdslänen hade en gemensam delstatssenator och en delstatsrepresentant. Andra tillgängliga ämbeten 1971 var motorvägsombud, samhällsombud, jordbruksombud, finanschef, revisor, statsåklagare, viceguvernör och guvernör.

Jag tyckte det var ett idiotiskt och klumpigt system ända tills kandidaterna till de här ämbetena började köpa annonsplats i Ford County Times. En sällsynt usel vald polisman i fjärde distriktet (också känt som "Fjärde passet") hade elva motkandidater i slutet av januari. Flertalet av dessa arma gossar kom insmygande på redaktionen med ett "tillkännagivande" som deras fruar hade skrivit för hand på en sida i en anteckningsbok. Jag läste dem tålmodigt, redigerade dem, dechiffrerade, översatte. Sedan tog jag deras pengar och tryckte deras små annonser, som nästan alltid började med antingen

"Efter flera månaders böner..." eller "Många har bett mig ställa upp i valet..."

I slutet av februari sjöd länet av intresse för valen i augusti. Sheriff Coley hade två motkandidater och fler hotade att ställa upp. Sista datum för anmälan till valet var i juni, och han hade ännu inte anmält sig. Detta stärkte gissningarna att han inte tänkte ställa upp.

Det krävdes inte mycket för att sätta fart på gissningar om någonting när det gällde lokalval.

Miss Callie höll fast vid den gammaldags inställningen att ätande på restaurang var slöseri med pengar och därför syndigt. Hennes lista med tänkbara synder var längre än de flestas, speciellt min. Det tog nästan ett halvår att förmå henne att äta torsdagslunch på Claude's. Jag menade att vi inte slösade med hennes pengar om jag betalade. Hon skulle inte göra sig skyldig till någon försyndelse, och om jag ställde till med en till så struntade jag i det. Middag på lokal var definitivt det minst farliga i mitt syndaregister.

Jag var inte orolig för att bli sedd i centrala Clanton i sällskap med en svart kvinna. Jag struntade i vad folk sade. Jag var inte bekymrad för att jag var det enda vita ansiktet på Claude's. Vad som verkligen bekymrade mig, och som egentligen avhöll mig från att föreslå det hela, var problemet med att få miss Callie in i och ut ur min Triumph Spitfire. Den var inte konstruerad för folk som hon.

Hon och Esau hade en gammal Buick som en gång rymt alla de åtta barnen. Efter ytterligare femtio kilo kunde miss Callie fortfarande utan problem ta sig in bakom ratten.

Hon blev inte mindre. Hennes höga blodtryck och höga kolesterolvärden var ett stort bekymmer för hennes barn. Hon var sextio år gammal och frisk, men problemen började komma.

Vi gick ner till gatan och hon tittade ner på min bil. Det var mars och blåsigt med regn i luften, så suffletten var uppfälld. Den tvåsitsiga bilen föreföll ännu mindre med taket på plats.

"Jag är inte så säker på att det här kommer att gå vägen", sade hon. Det hade tagit ett halvår att komma så här långt; nu skulle vi inte vända om. Jag öppnade dörren på passagerarsidan och hon närmade sig den med stor misstro.

"Några förslag?" frågade hon.

"Ja, försök med bakänden först-metoden."

Det fungerade till slut, och när jag startade motorn satt vi tätt tillsammans. "Vita människor har verkligen underliga bilar", sade hon, med en rädsla som om hon för första gången flög i ett litet flygplan. Jag lade in kopplingen och gasade på, och vi dundrade skrattande iväg i en skur av grus.

Jag parkerade bilen utanför redaktionen och hjälpte henne ur bilen. Det hade varit betydligt lättare att komma in i den. Inne på redaktionen presenterade jag henne för Margaret Wright och Davey Bigmouth Bass, och visade henne runt. Hon var nyfiken på offsetpressen eftersom tidningen nu såg så mycket finare ut. "Vem läser korrektur här?" viskade hon.

"Ni", sade jag. Enligt henne hade vi i genomsnitt tre tryckfel i veckan. Jag fick fortfarande hennes lista under torsdagslunchen varje vecka.

Vi tog en promenad runt torget och kom slutligen till Claude's, den svarta serveringen intill City Cleaners. Claude hade haft serveringen i många år och serverade den bästa maten i staden. Han behövde inga menyer, eftersom man åt vad han råkade servera den dagen. Onsdag var havskatt och fredag var grill, men de övriga fyra dagarna visste man inte vad man skulle äta förrän Claude berättade det. Han tog emot oss iförd ett smutsigt förkläde och pekade på ett bord vid fönstret mot gatan. Serveringen var halvfull och vi fick en del undrande blickar.

Märkligt nog hade miss Callie aldrig tidigare träffat Claude. Jag hade trott att alla svarta i Clanton någon gång hade stött ihop med alla andra, men miss Callie förklarade att det inte var så. Claude bodde ute på landet, och det fanns ett förfärligt rykte i Lowtown att han inte gick i kyrkan. Hon hade aldrig varit intresserad av att träffa honom. De hade varit på samma begravning en gång några år tidigare, men de hade inte träffats.

Jag presenterade dem för varandra, och när Claude förknippade hennes namn med ansiktet sade han: "Familjen Ruffin. Doktorer allihop."

"Filosofie doktorer", sade miss Callie.

Claude var högljudd och barsk och tog ordentligt betalt för sin mat och gick inte i kyrkan, så miss Callie tyckte omedelbart illa om honom. Han märkte det, struntade i det och gick för att skrika åt någon längre in i lokalen. En servitris kom med iste och majsbröd, och miss Callie tyckte inte om någotdera. Teet var svagt och nästan osötat, enligt henne, och majsbrödet var inte tillräckligt salt och serverades vid rumstemperatur, en oförlåtlig synd.

"Det är en restaurang, miss Callie", sade jag med låg röst. "Kan ni inte slappna av?"

"Jag försöker."

"Det gör ni inte alls. Hur ska vi kunna njuta av en måltid om ni tycker illa om allting?"

"Ni har en fin fluga."

"Tack."

Ingen hade glatts mer åt min uppiffade garderob än miss Callie. Negrer tyckte om att klä upp sig och var mycket modemedvetna, förklarade hon för mig. Hon kallade sig fortfarande neger.

Efter medborgarrättsrörelsen och dess komplicerade följder var det svårt att veta exakt vad man skulle kalla de svarta. De äldre och värdigare som miss Callie föredrog att kallas "negrer". Ett snäpp under dem på samhällsstegen fanns "färgade".

Jag hade aldrig hört miss Callie använda ordet, men det var inte ovanligt att välbeställda svarta talade om de fattiga som "niggrer".

Jag förstod mig inte på beteckningarna och samhällsklasserna, så jag höll mig strikt till det säkra "svarta". De som levde på min sida av järnvägen hade en hel ordbok för att beteckna svarta, och mycket litet av det var trevligt.

Just nu var jag den ende icke-negern på Claude's, och det besvärade ingen.

"Vad ska ni ha?" skrek Claude från disken. En svart tavla meddelade att det fanns texaschili, stekt kyckling och fläskkotletter. Miss Callie visste att kycklingen och kotletten skulle vara usla, så vi beställde chili.

Jag fick en rapport från trädgården. Vintergrönsakerna var speciellt fina. Hon och Esau förberedde planteringen av sommargrödan. Enligt Farmer's Almanac skulle det bli en mild sommar med normal nederbörd – samma förutsägelse varje år – och hon såg fram mot varmare väder och lunch på verandan igen där den borde vara. Jag började med Alberto, den yngste, och en halvtimme senare avslutade hon med Sam, den yngste. Han var tillbaka i Milwaukee där han bodde hos Roberto, han arbetade och gick på kvällskurser. Alla barnen och barnbarnen hade det bra.

Hon ville prata om "stackars mr Hank Hooten". Hon mindes honom mycket väl från rättegången, fast han aldrig hade talat till juryn. Jag berättade det senaste för henne. Han levde nu i ett rum med madrasserade väggar, och han skulle stanna där länge.

Lokalen blev snabbt full av folk. Claude kom förbi med famnen full av tallrikar och sade: "Ni är färdiga, dags att gå." Hon låtsades bli förolämpad av det, men Claude var känd för att säga till folk att ge sig iväg så fort de var färdiga. På fredagarna, när få vita försökte sig på grillen och det var packat med folk, placerade han en klocka hos kunderna och sade med hög röst: "Ni har tjugo minuter på er."

Hon låtsades ogilla upplevelsen – tanken i sig, serveringen, den billiga bordduken, maten, Claude, priserna, trängseln, allt. Men det var bara som hon låtsades. I hemlighet var hon förtjust över att ha bjudits på lunch av en välklädd ung vit man. Det hade ingen av hennes vänner varit med om.

När jag försiktigt hjälpte henne ur bilen i Lowtown, stack hon ner handen i handväskan och tog fram ett litet papper. Bara två tryckfel den veckan; märkligt nog fanns båda bland radannonserna, en avdelning som Margaret hade hand om.

Jag följde henne till huset. "Det var väl inte så illa?" sade jag.

"Jag tyckte om det. Tack. Kommer ni på torsdag?" Hon frågade samma sak varje vecka. Och svaret var alltid detsamma.

27

Mitt på dagen den fjärde juli var det drygt trettioåtta grader varmt och luftfuktigheten kändes som en bra bit över hundra procent. Paraden anfördes av borgmästaren, trots att han ännu inte ville bli omvald. De delstatliga och lokala valen genomfördes 1971. Presidentvalet var 1972. Valen till de dömande församlingarna var 1973. De kommunala valen var 1974. Folk i Mississippi älskade val nästan lika mycket som fotboll.

Borgmästaren satt i baksätet på en Corvette av årgång 1962 och kastade godsaker till barnen som trängdes på trottoarerna runt torget. Efter honom kom två skolorkestrar, Clantons och Karaways, scouterna, frimurarna på minicyklar, en ny brandbil, ett dussin kortegevagnar, en trupp ridande poliser, soldatveteraner från århundradets alla krig, en grupp blänkande nya bilar från Fordagenturen, och tre kärleksfullt restaurerade John Deere-traktorer. Jurymedlem nummer åtta, mr Mo Teale, körde en av dem. Eftertruppen skyddades av en rad polisbilar från stadens och länets polisstyrkor, alla putsade så de blänkte.

Jag såg paraden från balkongen på tredje våningen i Security Bank. Stan Atcavage hade varje år mottagning där. Eftersom jag nu var skyldig banken en betydande summa, inbjöds jag att läppja på saft och se på festligheterna.

Av någon anledning som ingen längre mindes hade rotarianerna hand om talen. De hade placerat en lång flakvagn intill statyn av sydstatssoldaten och prytt den med höbalar och dekorationer i rött, vitt och blått. När paraden var över samlades folk runt flakvagnen och väntade ivrigt. Inte ens en gammaldags hängning kunde ha lockat en mer förväntansfull publik.

Rotaryklubbens president mr Mervin Beets gick fram till mikrofonen och hälsade alla välkomna. Varje offentlig sammankomst i Clanton krävde böner, och i den nya andan av desegregering hade han inbjudit miss Callies pastor Thurston Small för att allt skulle bli rätt. Enligt Stan fanns det märkbart fler svarta i centrum detta år.

Med en så stor publik kunde pastor Small inte fatta sig kort. Han bad minst två gånger Gud att välsigna allt och alla. Högtalare hängde från stolpar överallt runt tingshuset och hans röst ekade genom stadens centrum.

Den förste kandidaten var Timmy Joe Bullock, en skräckslagen ung man från Fjärde passet som ville få tjänsten som polisman. Han gick fram över flakvagnen som om han skulle gå över plankan, och han svimmade nästan när han stod vid mikrofonen och såg ut över de församlade. Han lyckades få fram sitt namn, sedan rotade han i fickan där han hittade sitt tal. Han var inte särskilt framstående som talare, men under tio mycket långa minuter lyckades han nämna den ökade brottsligheten, den nyligen genomförda mordrättegången och krypskytten. Han tyckte inte om mördare och han var speciellt avogt inställd till krypskyttar. Han skulle arbeta för att skydda oss mot båda sorterna.

Applåderna var svaga när han slutade. Men han visade sig åtminstone. Det fanns tjugotvå kandidater till polistjänster i de fem distrikten, men bara sju hade modet att möta allmänheten. När vi slutligen var färdiga med poliserna och fredsdomarna, spelade Woody Gates och Country Boys några bluegrasslåtar och åhörarna uppskattade avbrottet.

Mat och förfriskningar serverades på olika platser på gräsmattan framför tingshuset. Lions Club delade ut kylda vattenmelonskivor. Damerna i trädgårdsföreningen sålde hemgjord glass. Familjen Jaycee grillade revbensspjäll. Folk drog sig in under de gamla ekarna för att komma ifrån solen.

Mackey Don Coley hade anmält sig till sheriffvalet i slutet av maj. Han hade tre motkandidater, av vilka den populäraste var en polis från Clanton som hette T.R. Meredith. När mr Beets meddelade att det var dags för sheriffkandidaterna, lämnade väljarna skuggan och samlades runt flakvagnen.

Freck Oswald ställde upp för fjärde gången. De senaste tre gångerna hade han hamnat sist; han tycktes vara på väg mot botten igen, men verkade ha roligt. Han tyckte inte om president Nixon och sade hårda saker om hans utrikespolitik, speciellt kontakterna med Kina. Publiken lyssnade men verkade litet förvirrad.

Tryce McNatt ställde upp för andra gången. Han började med att säga: "Jag skiter egentligen i Kina." Det var lustigt men också dumt. Svordomar på allmän plats, speciellt inför damer, skulle kosta honom åtskilliga röster. Tryce var upprörd över hur rättssystemet daltade med förbrytare. Han motsatte sig varje tanke på att bygga ett nytt häkte i Ford County – slöseri med skattebetalarnas pengar! Han ville ha hårda straff och fler fängelser, till och med kedjefångar och straffarbete.

Jag hade inte hört något om ett nytt häkte.

Efter Kassellawmordet och Hank Hootens framfart var våldsbrottsligheten nu bortom all kontroll i Ford County, enligt Tryce. Vi behövde en ny sheriff, en som höll efter förbrytare, inte var vän med dem. "Låt oss rensa upp i länet!" var hans återkommande refräng. De församlade höll med honom.

T.R. Meredith hade arbetat med upprätthållande av lag och ordning i trettio år. Han var en usel talare men enligt Stan var han släkt med halva länet. Stan kände till sådant; han var släkt med den andra halvan. "Meredith kommer att vinna med tusen röster i slutomgången", förutspådde han. Detta ledde till en ordentlig dispyt bland gästerna.

Mackey Don Coley kom sist. Han hade varit sheriff sedan 1943 och ville bara stanna en valperiod till. "Det har han sagt i tjugo år", sade Stan. Coley pratade på om sin erfarenhet, sina kunskaper om länet och dess invånare. När han slutade var applåderna artiga men definitivt inte uppmuntrande.

Två herrar hade ställt upp i valet till skatteuppbördsman, utan tvivel det minst populära ämbetet i länet. När de höll sina tal drog sig publiken bort igen, mot glassen och vattenmelonerna. Jag gick till Harry Rex kontor där en annan fest pågick, på trottoaren.

Talen pågick hela eftermiddagen. Det var sommaren 1971, och vid det laget hade minst femtiotusen unga amerikaner dödats i Vietnam. En liknande samling människor i varje annan del av landet skulle ha övergått i en våldsam antikrigsdemonstration. Politikerna skulle ha hånats från podiet. Flaggor och inkallelseorder skulle ha bränts.

Men Vietnam nämndes aldrig denna fjärde juli.

I Syracuse hade jag haft mycket skoj under demonstrationer på universitetet och på gatorna, men sådana aktiviteter var okända i den djupa Södern. Det var krig, därför ställde sanna patrioter upp. Vi hejdade kommunismen; hippierna och vänsterextremisterna och fredsivrarna uppe i norr och Kalifornien var helt enkelt rädda för att slåss.

Jag köpte en portion glass av trädgårdsdamerna, och när jag promenerade runt tingshuset hörde jag oväsen. En skämtare hade hissat ner en docka som föreställde Baggy från Advokatbarens fönster på tredje våningen. Den uppstoppade figuren hängde med händerna ovanför huvudet – precis som den riktige Baggy – och på dess bröst satt en skylt med texten "SUGGS". Och för att se till att alla kände igen föremålet för skämtet stack en tömd flaska Jack Daniels upp ur vardera byxfickan.

Jag hade inte sett Baggy den dagen, och jag skulle inte få göra det. Han påstod senare att han inte visste något om den här händelsen. Föga förvånande lyckades Wiley ta massor av bilder av dockan.

"Theo är här!" skrek någon, och det piggade upp folkmassan. Theo Morton var vår mångårige delstatssenator. Hans distrikt omfattade delar av fyra län, och även om han bodde i Baldwin, kom hans fru från Clanton. Han ägde två vårdhem och en begravningsplats, och han var märklig genom att ha överlevt tre flygplansstörtningar. Han var inte längre pilot. Theo var färgstark – burdus, spydig, dråplig, totalt oberäknelig när han höll tal. Hans motkandidat var en ung man som just hade avslutat sina juridiska studier och ryktades arbeta för att bli guvernör. Han hette Warren, och Warren gjorde misstaget att angripa Theo för någon misstänkt lag som hade "smugits igenom" i den senaste sessionen och ökat delstatens bidrag för patienter på vårdhem.

Det var ett ilsket angrepp. Jag stod i folkhopen och såg Warren gå lös på honom; och strax ovanför hans vänstra axel kunde jag se "SUGGS" hänga från fönstret.

Theo började med att presentera sin fru Rex Ella, född Mabry här i Clanton. Han talade om hennes föräldrar och deras föräldrar och hennes fastrar och mostrar, och snart hade Theo nämnt halva publiken vid namn. Clanton var hans andra hem, hans distrikt, hans folk, de väljare som han arbetade så hårt för att tjäna borta i Jackson.

Det var elegant, ledigt, helt improviserat. Jag lyssnade på en talets mästare.

Han var ordförande i delstatsenatens motorvägsutskott, och några minuter skröt han om alla de vägar han låtit bygga i norra Mississippi. Hans utskott höll i fyrahundra olika lagförslag varje session. Fyrahundra! Fyrahundra förslag, eller lagar. Som ordförande var han ansvarig för utformningen av lagarna. Det var delstatssenatorers syssla. De skrev bra lagar och återkallade dåliga lagar.

Hans unge motståndare hade just avslutat sina juridiska studier, en utmärkt prestation. Han, Theo, fick inte möjligheten att studera på universitetet eftersom han var borta och kämpade mot japanerna under andra världskriget. Men hur som helst hade hans unge motståndare uppenbarligen slarvat med sina juridiska studier. Annars skulle han ha klarat sin examen vid första försöket.

Istället "blev han kuggad, mina damer och herrar!"

I exakt rätt ögonblick skrek någon precis bakom unge Warren: "Det är en satans lögn!" Folk såg på Warren som om han hade blivit galen. Theo vände sig mot rösten och sade misstroget: "En lögn?"

Han stack ner handen i fickan och tog fram ett hopvikt papper. "Jag har beviset här!" Han grep om ett hörn av papperet och började vifta med det. Utan att läsa upp ett enda ord av texten på det sade han: "Hur kan vi låta en man skriva våra lagar när han inte ens kan ta sin examen? Mr Warren och jag är jämställda – ingen av oss har någonsin tagit jurist-examen. Problemet är att han fick hjälp med kuggningen av tre års juridiska studier."

Theos anhängare tjöt av skratt. Unge Warren stod kvar men ville fly.

Theo hamrade på. "Om han hade studerat juridik i Missis-sippi istället för i Tennessee, skulle han kanske förstå våra lagar!"

Han var berömd för den sortens offentliga avrättningar. En gång förödmjukade han en motståndare som lämnat prästäm-betet i onåd. Han tog upp ett "edligt intyg" ur fickan och påstod att han hade bevis för att "den före detta pastorn" haft ett förhållande med diakonens fru. Intyget lästes aldrig upp.

Tiominutersgränsen betydde ingenting för Theo. Han stor-made igenom den med en serie löften att sänka skatter och minska slöseri och göra något för att se till att mördare oftare fick dödsstraff. När han slutligen kom till upploppet tackade han åhörarna för tjugo års troget stöd. Han erinrade oss om att de fina invånarna i Ford County i de senaste två valen hade givit honom, och Rex Ella, nästan åttio procent av sina röster.

Applåderna var ljudliga och utdragna, och någon gång under dem försvann Warren. Det gjorde jag också. Jag var trött på tal och politik.

Fyra veckor senare, i skymningen den första tisdagen i augusti, samlades i stort sett samma människor runt tingshuset med anledning av rösträkningen. Det hade svalnat betydligt; temperaturen var bara trettiotre grader, med nittioåtta procents luftfuktighet.

Valkampanjens sista dagar hade varit en journalists dröm. Två kandidater till ämbetet som fredsdomare hade slagits utanför en svart kyrka. Det lämnades in två stämningsansökningar, som båda anklagade motståndarsidan för ärekränkning och för att ha delat ut falska röstsedlar. En man greps av polisen när han var i färd med att måla oanständiga ord på en av Theos affischer. (Efter valet visade det sig att mannen hade anlitats av en av Theos hejdukar för att klottra på senatorns valaffischer. Det blev ändå unge Warren som fick skulden. "Ett vanligt trick", enligt Baggy.) Delstatsåklagaren ombads undersöka det stora antalet poströster. "Typiskt val", var Baggys sammanfattning. Allt nådde sin höjdpunkt den tisdagen, och hela länet kom för att rösta och ägna sig åt det glädjeämne som ett lantsortsval var.

Vallokalerna stängdes klockan sex, och en timme senare var torget fullt av folk och sjöd av spänning. Folk kom in från landsbygden. De bildade små grupper runt sina kandidater och använde till och med valplakat för att markera sitt område. Många hade med sig mat och dryck och de flesta hade med sig fällstolar som om de var där för att se en basebollmatch. Två enorma svarta tavlor stod sida vid sida intill tingshusets port, och där noterades resultaten.

"Vi har fått in valresultaten från North Karaway", meddelade tingsnotarien i en mikrofon, så högt att det kunde höras på en mils håll. Feststämningen övergick omedelbart i allvar.

"North Karaway är alltid först", sade Baggy. Klockan var nästan halv nio, nästan mörkt. Vi satt på balkongen utanför mitt arbetsrum och väntade på resultatet. Vi tänkte uppskjuta tryckningen i ett dygn och ge ut vårt "Valextra" på torsdagen. Det tog notarien en stund att läsa upp röstsiffrorna för varje kandidat till varje ämbete. Halvvägs igenom sade hon: "Och i sheriffvalet." Flera tusen människor höll andan.

"Mackey Don Coley, åttiofyra. Tryce McNatt, tjugoen. T.R. Meredith, sextiotvå, och Freck Oswald, elva." Ett högt jubelrop höjdes på bortre sidan av gräsmattan där Coleys anhängare höll till.

"Coley ligger alltid högt i Karaway", sade Baggy. "Men han är slagen."

"Är han slagen?" frågade jag. Det första av tjugoåtta valdistrikt var räknat, och Baggy korade redan vinnare.

"Ja. Att T.R. får så bra siffror på ett ställe där han inte har någon folklig bas, visar att folk är utleda på Mackey Don. Vänta tills du får se siffrorna från Clanton."

Valresultaten kom långsamt in från platser som jag aldrig hade hört talas om: Pleasant Hill, Shady Groves, Klebie, Three Corners, Clover Hill, Green Alley, Possum Ridge, Massey Mill, Calico Ridge. Woody Gates och Country Boys, som alltid tycktes finnas till hands, fyllde i pauserna med litet bluegrass.

Familjen Padgitt röstade i ett litet distrikt som hette Dancing Creek. När tingsnotarien läste upp röstsiffrorna därifrån, och Coley fick trettioen röster och de övriga åtta röster tillsammans, hördes en uppfriskande kör av buanden från publiken. Därefter kom Clanton East, det största valdistriktet och det jag tillhörde. Coley fick tvåhundraåttiofem röster, Tryce fyrtiosju, och när resultatet för T.R, totalt sexhundrafyrtiofyra röster, lästes upp blev folk vilda.

Baggy högg tag i mig och vi firade tillsammans med resten av staden. Coley förlorade i första omgången.

När förlorarna långsamt informerades om sitt öde packade de och deras anhängare ihop och åkte hem. Vid elvatiden var antalet människor påtagligt mindre. Efter midnatt lämnade jag redaktionen och tog en promenad runt torget för att insupa denna underbara traditions syner och ljud.

Jag var riktigt stolt över staden. Efter ett brutalt mord och dess förbluffande dom hade vi tagit oss samman, slagit tillbaka och tydligt sagt ifrån att vi inte tolererade korruption. Det starka valresultatet mot Coley var vårt sätt att slå till mot familjen Padgitt. För andra gången på hundra år skulle de inte äga sheriffen.

T.R. Meredith fick sextioen procent av rösterna, en fantastisk jordskredsseger. Theo fick åttiotvå procent, en gammaldags seger. Vi tryckte åttatusen exemplar av vårt "Valextra", och sålda allihop. Jag blev en övertygad anhängare av allmänna val varje år. Demokrati när den är som bäst.

28

En vecka före tacksägelsedagen 1971 skakades Clanton av nyheten att en av dess söner hade dödats i Vietnam. Pete Mooney, en nittonårig överfurir hade tillfångatagits i ett bakhåll nära Hue i centrala Vietnam. Några timmar senare återfanns hans kropp.

Jag kände inte familjen Mooney, men Margaret gjorde det i hög grad. Hon ringde och berättade vad som hänt, och sade att hon behövde vara ledig några dagar. Hennes familj hade i många år bott på samma gata som Mooney. Hennes son och Pete hade varit goda vänner sedan de var små.

Jag tillbringade en del tid i arkivet och hittade en artikel från 1966 om Marvin Lee Walker, en svart grabb som var länets första dödsoffer i Vietnam. Det var innan mr Caudle intresserade sig för sådana saker, och tidningens information om saken var skamligt mager. Ingenting på första sidan. En hundra ord lång notis på sidan tre, utan fotografi. Vid den tiden hade Clanton ingen aning om var Vietnam låg.

En ung man som inte kunde gå i de bättre skolorna, som förmodligen inte kunde rösta och som förmodligen inte vågade dricka i drickfontänen framför tingshuset, hade dödats i ett land som få invånare i hans hemstad kunde hitta på en karta. Och hans död var rätt och riktig. Kommunister måste bekämpas varhelst man hittade dem.

Margaret gav mig lågmält de uppgifter jag behövde för en artikel. Pete hade tagit examen i Clanton High School 1970. Han hade spelat fotboll och baseboll i skollaget i tre år. Han hade tänkt arbeta i två år, spara pengar och sedan studera på universitetet. Han hade oturen att ha ett högt inkallelsenummer, och i december 1970 blev han inkallad.

Enligt Margaret, och detta var något som jag inte kunde trycka, hade Pete varit mycket ovillig att inställa sig till värnplikten. Han och hans far hade grälat i veckor om det där kriget. Sonen ville ge sig iväg till Kanada för att slippa alltsammans. Hans far fasade för att sonen skulle kallas värnpliktssmitare. Familjens namn skulle vanäras och så vidare. Han sade att pojken var feg. Mr Mooney hade tjänstgjort i Korea och hade ingen som helst förståelse för antikrigsrörelsen. Mrs Mooney försökte medla, men innerst inne var hon också ovillig att skicka sin son till ett så impopulärt krig. Pete gav slutligen med sig, och nu kom han hem i en kista.

Begravningen skedde i First Baptist Church, där familjen Mooney varit aktiv i många år. Pete hade döpts där vid elva års ålder, och det var till stor tröst för hans släkt och vänner. Han var nu hos Herren, trots att han var alltför ung för att kallas hem.

Jag satt tillsammans med Margaret och hennes man. Det var min första och sista begravning av en nittonårig soldat. Genom att koncentrera mig på kistan kunde jag nästan glömma gråten och ibland klagoropen omkring mig. Hans fotbollstränare från skollaget höll ett minnestal som kom tårarna att strömma hos alla i kyrkan, mig också.

Jag kunde nätt och jämnt se mr Mooneys rygg i första bänkraden. Vilken obeskrivlig sorg den arme mannen plågades av.

Efter en timme slapp vi ut och begav oss till Clantons begravningsplats där Pete lades till vila med alla militära hedersbetygelser. När den ensamme trumpetaren blåste tapto kom Petes mors plågade rop mig att rysa. Hon klamrade sig fast vid kistan tills man började sänka ner den. Hans far föll slutligen samman och togs om hand av flera diakoner.

Vilket slöseri, sade jag mig om och om igen när jag ensam vankade omkring på gatorna, i stort sett på väg hem. Den kvällen förbannade jag mig, fortfarande ensam, för att jag var så tyst, så feg. Jag var tidningens utgivare, för helvete! Antingen jag hade gjort rätt för den positionen eller inte, var jag den ende i staden. Om jag kände starkt för något, hade jag definitivt möjligheten och makten att skriva ledare.

Pete Mooney föregicks in i döden av mer än femtiotusen av sina landsmän, fast militären var usla på att rapportera det verkliga antalet.

1969 konstaterade president Nixon och hans säkerhetsrådgivare Henry Kissinger att kriget i Vietnam inte kunde vinnas, eller rättare sagt att USA inte längre skulle försöka vinna. Detta höll de för sig själva. De avbröt inte inkallelserna. Istället följde de den cyniska strategin att låtsas tro på en framgångsrik utgång.

Från den tidpunkt då konstaterandet gjordes och till krigets slut 1973 dödades ytterligare ungefär artontusen män, däribland Pete Mooney.

Jag tryckte min ledare på nedre halvan av första sidan, under ett stort fotografi av Pete i hans uniform. Den löd:

Pete Mooneys död borde få oss att ställa oss den ofrånkomliga frågan: Vad i helvete gör vi i Vietnam? En begåvad student, talangfull idrottsman, skolledare, blivande samhällsledare, en av våra finaste, ihjälskjuten på stranden till en flod som vi aldrig har hört talas om i ett land som vi struntar i.

Det officiella skälet, ett som går tjugo år tillbaka i tiden, är att vi är där för att bekämpa kommunismen. Om vi ser att den sprider sig måste vi, för att citera den tidigare presidenten Lyndon Johnson, vidta "...alla nödvändiga åtgärder för att förhindra ytterligare aggression."

Korea, Vietnam. Vi har nu soldater i Laos och Kambodja, fast president Nixon förnekar det. Var blir det härnäst? Förväntas vi skicka våra söner vart som helst och överallt i världen för att blanda oss i andras inbördeskrig?

Vietnam delades i två länder när fransmännen besegrades där 1954. Nordvietnam är ett fattigt land styrt av en kommunist vid namn Ho Chi Minh. Sydvietnam är ett fattigt land som styrdes av en brutal diktator vid namn Ngo Dinh Diem tills han mördades i en kupp 1963. Sedan dess har landet styrts av militären.

Vietnam har varit i krig sedan 1946 då fransmännen inledde sitt ödesdigra försök att hålla kommunismen borta. Deras misslyckande var uppseendeväckande, så vi stormade in för att visa hur krig ska vinnas. Vårt misslyckande har varit ännu större än fransmännens, och vi är inte färdiga än.

Hur många fler Pete Mooney skall dö innan vår regering bestämmer sig för att låta Vietnam gå sin egen väg?

Och till hur många andra platser i världen skall vi skicka våra soldater för att bekämpa kommunismen?

Vad i helvete gör vi i Vietnam? Just nu begraver vi unga soldater medan politikerna som leder kriget funderar på att ta sig ur det.

Det grova språket skulle leda till en del klagomål, men vad brydde jag mig om det? Starka ord krävdes för att få de blinda patrioterna i Ford County att se klart. Innan floden av brev och telefonsamtal kom, fick jag emellertid en vän.

När jag återkom från torsdagslunchen med miss Callie (lammstuvning inomhus vid brasan), väntade Bubba Crockett i mitt arbetsrum. Han hade jeans, flanellskjorta och långt hår, och efter att ha presenterat sig tackade han mig för ledaren. Han hade en del saker att säga, och eftersom jag var fullmatad som en julkalkon lade jag upp fötterna på skrivbordet och lyssnade länge.

Han hade växt upp i Clanton och slutat skolgången där 1966. Hans far ägde plantskolan tre kilometer söder om staden; de var landskapsarkitekter. Han blev inkallad 1967 och det föll honom aldrig in att göra något annat än rusa iväg för att bekämpa kommunismen. Hans bataljon hamnade i söder, precis lagom till Tetoffensiven. Efter två dagar hade han förlorat tre av sina närmaste vänner.

Stridens fasor kunde inte beskrivas exakt, fast Bubba beskrev dem tillräckligt bra för mig. Män som brann, som skrek på hjälp, snavade över kroppsdelar, släpade lik från slagfältet, timmar utan sömn, ammunitionsbrist, anblicken av fienden som kom krypande mot en på natten. Hans bataljon förlorade hundra man de första fem dagarna. "Efter en vecka visste jag att jag skulle dö", sade han med tårar i ögonen. "Då blev jag en ganska bra soldat. Man måste komma till den punkten för att överleva."

Han sårades två gånger, mindre skador som kunde behandlas på fältsjukhus. Ingenting som kunde få honom hemskickad. Han talade om maktlösheten där de utkämpade ett krig som regeringen inte ville låta dem vinna. "Vi var bättre soldater", sade han. "Och vår utrustning var långt överlägsen. Våra befälhavare var lysande, men idioterna i Washington lät dem inte kriga."

Bubba visste att Petes mor hade tiggt och bett Pete att inte gå ut i kriget. Han hade följt begravningen på håll, och han förbannade alla han kunde se och många som han inte kunde se.

"Idioterna här stöder fortfarande kriget, kan du fatta det?" sade han. "Mer än femtiotusen döda, och nu drar vi oss ur det, och de där människorna kan påstå här på gatorna i Clanton att det var något stort."

"De säger inte det till dig."

"Det gör de inte. Jag har slagit ner ett par av dem. Spelar du poker?"

Det gjorde jag inte, men jag hade hört många färgstarka historier om diverse pokerpartier i staden. Jag tänkte snabbt att det här kunde bli intressant. "En liten smula", sade jag och tänkte att jag antingen kunde skaffa en handbok eller förmå Baggy att lära mig.

"Vi spelar på torsdagskvällarna, i ett skjul bakom plant-skolan. Några grabbar som slogs där borta. Du skulle kanske gilla det."

"I kväll?"

"Ja, vid åttatiden. Ett litet parti, litet öl, litet hasch, några historier från kriget. Mina kompisar vill träffa dig."

"Jag kommer", sade jag och undrade var jag kunde hitta Baggy.

Den eftermiddagen stacks fyra brev in under min dörr, alla fyra hätska i sin kritik av mig och min kritik av kriget. Mr E.L. Green, som deltagit i två krig och sedan länge prenume-rerat på Times, fast den saken skulle kanske snart förändras, sade bland annat:

Om vi inte hejdar kommunismen kommer den att sprida sig till alla delar av världen. En dag kommer den att finnas på vår tröskel, och våra barn och barnbarn kom-mer att fråga oss varför vi inte hade modet att hejda den innan den spred sig.

Mr Herbert Gillenwaters bror dödades i Koreakriget. Han skrev:

Hans död var en tragedi som jag fortfarande kämpar med varje dag. Men han var en soldat, en stolt amerikan, och hans död bidrog till att hejda nordkoreanerna och deras allierade, de kommunistiska kineserna och ryssar-na. När vi är för rädda för att slåss, kommer vi själva att besegras.

Mr Felix Toliver borta i Shady Grove ansåg att jag kanske hade tillbringat för lång tid norrut där folk var notoriskt skotträdda. Han skrev att krigsmakten hade dominerats av tappra unga män från sydstaterna, och om jag inte trodde det, borde jag läsa på bättre. Ett oproportionerligt antal män från sydstaterna hade dött i Korea och Vietnam. Han slutade ganska vältaligt:

Vår frihet köptes till det förfärliga priset av oräkneliga tappra soldater. Men tänk om vi varit för rädda för att slåss? Hitler och japanerna skulle fortfarande ha makten. En stor del av den civiliserade världen skulle ligga i ruiner. Vi skulle vara isolerade och till slut skulle vi krossas.

Jag tänkte trycka vartenda brev till redaktören, men jag hoppades att det skulle komma ett eller två som stödde ledaren. Kritiken besvärade mig inte alls. Jag var övertygad om att jag hade rätt. Och jag började bli ganska tjockhudad, en bra tillgång för en tidningsutgivare.

Efter Baggys snabba undervisning förlorade jag hundra dollar på att spela poker med Bubba och grabbarna. De hälsade mig välkommen tillbaka.

Vi var fem personer runt bordet, alla i tjugofemårsåldern. Tre hade tjänstgjort i Vietnam – Bubba, Darrell Radke, vars familj ägde propanbolaget, och Cedric Young, en svart ung man med svårt skadat ben. Den femte medspelaren var Bubbas äldre bror David, som sluppit inkallas tack vare sin dåliga syn och som, tror jag, var där enbart för marijuanans skull.

Vi pratade en hel del om knark. Ingen av de tre före detta soldaterna hade sett eller hört talas om hasch eller något annat innan de hamnade i krigsmakten. De skrattade vid tanken på knark på Clantons gator på sextiotalet. I Vietnam fanns narkotika överallt. De rökte hasch när de var uttråkade och längtade hem, och de rökte det för att lugna ner nerverna i strid. Fältsjukhusen pumpade de sårade fulla med de starkaste smärtstillande medel som existerade, och Cedric blev morfinist två veckor efter det att han sårats.

På deras uppmaning berättade jag några knarkminnen från universitetet, men jag var en amatör bland proffs. Jag tror inte de överdrev. Inte att undra på att vi förlorade kriget – alla var påtända.

De uttryckte stor beundran för min ledare och stor bitterhet över att ha skickats dit. Alla tre var skadade på något sätt; Cedrics skada var uppenbar. Bubbas och Darrells skada var mer en pyrande vrede, ett nätt och jämnt återhållet raseri och ett behov av att slå till, men mot vem?

Senare under spelets gång började de utbyta historier om ohyggliga scener på slagfältet. Jag hade hört sägas att många soldater vägrade prata om sina krigsupplevelser. De här hade ingenting emot det. Det var en terapi.

De spelade poker nästan alla torsdagskvällar, och jag var alltid välkommen. När jag lämnade dem vid midnatt drack de fortfarande, rökte fortfarande hasch, pratade fortfarande om Vietnam. Jag hade fått nog av krig för den dagen.

29

Nästa vecka ägnade jag en hel sida åt krigsdebatten som jag hade skapat. Den fylldes av brev till redaktören, totalt sjutton stycken, av vilka bara två till åtminstone någon del stödde mina antikrigskänslor. Jag kallades kommunist, liberal, förrädare, opportunist, och, det värsta, ynkrygg, eftersom jag inte hade varit i uniform. Alla brev var stolt undertecknade, inga anonyma brev den här veckan; de här människorna var upprörda patrioter som ogillade mig och ville att man skulle veta det i trakten.

Jag struntade i det. Jag hade rört om i getingboet och staden diskuterade åtminstone kriget. Debatten var huvudsakligen ensidig, men jag hade uppväckt starka känslor.

Gensvaret på de sjutton breven var häpnadsväckande. En grupp gymnasister kom till min undsättning med en egen laddning som överlämnades med bud. De var lidelsefullt emot kriget, de hade inga planer på att kämpa i det, och de fann det till yttermera visso märkligt att flertalet brev veckan innan kom från personer som var för gamla för att tjänstgöra i krigsmakten. "Det är vårt blod, inte ert", var min favoritformulering.

Många av studenterna siktade in sig på speciella brev som jag hade tryckt och gav sig rasande på dem. Becky Jenkins upprördes av Robert Earl Huffs påstående att "...vår nation byggdes av våra soldaters blod. Krigen kommer alltid att följa oss."

Hon svarade: "Krigen kommer att följa oss så länge som okunniga och giriga människor försöker påtvinga andra sin vilja."

Kirk Wallace ogillade mrs Mattie Louise Fergusons ganska grundliga karakteristik av mig. Han avslutade sitt brev: "Tyvärr skulle mrs Ferguson inte kunna känna igen en kommunist, en liberal, en förrädare eller en opportunist om hon skulle träffa en. Livet i Possum Ridge skyddar henne från sådana människor."

Veckan därpå ägnade jag ännu en helsida åt de trettioen breven från studenterna. Det hade också i efterhand kommit tre brev från krigsivrarnas skara, och jag tryckte dem också. Det ledde till ännu en flod av brev och jag tryckte alla.

Vi utkämpade kriget på tidningens sidor fram till jul då alla plötsligt ingick vapenvila och tog det lugnt under helgen.

Mr Max Hocutt avled på nyårsdagen 1972. Gilma knackade på mitt fönster tidigt den morgonen och lyckades slutligen få mig till dörren. Jag hade sovit mindre än fem timmar och jag behövde en dags ordentlig sömn. Kanske två.

Jag följde henne in i det gamla huset, mitt första besök där på många månader, och jag blev bestört när jag såg hur förfallet det blivit. Men det fanns mer överhängande saker att göra. Vi gick till stora trappan i hallen där Wilma anslöt sig till oss. Hon riktade ett knotigt och rynkigt finger uppåt och sade: "Han är där uppe. Första dörren till höger. Vi har redan varit där uppe i dag."

En gång per dag uppför trappan var vad de klarade av. De närmade sig nu de åttio och kom inte långt efter mr Max.

Han låg i en stor säng med ett smutsigt vitt lakan draget upp till halsen. Hans hy hade samma färg som lakanet. Jag stod en liten stund bredvid honom för att försäkra mig om att han inte andades. Jag hade aldrig tidigare blivit ombedd att dödförklara någon, men här rådde inga tvivel – mr Max såg ut att ha varit död en månad.

Jag gick nerför trappan till Wilma och Gilma som stod kvar och väntade där jag hade lämnat dem. De såg på mig som om jag kanske kunde ha en annan diagnos.

"Jag är rädd att han är död", sade jag.

"Det vet vi", sade Gilma.

"Säg vad vi ska göra", sade Wilma.

Detta var det första lik jag fått i uppdrag att ta hand om, men nästa steg föreföll självklart. "Vi borde kanske ringa till mr Magargel på begravningsbyrån."

"Det sade jag ju", sade Wilma till Gilma.

De rörde sig inte, så jag gick till telefonen och ringde till mr Magargel. "Det är nyårsdag", sade han. Det var uppenbart att jag hade väckt honom.

"Han är död ändå", sade jag.

"Säkert?"

"Ja, säkert. Jag såg honom just."

"Var är han?"

"I sängen. Han dog fridfullt."

"Ibland är det bara så att de där gamla uvarna sover mycket djupt."

Jag drog mig undan från tvillingarna så de inte skulle höra mig diskutera huruvida deras bror verkligen var död. "Han sover inte, mr Magargel. Han är död."

"Jag kommer om en timme."

"Är det något annat vi borde göra?" frågade jag.

"Som vadå?"

"Jag vet inte. Meddela polisen eller så?"

"Är han mördad?"

"Nej."

"Varför skulle ni ringa efter polisen?"

"Ursäkta att jag frågade."

De bjöd in mig i köket på en kopp pulverkaffe. På diskbänken stod en kartong med flingor och intill den en stor skål med flingor färdiga att äta. Wilma eller Gilma hade tydligen gjort iordning frukosten åt sin bror, och när han inte kom ner gick de upp till honom.

Kaffet var odrickbart tills jag lagt i ordentligt med socker. De satt på andra sidan köksbordet och såg fundersamt på mig. Deras ögon var rödkantade, men de grät inte.

"Vi kan inte bo här", sade Wilma med det bestämda tonfall som kommer av åratals diskussioner.

"Vi vill att ni köper huset", sade Gilma. Den ena hann knappt avsluta en mening innan den andra började på en ny.

"Vi säljer det till er..."

"För hundratusen..."

"Vi tar pengarna..."

"Och flyttar till Florida..."

"Florida?" frågade jag.

"Vi har en kusin där..."

"Hon bor i en pensionärsby..."

"Det är mycket vackert..."

"Och de tar så väl hand om en..."

"Och det är inte långt till Melberta."

Melberta? Jag hade trott att hon fortfarande smög omkring i skuggorna någonstans i huset. De förklarade att de hade placerat henne på ett "hem" några månader tidigare. "Hemmet" låg någonstans norr om Tampa. Det var dit de ville flytta och tillbringa sina återstående dagar. Deras älskade hus var helt enkelt för stort för dem att ta hand om. De hade dåliga höfter, dåliga knän, dåliga ögon. De gick uppför trappan en gång om dagen – "tjugofyra steg", sade Gilma till mig – och de var livrädda för att falla och slå ihjäl sig. De hade inte råd att göra huset tryggare, och de ville inte förslösa de pengar de hade på hushållerskor, trädgårdsmästare och nu också en chaufför.

"Vi vill att ni köper Mercedesen också..."

"Vi kör ju inte..."

"Max skjutsade oss alltid..."

Någon gång ibland kastade jag för skojs skull en blick på vägmätaren i Max Mercedes. Han körde i genomsnitt mindre än femtonhundra kilometer om året. Till skillnad från huset var bilen i strålande skick.

Huset innehöll sex sovrum, fyra våningar och källare, fyra

eller fem badrum, vardagsrum och matsal, bibliotek, kök, stora verandor som höll på att falla samman, och en vind som jag var övertygad om var fullproppad med familjeklenoder som gömts undan där för hundratals år sedan. Det skulle ta flera månader att städa upp det innan byggarbetarna kom. Hundratusen dollar var billigt för en sådan herrgårdsbyggnad, men det såldes inte så många tidningsexemplar i hela delstaten att det skulle kunna betala för en renovering.

Och vad skulle jag ta mig till med alla dessa djur? Katter, fåglar, kaniner, ekorrar, guldfiskar, stället var rena djurparken.

Jag hade sett mig omkring efter ett eget hus, men i ärlighetens namn hade jag blivit så bortskämd av att betala dem femtio dollar i månaden att jag fann det svårt att ge mig iväg. Jag var tjugofyra år, mycket ensamstående, och jag gladde mig intensivt åt att se pengarna växa till sig på banken. Varför skulle jag riskera ekonomisk katastrof genom att köpa det där bottenlösa penninghålet?

Jag köpte det två dagar efter begravningen.

En kall, blöt torsdag i februari svängde jag in framför familjen Ruffins hus i Lowtown. Esau väntade på verandan. "Har du bytt bil?" frågade han med en blick mot gatan.

"Nej, jag har kvar den lilla", sade jag. "Den där har tillhört mr Hocutt."

"Jag trodde den var svart." Det fanns mycket få Mercedesbilar i Ford County, och det var inte svårt att hålla reda på dem.

"Den behövde lackeras om", sade jag. Nu var den mörkt rödbrun. Jag måste dölja knivarna som mr Hocutt hade målat på de båda främre dörrarna, och när den var på omlackering bestämde jag mig för att byta färg helt och hållet.

Det ryktades att jag hade lurat av tvillingarna Hocutt deras Mercedes. Faktum var att jag hade betalat enligt bilåterförsäljarens lista – 9.500 dollar. Köpet godkändes av domare Reuben V. Atlee, Ford Countys överdomare sedan många år. Han godkände också mitt köp av huset för 100.000 dollar, en skenbart låg summa som såg bättre ut efter det att två av domstolen förordnade värderingsmän ansåg att det var värt 75.000 respektive 85.000 dollar. En av dem noterade att Hocutt House skulle "kräva omfattande och oförutsedda omkostnader."

Min jurist Harry Rex såg till att jag fick se den formuleringen.

Esau var dämpad, och det var inte bättre där inne. Som vanligt puttrade huset i såsen till något ljuvligt djur som hon stekte i ugnen. I dag skulle det bli kanin.

Jag kramade om miss Callie och märkte att något var ordentligt på tok. Esau tog upp ett kuvert och sade: "Det här är en inkallelseorder. Till Sam." Han slängde det på bordet så jag kunde läsa det, sedan lämnade han köket.

Det talades inte så mycket under lunchen. De var dämpade, tankspridda och mycket omtumlade. Ibland ansåg Esau att det rätta vore att Sam uppfyllde de krav som hans land ställde på honom. Miss Callie kände det som om hon redan hade förlorat Sam en gång. Tanken att förlora honom igen var outhärdlig.

Den kvällen ringde jag till Sam och meddelade honom den dåliga nyheten. Han var i Toledo där han skulle bo några dagar hos Max. Vi pratade drygt en timme, och jag var obeveklig i min övertygelse att han inte hade i Vietnam att göra. Lyckligtvis tyckte Max likadant.

Under den följande veckan tillbringade jag timmar i telefonen med Sam, Bobby, Al, Leon, Max och Mario, och vi utbytte åsikter om vad Sam borde göra. Varken han eller någon av hans bröder ansåg att det var ett rättfärdigt krig, men Mario och Al hade den bestämda uppfattningen att det var fel att bryta mot lagen. Jag var den ojämförligt mest krigsfientlige av alla, medan Bobby och Leon befann sig någonstans i mitten. Sam tycktes blåsa med vinden och byta åsikt varje dag. Det var ett svårt beslut, men allt eftersom dagarna gick tycktes han ägna mer tid åt att prata med mig. Det faktum att han varit på flykt i två år var till ofantlig hjälp.

Efter två veckors grubbel försvann Sam i den underjordiska världen och dök upp igen i Ontario. Han ringde en kväll, ett samtal som jag fick betala, och bad mig säga till hans föräldrar att han mådde bra. Tidigt nästa morgon körde jag till Lowtown och berättade för Esau och miss Callie att deras yngste son just hade fattat sitt livs klokaste beslut.

För dem kändes Kanada som en miljon mil bort. Inte på långt när så långt bort som Vietnam, sade jag.

30

D en andre byggmästaren som jag anlitade för att byg-
ga om Hocutt House var Lester Klump från Shady
Grove. Han hade fått starka rekommendationer av
Baggy, som naturligtvis visste precis hur man renoverar en
herrgård. Stan Atcavage på banken rekommenderade också
mr Klump, och eftersom Stan hade inteckningen på 100.000
dollar, lyssnade jag på honom.

Den förste byggmästaren hade inte dykt upp, och när jag
ringde till honom efter att ha väntat i tre dagar hade hans
abonnemang upphört. Ett dåligt tecken.

Mr Klump och hans son Lester Junior ägnade flera dagar åt
att undersöka huset. De var skräckslagna inför projektet och
visste att det skulle bli en riktig mardröm om någon fick
brått, speciellt jag. De var långsamma och metodiska, de pra-
tade till och med långsammare än de flesta i Ford County,
och jag insåg snart att allt de gjorde skedde på låg växel. Jag
hjälpte förmodligen inte upp saken när jag sade att jag redan
bodde mycket bra på egendomen; jag skulle alltså inte bli
hemlös om de inte snabbade på.

De hade rykte om sig att vara nyktra och i allmänhet bli
färdiga i tid. Detta placerade dem på toppen i renoverings-
världen.

Efter att i några dagar ha kliat oss i huvudet och sparkat i
gruset kom vi överens om att de skulle fakturera mig veckovis
för arbete och omkostnader, och jag skulle lägga på tio pro-
cent för deras "fasta omkostnader", vilket jag hoppades be-
tydde vinst. Det krävdes en veckas svärande för att få Harry

Rex att skriva ut ett avtal om detta. Först vägrade han och gav mig alla möjliga färgstarka namn.

Far och son Klump skulle börja med städning och rivning, varefter de skulle ta itu med tak och verandor. När det var gjort skulle vi sätta oss ner och planera för nästa fas. Projektet inleddes i april 1972.

Minst en av dem kom varje dag med ett antal arbetare. De ägnade den första månaden åt att jaga bort alla de skadedjur och vilda djur som i årtionden hållit till på egendomen.

En bil full av gymnasister stoppades av en delstatspolis några timmar efter deras examen. Bilen var full av öl och polismannen, en nybliven sådan som just avslutat utbildningen där man hade förvarnat honom om sådana saker, kände en egendomlig lukt. Narkotikan hade slutligen kommit till Ford County.

Det fanns marijuana i bilen. Samtliga sex gymnasister åtalades för brottsligt innehav och alla andra brott som polisen kunde pådyvla dem. Staden blev bestört – hur kunde narkotika nästla sig in i vårt oskuldsfulla lilla samhälle? Hur kunde vi hejda det? Jag gick ut försiktigt med saken i tidningen; det fanns ingen anledning att gå ut hårt mot sex bra ungdomar som hade gjort ett misstag. Sheriff Meredith citerades med ett uttalande om att han skulle agera beslutsamt för att "avlägsna detta gissel" från vårt samhälle. "Det här är inte Kalifornien", sade han.

Typiskt nog spanade alla i Clanton plötsligt efter knarklangare, fast ingen riktigt visste hur de såg ut.

Eftersom polisen låg i högsta beredskap och längtade efter att få göra ett nytt knarkbeslag, flyttades pokerpartiet nästa torsdag till en annan plats, långt ute på landsbygden. Bubba Crockett och Darrell Radke bodde i en gammal förfallen stuga tillsammans med en icke pokerspelande före detta soldat som hette Ollie Hinds. De kallade stället Rävgrytet. Stugan låg dold i en tätt skogsbevuxen ravin i änden av en stig som man inte kunde hitta ens i dagsljus.

Ollie Hinds led av alla sorters krigsneuroser och förmodligen flera som inte hade med kriget att göra. Han kom från Minnesota och hade tjänstgjort tillsammans med Bubba och överlevt deras ohyggliga mardrömsupplevelser. Han hade blivit skjuten, brännskadad, tillfångatagen för en kort tid, rymt och slutligen hemförlovats när militärpsykologen sade att han var i behov av omfattande hjälp. Tydligen fick han den inte. När jag träffade honom var han naken på överkroppen så man kunde se hans ärr och tatueringar, och hade glasartad blick, vilket jag snart fann var hans normala tillstånd.

Jag var tacksam för att han inte spelade poker. Man fick en känsla av att han om han fick ett par dåliga givar skulle dra fram en automatkarbin och bättra på resultatet.

Knarktillslaget och stadens reaktion på det var föremål för många lustigheter och hånfulla kommentarer. Folk uppträdde som om de sex tonåringarna var de allra första som använde knark, och eftersom de hade gripits hade man fått grepp om krisen. Med litet uppmärksamhet och hårda uttalanden kunde hemsökelsen av förbjudna ämnen ledas bort till en annan del av landet.

Nixon hade släppt ner minor i Haiphong och utsatte Hanoi för våldsamma bombningar. Jag nämnde det för att få någon reaktion, men det fanns inget intresse för kriget den kvällen.

Darrell hade hört ryktas att någon svart grabb från Clanton hade blivit inkallad och flytt till Kanada. Jag sade inget.

"Klok grabb", sade Bubba. "Klok grabb."

Samtalet återvände snart till knark. Vid ett tillfälle beundrade Bubba sin marijuanacigarrett och sade: "Gosse, det här är verkligt fina grejor. Kommer inte från Padgitt."

"Kommer från Memphis", sade Darrell. "Mexikanskt."

Eftersom jag inte visste någonting om de lokala knarkvägarna lyssnade jag uppmärksamt några sekunder, och när det stod klart att ingen skulle följa upp det sade jag: "Jag trodde att Padgitt odlade bra saker."

"De borde hålla sig till sitt hembrända", sade Bubba.

"Det duger", sade Darrell, "om man inte kan få tag i något annat. De hittade den här guldgruvan för några år sedan. De började odla långt före någon annan i trakten. Nu har de fått konkurrens."

"Det sägs att de drar ner på det och går tillbaka till att bränna whisky och stjäla bilar", sade Bubba.

"Varför det?" frågade jag.

"Det finns så många fler knarkspanare nu. Delstatliga, federala, lokala. De har helikoptrar och spaningsgrejor. Det är inte som i Mexiko där ingen bryr sig om vad man odlar."

Skottsalvor brakade loss inte långt bort. De andra reagerade inte. "Vad kan det där vara?" frågade jag.

"Det är Ollie", sade Darrell. "Han jagar pungråtta. Han sätter på sig nattkikare, tar bössan och ger sig ut efter skadedjur och sånt. Kallar det gulingjakt."

Jag förlorade lyckligtvis tre givar i rad och fick ett perfekt tillfälle att ge mig iväg.

Efter långt dröjsmål fastslog Mississippis Högsta domstol slutligen den fällande domen mot Danny Padgitt. Fyra månader tidigare hade den med sex röster mot tre fastslagit att domen skulle stå fast. Lucien Wilbanks inlämnade en hemställan om förnyad prövning, vilket medgavs. Harry Rex trodde att det kunde innebära problem.

Överklagandet fick förnyad prövning, och nästan två år efter rättegången avgjorde domstolen slutligen saken. Domen fastställdes med fem röster mot fyra.

Motrösterna byggde på Luciens ganska gapigt framförda skäl att Ernie Gaddis hade fått alldeles för stora möjligheter att okväda Danny Padgitt under korsförhöret. Med sina ledande frågor om Rhodas barns närvaro i sovrummet där de kunde se våldtäkten hade Ernie i praktiken tillåtits förelägga juryn starkt menliga fakta som helt enkelt inte förekom i bevismaterialet.

Harry Rex hade läst alla inlagorna och följde överklagandet för min räkning, och han var orolig för att Wilbanks kanske hade rätt. Om fem domare ansåg det, skulle målet återföras till Clanton för en ny rättegång. Å ena sidan skulle en ny rättegång vara bra för tidningen. Å andra sidan ville jag inte att familjen Padgitt skulle lämna sin ö och ställa till med problem i Clanton.

I slutänden hade emellertid bara fyra domare en avvikande mening, och saken var klar. Jag slog upp den goda nyheten på tidningens första sida och hoppades att jag aldrig mer skulle höra namnet Danny Padgitt.

III

31

Fem år och två månader efter det att Lester Klump Senior och Lester Klump Junior första gången satte sin fot i Hocutt House, avslutade de renoveringen. Pinan var över och resultatet var strålande.

När jag väl hade vant mig vid deras långsamma takt, ställde jag in mig på ett utdraget arbete och arbetade hårt med att sälja annonsutrymme. Två gånger under det sista året hade jag oklokt nog försökt bo i huset och på något sätt existera i oredan. När jag gjorde det hade jag inte så stort problem med dammet, färglukten, de blockerade korridorerna, elektriciteten och varmvattnet som kom och gick, och frånvaron av värme och luftkonditionering, men jag vande mig aldrig vid hammare och sågar tidigt på morgnarna. De var inte uppe med tuppen, vilket jag fick veta var ovanligt för byggarbetare, men de satte energiskt igång halv nio varje morgon. Jag ville helst sova till tio. Det fungerade inte, och efter varje försök att sova i det stora huset smög jag mig tillbaka över grusgången till lägenheten där det var litet lugnare.

En enda gång på fem år kunde jag inte betala Klump i tid. Jag vägrade låna pengar till renoveringen, trots att Stan Atcavage alltid var beredd att låna ut dem. Efter arbetet varje fredag slog jag mig ner med Lester Senior, vanligen vid ett provisoriskt plywoodbord i en korridor, och där räknade vi ihop arbetskostnad och material för den gångna veckan och lade på tio procent, varefter jag skrev ut en check till honom. Jag arkiverade papperen, och de första åren förde jag bok över de totala renoveringskostnaderna. Men efter två år slutade jag lägga den senaste veckans summa till totalkostnaden. Jag ville inte veta vad det kostade.

Jag var pank, men det gjorde mig ingenting. Den bottenlösa penningbrunnen hade satts igen; jag hade vacklat på randen till konkurs och klarat mig, och nu kunde jag börja lägga undan pengar igen.

Och jag hade något magnifikt att visa upp som resultat av all tid, allt arbete och alla utgifter. Huset hade byggts omkring år 1900 av doktor Miles Hocutt. Det var typiskt viktorianskt i stilen, med två höga gaveltak på framsidan, ett torn som sträckte sig fyra våningar upp, och breda överbyggda verandor som sträckte sig längs huset på båda sidor. Under årens lopp hade familjen Hocutt målat huset i guld och blått, och mr Klump Senior hade till och med hittat ett klarrött område under tre lager nyare färg. Jag tog det försiktigt och stannade för vitt och beige och ljusbruna knutar. Taket var klätt med koppar. Utanpå var det ganska enkelt viktorianskt, men jag hade många år på mig för att snygga till det.

Inomhus hade furugolven av kärnvirke återfått sin ursprungliga skönhet. Väggar hade avlägsnats, rum och korridorer vidgats. Paret Klump hade slutligen tvingats riva ut hela köket och bygga ett nytt från källaren och upp. Eldstaden i vardagsrummet hade rasat samman under påfrestningarna från obarmhärtiga tryckluftsborrar. Jag gjorde om biblioteket till ett arbetsrum och slog ut fler väggar så man när man kom in i hallen kunde se genom arbetsrummet bort till köket i fjärran. Jag satte in nya fönster överallt; huset hade ursprungligen byggts som en grotta.

Mr Klump erkände att han aldrig hade smakat champagne, men han hällde det glatt i sig när vi avslutade vår lilla ceremoni på en sidoveranda. Jag gav honom vad jag hoppades skulle bli hans sista check, vi skakade hand, poserade för fotografen Wiley Meek och smällde sedan korken.

Många av rummen var omöblerade; det skulle ta åratal att inreda stället ordentligt, och det skulle krävas hjälp av någon med betydligt mer kunskaper och smak än jag hade. Men huset var fantastiskt även när det var halvtomt. Det krävde en fest!

Jag lånade tvåtusen dollar av Stan och beställde vin och champagne från Memphis. Jag hittade en lämplig matleverantör i Tupelo. (Den ende i Clanton specialiserade sig på revbensspjäll och kattfisk, och jag ville ha något flottare.)

Den officiella inbjudningslistan med trehundra namn omfattade alla jag kände i staden, och några som jag inte kände. Den inofficiella listan omfattade dem som hade hört mig säga: "Vi ska ha en stor fest när det är färdigt." Jag inbjöd BeeBee och tre av hennes väninnor från Memphis. Jag inbjöd min far, men han var för orolig för inflationen och aktiemarknaden. Jag inbjöd miss Callie och Esau, pastor Thurston Small, Claude, tre biträden från tingshuset, två lärare, en biträdande basebolltränare, kassören på banken och stadens nyaste advokat. Det blev totalt tolv svarta, och jag skulle ha inbjudit fler om jag hade känt fler. Jag var fast besluten att ha den första integrerade festen i Clanton.

Harry Rex hade med sig hembränt och ett stort fat chitlin som nästan satte stopp för festen. Bubba Crockett och gänget från Rävgrytet kom påtända och redo för festande. Mr Mitlo var den ende som hade smoking. Piston dök upp och sågs ge sig iväg genom en bakdörr med en kasse full av ganska dyr plockmat. Woody Gates och Country Boys spelade i timmar på en sidoveranda. Paret Klump var där med alla sina anställda; det var en fin stund för dem, och jag såg till att de fick allt beröm. Lucien Wilbanks kom sent och befann sig snart i en upprörd politisk diskussion med senator Theo Morton, vars fru Rex Ella sade till mig att det var den största fest hon upplevt i Clanton på tjugo år. Vår nye sheriff, Tryce McNatt, tittade in med flera av sina poliser. (T.R. Meredith hade dött i grovtarmscancer året innan.) En av mina favoriter, domare Reuben V. Atlee, höll hov i arbetsrummet med färgstarka historier om doktor Miles Hocutt. Pastor Millard Stark från

First Baptist Church stannade bara tio minuter och gick diskret när han insåg att det serverades alkohol. Pastor Cargrove från First Presbyterian Church sågs dricka champagne och tycktes uppskatta det. Baggy slocknade i ett sovrum på andra våningen där jag hittade honom nästa eftermiddag. Tvillingarna Stukes, som ägde järnhandeln, kom i splitter nya likadana overaller. De var sjuttio år gamla, bodde tillsammans, hade aldrig gift sig och var alltid klädda i likadana overaller. Det fanns inga krav på klädsel; på inbjudningskortet stod det: "Valfri klädsel".

På gräsmattan framför huset stod två stora vita tält, och ibland översvämmades de av folk. Festen började klockan ett på lördagen och skulle ha fortsatt till efter midnatt om vinet och maten hade räckt så länge. Klockan tio på kvällen var Woody Gates och hans band utmattade, det fanns inget kvar att dricka förutom några varma öl, inget att äta förutom några tortillachips, och inget mer att se. Huset hade blivit omsorgsfullt granskat och avnjutet.

Sent nästa morgon gjorde jag äggröra till BeeBee och hennes väninnor. Vi satt på främre verandan och drack kaffe och beundrade den oreda som skapats bara några timmar tidigare. Det tog mig en vecka att städa.

Under åren i Clanton hade jag hört åtskilliga skräckhistorier om fångarnas tillvaro i delstatsfängelset i Parchman. Det låg i ett vidsträckt jordbruksområde i deltat, delstatens bördigaste åkermarker, två timmars resa västerut från Clanton. Förhållandena där var eländiga – överfulla baracker som var kvävande heta på sommaren och iskalla på vintern, förfärlig mat, obetydlig läkarvård, ett slavsystem, brutalt sex. Straffarbete, sadistiska vakter, listan var ändlös och ömklig.

När jag tänkte på Danny Padgitt, vilket jag ofta gjorde, fann jag alltid tröst i tanken att han var på Parchman och fick vad han förtjänade. Han hade tur som inte hade spänts fast i en stol i gaskammaren.

Jag trodde fel.

I ett försök att mildra trångboddheten på Parchman hade delstaten i slutet av sextiotalet låtit bygga två underanstalter, eller "läger", som de kallades. Tanken var att placera tusen icke våldsbenägna fångar i mer civiliserad fångenskap. De skulle få yrkesutbildning, till och med kunna kvalificera sig för arbete utanför anstalten. En sådan anstalt låg nära den lilla staden Broomfield, tre timmar söder om Clanton.

Domare Loopus avled 1972. Under rättegången mot Padgitt var hans stenograf en alldaglig ung kvinna som hette Darla Clabo. Hon arbetade några år för Loopus, och efter hans död flyttade hon från trakten. När hon kom in på mitt arbetsrum sent en eftermiddag på sommaren 1977, visste jag att jag hade sett henne någon gång för länge sedan.

Darla presenterade sig och jag erinrade mig snabbt var jag hade sett henne. Fem dagar i rad under rättegången mot Padgitt satt hon nedanför domarens podium, strax intill bevisbordet, och stenograferade ner varje ord. Hon bodde nu i Alabama och hade kört i fem timmar för att berätta något för mig. Först måste jag svära på att hålla hennes namn hemligt.

Hon hade växt upp i Broomfield. Två veckor tidigare hade hon varit på besök hos sin mor när hon såg ett bekant ansikte på trottoaren vid lunchtid. Det var Danny Padgitt som kom promenerande med en vän. Hon blev så häpen att hon snubblade på trottoarkanten och nästan trillade ner på gatan.

De gick in på en lunchservering och satte sig för att äta. Darla såg dem genom fönstret och bestämde sig för att inte gå in. Det fanns en möjlighet att Padgitt skulle känna igen henne, men hon visste inte riktigt varför det skulle skrämma henne.

Mannen i hans sällskap bar en uniform som var vanlig i Broomfield – marinblå långbyxor, en kortärmad vit skjorta med orden "Broomfield Correctional Facility" i mycket små bokstäver på bröstfickan. Han hade också svarta cowboyboots och inget som helst skjutvapen. Hon förklarade att en del av de vakter som hade hand om fångarna när de arbetade kunde välja att bära vapen. Det var svårt att föreställa sig att en vit man i Mississippi frivilligt avstod från att bära skjutvapen om han kunde göra det, men hon misstänkte att Danny kanske inte ville att hans personlige vakt skulle vara beväpnad.

Danny var klädd i vita jeans och vit skjorta, kanske kläder som han fått på anstalten. De båda åt en lång lunch och tycktes vara goda vänner. Från sin bil såg Darla hur de lämnade serveringen. Hon följde dem på avstånd när de utan att jäkta tog en promenad några kvarter varefter Danny gick in i ett hus som innehöll Mississippis regionala motorvägsbyrå. Vakten satte sig i en fängelsebil och körde därifrån.

Nästa morgon gick Darlas mor in i huset under förevändning att lämna in ett klagomål om en väg som behövde repareras. Hon blev ohövligt informerad om att man inte kunde lämna in sådana klagomål, och under det påföljande uppträdet lyckades hon uppfånga en skymt av den unge man som Darla omsorgsfullt hade beskrivit för henne. Han höll i en skrivskiva och tycktes vara en helt vanlig, onyttig byråkrat.

Darlas mor hade en vän som arbetade på Broomfieldanstaltens kontor. Han bekräftade att Danny Padgitt hade flyttats dit på sommaren 1974.

När hon hade slutat sin berättelse sade hon: "Tänker ni avslöja honom?"

Jag var skakad, men jag kunde redan se artikeln framför mig. "Jag ska undersöka saken", sade jag. "Det beror på vad jag hittar."

"Var snäll och gör det. Det här är inte rätt."

"Det är otroligt."

"Den där lille skiten borde sitta i dödscell."

"Jag håller med."

"Jag satt med på åtta mordrättegångar för domare Loopus, och den här blir jag inte av med."

"Inte jag heller."

Jag måste återigen svära på att hålla tyst om henne, sedan gav hon mig sin adress. Hon ville ha tidningen om vi skrev om saken.

Klockan sex nästa morgon hoppade jag utan svårighet ur sängen. Wiley och jag körde till Broomfield. Eftersom både Spitfiren och Mercedesen förmodligen skulle observeras i vilken småstad som helst i Mississippi, tog vi hans Ford pickup. Vi hittade utan problem anstalten, en halvmil från staden. Vi hittade huset med motorvägsbyrån. Vid lunchtid intog vi våra platser på Main Street. Eftersom Padgitt med all säkerhet skulle känna igen oss båda, stod vi inför problemet att gömma oss på en livligt trafikerad gata i en främmande stad utan att väcka uppmärksamhet. Wiley satt djupt nersjunken i sin bil med kameran laddad och klar. Jag satt på en bänk och gömde mig bakom en tidning.

Vi såg inte en skymt av honom den första dagen. Vi körde tillbaka till Clanton, och tidigt nästa morgon körde vi till Broomfield igen. Halv tolv stannade en fängelsebil utanför kontorsbyggnaden. Vakten gick in och hämtade sin fånge, och de gick och åt lunch.

Den 17 juli 1977 fanns det fyra stora fotografier på vår förstasida – ett av Danny som promenerade på trottoaren och skrattade med vakten, ett av båda två när de gick in på City Grill, ett av kontorsbyggnaden, ett av grinden till fånganstalten utanför Broomfield. Min rubrik skrek: INGET FÄNGELSE FÖR PADGITT – HAN ÄR PÅ LÄGER.

Min artikel började:

Fyra år efter det att Danny Padgitt dömts för den brutala våldtäkten och mordet på Rhoda Kassellaw och blivit dömd till livstids fängelse i delstatens fängelse i Parchman, flyttades han till delstatens nya underanstalt i Broomfield. Efter tre år där åtnjuter han alla de förmåner som en fånge med goda kontakter kan få – ett kontorsarbete på delstatens motorvägsbyrå, egen personlig vakt och långa luncher (ostburgare och milkshake) på lokala serveringar där de andra gästerna aldrig har hört talas om honom eller hans brott.

Artikeln var så hätsk och vinklad som jag förmådde göra den. Jag ansatte servitrisen på City Grill tills hon berättade att han just hade ätit en ostburgare med pommes frites, att han åt där tre gånger i veckan, och att det alltid var han som betalade. Jag ringde ett dussin telefonsamtal till motorvägsbyrån innan jag hittade en avdelningschef som visste något om Padgitt. Avdelningschefen vägrade besvara några frågor, och jag fick honom också att framstå som en förbrytare. Det var lika svårt att komma in på fånganstalten. Jag beskrev mina försök och vinklade redogörelsen så det lät som om alla byråkraterna skyddade Padgitt. Ingen på Parchmanfängelset visste något, och om de gjorde det, var de ovilliga att tala om det. Jag ringde till ordföranden i motorvägsutskottet (en vald ämbetsman), fängelsechefen på Parchman (lyckligtvis en förordnad tjänst), allmänne åklagaren, viceguvernören och slutligen guvernören själv. Alla var naturligtvis för upptagna för att tala med mig, så jag småpratade med deras lakejer och fick dem att framstå som idioter.

Senator Theo Morton tycktes bli bestört. Han lovade att gå till botten med det och höra av sig. Vid pressläggningsdags väntade jag fortfarande.

Reaktionerna i Clanton var blandade. Många av dem som ringde eller hejdade mig på gatan var upprörda och ville att något skulle göras. De trodde faktiskt att när Padgitt dömdes till livstid och fördes bort i handbojor, skulle han tillbringa återstoden av sina dagar i Parchmans helvete. Några verkade vara likgiltiga och ville glömma Padgitt helt och hållet. Han tillhörde det förflutna.

Och hos några fanns den irriterande, nästan cyniska bristen

på förvåning. De antog att familjen Padgitt hade trollat igen, hittat de rätta fickorna, ryckt i de rätta trådarna. Harry Rex tillhörde det lägret. "Vad bråkar du om, grabben? De har köpt guvernörer förut."

Fotografiet av Danny som promenerade på gatan fri såsom fågeln skrämde upp miss Callie ordentligt. "Hon sov inte i natt", mumlade Esau till mig när jag den torsdagen kom för att äta lunch. "Jag önskar att ni inte hade hittat honom."

Lyckligtvis tog tidningarna i Memphis och Jackson upp nyheten, och den började få eget liv. De ökade pressen så mycket att politikerna måste göra något. Guvernören och allmänne åklagaren tävlade snart med senator Morton om att leda insatsen för att få grabben skickad tillbaka till Parchman.

Två veckor efter det att jag gjorde avslöjandet blev Danny Padgitt "återförd" till delstatsfängelset.

Dagen därpå fick jag två telefonsamtal, ett till redaktionen, ett hem till mig när jag sov. Olika röster, men samma budskap. Jag var dödens.

Jag meddelade FBI i Oxford, och två agenter besökte mig i Clanton. Jag läckte det till en journalist i Memphis, och snart visste staden att jag hade blivit hotad och att FBI undersökte saken. Under en månad lät sheriff McNatt en polisbil stå dygnet runt utanför redaktionen. En annan stod nattetid på min uppfart.

Efter sju års uppehåll gick jag beväpnad igen.

32

Det blev ingen omedelbar blodsutgjutelse. Hotelserna glömdes inte, men när tiden gick blev de mindre oroande. Jag slutade inte bära revolvern – den fanns alltid inom räckhåll – men jag förlorade intresset för den. Jag fann det svårt att tro att familjen Padgitt skulle riskera den våldsamma reaktion som skulle bli följden om de tog livet av utgivaren av lokaltidningen. Även om staden inte var helt förälskad i mig, till skillnad från någon så älskad som mr Caudle, skulle kalabaliken skapa mer problem för familjen Padgitt än de var beredda att riskera.

De höll sig mer än någonsin för sig själva. Efter Mackey Don Coleys valnederlag 1971 visade de sig återigen vara i stånd att byta taktik. Danny hade givit dem tillräcklig med oönskad uppmärksamhet; de var fast beslutna att undvika mer sådant. De drog sig ännu mer tillbaka till Padgitt Island. De utökade sitt försvar i den felaktiga tron att näste sheriff, T.R. Meredith, eller hans efterträdare Tryce McNatt, skulle ge sig på dem. De odlade sin gröda och smugglade den från ön med flygplan, båtar, pickuper och lastbilar som skenbart var lastade med virke.

Med en slughet som var typisk för Padgitts, och i känslan av att marijuanaffärerna kunde bli för riskabla, började de pumpa in pengar i lagliga verksamheter. De köpte en vägbyggfirma och gjorde den snabbt till en pålitlig anbudsgivare för myndighetsprojekt. De köpte en asfaltfirma, en cementfirma och grustag i norra änden av delstaten. Motorvägsbyggen var en välbekant korrupt verksamhet i Mississippi, och familjen Padgitt kunde den sortens spelregler.

Jag följde de aktiviteterna så noga som möjligt. Detta var före de nya offentlighetslagarna. Jag visste namnen på några av de bolag som familjen Padgitt hade köpt, men det var praktiskt taget omöjligt att hålla reda på vad de gjorde. Det fanns inget som jag kunde trycka, inga nyheter, för på ytan var allt lagligt.

Jag väntade, men jag visste inte riktigt på vad. Danny Padgitt skulle komma tillbaka en dag, och när han gjorde det skulle han kanske helt enkelt försvinna på ön och aldrig ses igen. Eller han kunde göra något annat.

Få invånare i Clanton gick inte i kyrkan. De som gjorde det tycktes veta exakt vilka som inte gjorde det, och det fanns en stående inbjudan att "kom och gå i kyrkan med oss". Avskedsorden "Vi ses på söndag" var nästan lika vanliga som "Kom och hälsa på."

Under mina första år i staden överöstes jag med dessa inbjudningar. När det blev känt att ägaren och redaktören av Ford County Times inte gick i kyrkan, blev jag stadens mest kände slusk. Jag bestämde mig för att göra något åt det.

Varje vecka sammanställde Margaret vår religionssida, som innehöll en ganska omfattande meny av kyrkor ordnade efter trosriktning. Där fanns också en del annonser från de mer förmögna församlingarna. Och information om väckelsemöten, sammankomster, knytkalas och oräkneliga andra aktiviteter.

Med ledning av den sidan och telefonkatalogen gjorde jag upp en lista över alla kyrkor i Ford County. Det totala antalet var åttioåtta, men det var en föränderlig siffra eftersom församlingarna ständigt splittrades, upplöstes här och dök upp där. Mitt mål var att besöka var och en av dem, något som jag var säker på aldrig hade gjorts tidigare, en bedrift som skulle placera mig i en helt egen klass bland kyrkobesökarna.

Trosriktningarna var många och förbryllande – hur kunde

protestanterna, som alla påstod sig följa samma grundläggande trossatser, bli så splittrade? De var i stort sett överens om att (1) Jesus var Guds enfödde son; (2) han föddes av en jungfru; (3) levde ett perfekt liv; (4) förföljdes av judarna, greps och korsfästes av romarna; (5) återuppstod på den tredje dagen och uppsteg sedermera till himlen; (6) och en del trodde – fast det fanns många variationer – att man måste följa Jesus i dop och tro för att vinna himmelriket.

Doktrinen var ganska enkel, men tolkningen var desto svårare.

Det fanns inga katoliker, episkopaler eller mormoner. Trakten var starkt baptistisk, men baptisterna var starkt splittrade. Pingstvännerna kom som nummer två, och de hade uppenbarligen stridit inbördes lika mycket som baptisterna.

1974 inledde jag mitt storslagna äventyr som gick ut på att besöka varje kyrka i Ford County. Den första var Calvary Full Gospel, en bullrig pingstförsamling vid en landsväg tre kilometer från staden. Gudstjänsten började halv elva som annonserat, och jag hittade en plats långt bak, så långt ifrån begivenheterna som jag kunde komma. Jag fick ett varmt välkomnande och det spred sig att en riktig besökare hade kommit. Jag kände inte igen någon där. Predikanten Bob hade vit kostym, marinblå skjorta och vit slips, och hans kraftiga svarta hår hade virats runt och smetats fast i nacken med hårkräm. Folk började hojta när han inledde gudstjänsten. De viftade med händerna och skrek under ett sångsolo. När predikningen slutligen började en timme senare, var jag redo att gå. Den pågick i femtiofem minuter och gjorde mig förvirrad och matt. Ibland stampade folk i golvet så huset skakade. Fönstren skallrade när de greps av anden och skrek rakt ut. Predikanten Bob gjorde "handpåläggning" på tre sjuklingar som led av obestämda sjukdomar, och de påstod sig bli helade. En gång reste sig en diakon och började på ett häpnadsväckande sätt prata på ett språk som jag aldrig tidigare hade hört. Han knöt nävarna, knep ihop ögonen och avlossade ett stadigt flöde av ord. Det var inte falskt; han spelade inte teater. Efter några minuter reste sig en ung flicka i kören och började tolka det till engelska. Det var en vision som Gud sände genom diakonen. Det fanns folk närvarande med oförlåtna synder.

"Ångra er!" ropade predikanten Bob, och huvuden sänktes.

Tänk om diakonen menade mig? Jag såg mig omkring och observerade att dörren var stängd och bevakades av två andra diakoner.

Det hela lugnade slutligen ner sig, och två timmar efter det att jag satt mig skyndade jag ut ur huset. Jag behövde en sup.

Jag skrev en vänlig liten artikel om mitt besök i Calvary Full Gospel och tryckte den på religionssidan. Jag nämnde den varmhjärtade stämningen i kyrkan, det vackra sångsolot av miss Helen Hatcher, den kraftfulla predikningen av predikanten Bob, och så vidare.

Naturligtvis blev detta mycket uppskattat.

Jag gick i kyrkan minst två gånger i månaden. Jag satt tillsammans med miss Callie och Esau och hörde pastor Thurston Small predika i två timmar och tolv minuter (jag tog tiden på varje predikan). Den kortaste hölls av pastor Phil Bish i United Methodist Church i Karaway – sjutton minuter. Den kyrkolokalen fick också priset som den kallaste. Värmepannan var trasig, det var i januari, och det kan ha bidragit till att förkorta predikningen. Jag satt bredvid Margaret i First Baptist Church i Clanton och hörde pastor Millard Stark hålla sin årliga predikan om alkoholens fördömelse. Jag hade kommit vid fel tidpunkt för jag var bakfull den morgonen, och Stark stirrade hela tiden på mig.

Jag hittade fram till Harvest Tabernacle i ett inre rum i en övergiven bensinstation i Beech Hill, och satt där tillsammans med sex andra medan en vildögd undergångspredikant vid namn Peter Profeten skrek åt oss under nästan en timme. Min notis den veckan var ganska kortfattad.

Clanton Church of Christ hade inga musikinstrument. Förbudet byggde på Skriftens ord, förklarade man senare för

283

mig. Det sjöngs ett mycket vackert solostycke, som jag skrev en hel del om. Det förekom inte heller några som helst sinnesrörelser under gudstjänsten. Som kontrast begav jag mig till Mount Pisgah Chapel i Lowtown där predikstolen var omgiven av trummor, gitarrer, trumpeter och förstärkare. Som uppvärmning inför predikningen bjöds det på en hel konsert där församlingen sjöng och dansade. Miss Callie ansåg att Mount Pisgah var "lågkyrklig".

Nummer sextiofyra på min lista var Calico Ridge Independent Church, långt bort bland bergen i länets nordöstra del. Enligt tidningens arkiv blev en mr Randy Bovee biten två gånger av en skallerorm under en sen lördagsgudstjänst 1965. Mr Bovee överlevde och ormarna gömdes undan för en tid. Legenden frodades emellertid, och när min kyrkospalt blev alltmer uppskattad blev jag flera gånger tillfrågad om jag tänkte besöka Calico Ridge.

"Jag tänker besöka alla kyrkor", var mitt standardsvar.

"De gillar inte besökare", sade Baggy varnande.

Jag hade fått ett så varmt välkomnande i alla kyrkor – svarta och vita, stora och små, i städer och på landsbygd – att jag inte kunde föreställa mig att kristna skulle vara ohövliga mot en gäst.

Och de var inte ohövliga i Calico Ridge, men de var inte heller särskilt glada över att se mig. Jag ville se ormarna, men från en trygg plats långt bak. Jag var där en lördagskväll, huvudsakligen för att det påstods att de inte "tog upp ormarna" på dagtid. Jag sökte fåfängt i Bibeln efter detta förbud.

Det fanns inga spår av några ormar. Det förekom några krampanfall och konvulsioner nedanför predikstolen när predikanten uppmanade oss att "stiga fram och kvida och stöna i synd!" Kören ropade och nynnade taktfast till ackompanjemang av en elgitarr och en trumma, och mötet började på ett spöklikt sätt likna en gammal infödingsdans. Jag ville ge mig iväg, speciellt som det inte fanns några ormar.

Mot slutet av gudstjänsten uppfångade jag en skymt av ett

ansikte som jag hade sett förut. Det var ett mycket förändrat ansikte – magert, blekt, kantigt, krönt av grånande hår. Jag kunde inte placera det men jag visste att det var bekant. Mannen satt i andra bänkraden framifrån, på andra sidan mittgången, och han föreföll att befinna sig helt utanför gudstjänstens kaos. Ibland tycktes han be, sedan satt han en stund medan alla andra stod upp. Folk omkring honom verkade samtidigt acceptera och ignorera honom.

En gång vred han på huvudet och såg rakt på mig. Det var Hank Hooten, den före detta advokaten som 1971 sköt vilt omkring sig i staden! Han hade förts i tvångströja till delstatens mentalsjukhus, och några år senare ryktades det att han hade blivit utsläppt. Men ingen hade sett honom.

I två dagar försökte jag sedan spåra Hank Hooten. Mina telefonsamtal till mentalsjukhuset gav inget resultat. Hank hade en bror i Shady Grove, men han ville inte säga något. Jag snokade i Calico Ridge, men där fanns naturligtvis ingen som ville säga ett ord till en utsocknes som jag.

33

Många av dem som energiskt deltog i söndagens guds-
tjänst blev mindre religiösa på söndagskvällen.
Under mina kyrkobesök hörde jag många predi-
kanter uppmana sina församlingsmedlemmar att komma till-
baka om några timmar för att ordentligt fullborda firandet av
sabbaten. Jag räknade aldrig, men i allmänhet brukade unge-
fär hälften göra det. Jag besökte några kvällsgudstjänster på
söndagar, oftast i hopp om att få se någon intressant ritual
som den med ormarna eller helande eller, i ett fall, en "kyrko-
konklav" där en försumlig församlingsmedlem skulle ställas
till svars och med all säkerhet dömas för att ha hyst begärelse
till en annans hustru. Min närvaro besvärade dem den kvällen
och den försumlige församlingsmedlemmen benådades.

För det mesta begränsade jag mina studier i jämförande
religion till dagtid.

Andra hade ett annat slags ritualer på söndagskvällarna.
Harry Rex hjälpte en mexikan vid namn Pepe att hyra ett hus
och öppna en restaurang ett kvarter från torget. Pepe's blev
ganska populärt på sjuttiotalet med bra mat som alltid var åt
det kryddade hållet. Pepe kunde inte motstå peppar, hur mycket
det än sved i halsen på hans gringogäster.

På söndagarna var all alkoholförtäring förbjuden i Ford
County. Det fick inte säljas i butiker eller på matserveringar.
Pepe hade ett inre rum med ett långt bord och en dörr som
kunde låsas. Han lät Harry Rex med gäster använda rummet
och äta och dricka vad vi ville. Hans margarita var speciellt
smakliga. Vi avnjöt många spännande måltider med krydd-

starka rätter som sköljdes ner med starka margarita. Vi brukade vara ett dussin, allihop män, allihop unga, ungefär hälften gifta för närvarande. Harry Rex hotade oss till livet om vi berättade för någon om Pepes inre rum.

Clantonpolisen gjorde tillslag en gång, men Pepe förstod plötsligt inte ett enda ord engelska. Dörren till det inre rummet var låst, och dessutom delvis dold. Pepe släckte ljuset, och i tjugo minuter satt vi där i mörkret och drack och hörde hur poliserna försökte kommunicera med Pepe. Jag vet inte varför vi var oroliga. Stadens domare var en jurist som hette Harold Finkley och som satt vid bordets ände och hällde i sig sin fjärde eller femte margarita.

De där söndagskvällarna på Pepe's var ofta utdragna och bullriga, och efteråt var vi inte i stånd att köra bil. Jag brukade promenera till redaktionen och sova på soffan. Jag låg där och snarkade av mig tequilan när telefonen ringde litet efter midnatt. Det var en journalist på den stora dagstidningen i Memphis som jag kände.

"Ska du gå på benådningsprövningen i morgon?" frågade han. I morgon? I min giftdimma hade jag ingen aning om vilken dag det var.

"I morgon?" mumlade jag.

"Måndagen den 18 september", sade han långsamt.

Jag var ganska säker på att året var 1978.

"Vilken benådningsprövning?" frågade jag medan jag förtvivlat försökte vakna och sätta samman två tankar.

"Danny Padgitts. Visste du inte det?"

"Nej för fan!"

"Klockan tio i Parchmanfängelset."

"Du måste skoja!"

"Inte alls. Jag fick just veta det. De brukar tydligen inte utannonsera det."

Jag satt en lång stund i mörkret och förbannade än en gång denna underutvecklade delstat som skötte så viktiga saker på ett så löjeväckande sätt. Hur kunde man över huvud taget tänka sig att benåda Danny Padgitt? Åtta år hade gått sedan mordet och domen. Han hade fått två livstidsstraff på minst tio år vardera. Vi utgick från att den innebar minst tjugo år.

Jag körde hem klockan tre på natten, sov oroligt i två timmar och väckte sedan Harry Rex som inte var i ett sådant tillstånd att man kunde prata med honom. Jag köpte korvpiroger och starkt kaffe och vi träffades på hans kontor vid sjutiden. Vi var båda på uselt humör, och när vi plöjde igenom hans lagböcker förekom beska ord och svordomar, inte mot varandra utan mot det otydliga och tandlösa benådningssystem som den lagstiftande församlingen hade skapat trettio år tidigare. Riktlinjerna var obestämda och gav gott om utrymme för politikerna och deras anhängare på offentliga poster att göra som de ville.

Eftersom flertalet laglydiga medborgare inte hade några kontakter med benådningssystemet, prioriterades det inte av den lagstiftande församlingen. Och eftersom flertalet av delstatens fångar antingen var fattiga eller svarta och oförmögna att utnyttja systemet till sin fördel, var det lätt att ge dem hårda straff och hålla dem inspärrade. Men för en fånge med några kontakter och litet pengar var benådningssystemet en ljuvlig labyrint av motstridiga lagar som gjorde att prövningsnämnden kunde hjälpa vissa.

Någonstans mellan domstolssystemet, straffsystemet och benådningssystemet hade Danny Padgitts två "påföljande" livstidsstraff förändrats till "samtidiga" straff. De löpte sida vid sida, försökte Harry Rex förklara.

"Vad ska det vara bra för?" frågade jag.

"Det används i de fall där svaranden åtalas på flera punkter. Påföljande skulle kunna ge honom åttio års fängelse, men ett rättvist straff vore tio år. Så de får löpa parallellt."

Jag skakade ogillande på huvudet igen, och det irriterade honom.

Jag lyckades slutligen komma fram till sheriff Tryce McNatt på telefonen. Han lät lika bakfull som vi, fast han var helnykterist. McNatt visste inget om någon benådningsprövning. Jag frågade om han tänkte närvara, men han hade redan dagen full av viktiga möten.

Jag skulle ha ringt till domare Loopus, men han hade varit död i sex år. Ernie Gaddis hade gått i pension och fiskade i Smoky Mountains. Hans efterträdare Rufus Buckley bodde i Tyler County och hade hemligt telefonnummer. Klockan åtta hoppade jag in i min bil med en pirog och en kopp kallt kaffe.

En timmes resväg västerut från Ford County blev landskapet plötsligt platt och deltat började. Det var en trakt med goda skördar och usla levnadsförhållanden, men jag var inte på humör att beundra utsikten och fälla kommentarer om samhällsförhållandena. Jag var för ängslig inför att oinbjuden komma till en hemlig benådningsprövning.

Jag var också ängslig inför att träda in på Parchmanfängelset, ett ökänt helveteshål.

Efter två timmars körning såg jag stängsel längs ett fält, sedan skärtråd. Snart kom en skylt, och jag svängde in till stora grinden. Jag meddelade en vakt i en kur att jag var journalist och skulle till en benådningsprövning. "Rakt fram och till vänster vid andra huset", sade han hjälpsamt medan han antecknade mitt namn.

En grupp byggnader låg intill vägen, och en rad vita trähus som kunde passa vid vilken småstadsgata som helst i Mississippi. Jag valde det hus som kallades Admin A och skyndade in på jakt efter första bästa sekreterare. Jag hittade henne och hon skickade mig till nästa hus, andra våningen. Klockan var nästan tio.

I korridorens bortre ände stod en grupp människor och hängde utanför en dörr. En var en fångvaktare, en var delstatspolis, en hade en skrynklig kostym.

"Jag ska till benådningsprövningen", sade jag.

"Där inne", sade vakten och pekade. Jag slet upp dörren utan att knacka, så som varje orädd journalist skulle göra, och steg in. Sammanträdet skulle just börja, och min närvaro var definitivt oväntad.

Där fanns fem ledamöter av prövningsnämnden, och de satt bakom ett litet upphöjt bord med sina namnskyltar framför sig. Vid ett annat bord längs väggen satt Padgittgänget – Danny, hans far, hans mor, en farbror, och Lucien Wilbanks. Vid ett annat bord mittemot dem satt diverse bisittare och funktionärer från nämnden och fängelset.

Alla stirrade på mig när jag stormade in. Min blick mötte Danny Padgitts, och för en sekund lyckades vi båda visa det förakt vi kände för varandra.

"Varmed kan jag stå till tjänst?" morrade en storväxt, illa klädd karl i mitten av nämnden. Han hette Barrett Ray Jeter, ordförande. I likhet med de övriga fyra hade han fått sitt ämbete av guvernören som tack för röstvärvning.

"Jag ska följa Padgittprövningen", sade jag.

"Han är journalist!" praktiskt taget skrek Lucien och for upp. Ett ögonblick trodde jag att jag skulle gripas på fläcken och släpas djupare in i fängelset och ett livstidsstraff.

"Var?" frågade Jeter.

"The Ford County Times", sade jag.

"Namnet?"

"Willie Traynor." Jag blängde på Lucien och han såg ilsket på mig.

"Det här är en sluten förhandling, mr Traynor", sade Jeter. Lagen sade inte klart om den var offentlig eller sluten, så man hade sedan gammalt hållit tyst om det.

"Vilka har rätt att närvara?" frågade jag.

"Prövningsnämnden, den dömde, hans familj, hans vittnen, hans advokat samt alla vittnen för andra sidan." Den "andra sidan" betydde offrets familj, vilket på den här platsen lät som bovarna.

"Hur är det med sheriffen från vårt län?" frågade jag.

"Han är också inbjuden", sade Jeter.

"Vår sheriff är inte informerad. Jag pratade med honom för

tre timmar sedan. I själva verket kände ingen i Ford County till den här prövningen förrän efter klockan tolv i natt." Detta ledde till en hel del rivande i håret vid nämndens bord. Familjen Padgitt tryckte ihop sig och mumlade med Lucien.

Genom att eliminera alla omöjliga val slöt jag mig snabbt till att jag måste bli vittne om jag ville följa förhandlingarna. Jag sade så högt och tydligt jag kunde: "Nå, eftersom ingen annan från Ford County är här för att opponera sig, är jag vittne."

"Ni kan inte vara både journalist och vittne", sade Jeter.

"Var i Mississippis lagbok står det?" frågade jag och viftade med mina kopior ur Harry Rex lagböcker.

Jeter nickade till en ung man i mörk kostym. "Jag är prövningsnämndens jurist", sade han artigt. "Ni kan vittna inför nämnden, mr Traynor, men ni får inte skriva om det."

Jag tänkte beskriva varje detalj i förhandlingarna och sedan gömma mig bakom yttrandefriheten. "För all del", sade jag. "Ni bestämmer." På mindre än en minut hade gränserna ritats upp; jag var på en sida, alla övriga var på den andra.

"Vi går vidare", sade Jeter, och jag satte mig bland en handfull andra åhörare.

Prövningsnämndens jurist delade ut en rapport. Han gick igenom grundfakta i domen mot Padgitt och var noga med att inte använda orden "påföljande" eller "samtidiga". Fångens "exemplariska" uppträdande under strafftiden gjorde att han var berättigad till "god tid", ett obestämt begrepp som skapats av benådningssystemet och inte av delstatens lagstiftande församling. Efter avdrag av den tid fången hade tillbringat i häkte före rättegången var han nu berättigad till benådning.

Dannys socialhandläggare plöjde igenom en lång beskrivning av sina kontakter med fången. Hon slutade med den osannolika åsikten att han var "djupt ångerfull", "helt återanpassad", "inget som helst hot mot samhället", till och med redo att bli "en mycket produktiv medborgare".

Hur mycket hade allt detta kostat? Jag kunde inte låta bli

att fundera på det. Hur mycket? Och hur lång tid hade det tagit familjen Padgitt att hitta de rätta fickorna?

Sedan kom turen till Lucien. När det inte fanns någon – Gaddis, sheriff McNatt – inte ens stackars Hank Hooten – som kunde säga emot eller kanske strypa honom, gav han sig in i en fantasifull beskrivning av fakta kring brottet, och speciellt det "vattentäta" alibivittnet Lydia Vinces vittnesmål. Enligt hans omkonstruerade version av rättegången var juryn nära att finna Padgitt icke skyldig. Jag var frestad att kasta något på honom och börja skrika. Det skulle kanske åtminstone göra att han blev en aning ärlig.

Jag ville skrika: "Hur kan han vara ångerfull om han är oskyldig?"

Lucien pratade på om rättegången och hur orättvis den hade varit. Han tog ädelt på sig skulden för att han inte ställt hårdare krav på en flyttning av rättegången till en annan del av delstaten där folk var opartiska och mer upplysta. När han slutligen tystnade föreföll två av nämndens ledamöter sova.

Mrs Padgitt vittnade sedan och berättade om de brev som hon och hennes son hade skrivit till varandra under de gångna åtta, mycket långa åren. I breven hade hon sett honom mogna, sett hans tro stärkas, sett honom längta efter sin frihet för att kunna stå till tjänst för sina medmänniskor.

Stå till tjänst med starkare hasch? Eller kanske renare hembränt?

Eftersom tårar förväntades, gav hon oss litet tårar. Det ingick i föreställningen och tycktes inte påverka nämnden så mycket. När jag såg på deras ansikten fick jag i själva verket en känsla av att deras beslut hade fattats för länge sedan.

Danny kom sist och balanserade elegant mellan att förneka sina brott och visa ånger för dem. "Jag har lärt av mina misstag", sade han som om våldtäkt och mord bara var små felsteg som egentligen inte hade skadat någon. "Jag har växt ifrån dem."

I fängelset hade han varit en veritabel stormvind av positiv energi – han arbetade frivilligt i biblioteket, sjöng i kören, hjälpte till med Parchmanrodeon, organiserade grupper som reste runt bland skolor och skrämde bort barnen från brottets bana.

Två av nämndens ledamöter lyssnade. En sov fortfarande. De båda övriga satt försjunkna i transliknande meditation, uppenbarligen hjärndöda.

Danny fällde inga tårar men slutade med en lidelsefull värjan om att bli frigiven.

"Hur många vittnen finns för opponentsidan?" frågade Jeter. Jag reste mig, såg mig omkring, såg ingen annan från Ford County och sade: "Det är nog bara jag."

"Var så god, mr Traynor."

Jag hade ingen aning om vad jag skulle säga, och jag visste inte heller vad som var tillåtet eller olämpligt på denna plats. Men med tanke på vad jag just hade hört ansåg jag att jag kunde säga vad fan jag ville. Fete Jeter skulle utan tvivel avbryta mig om jag kom in på förbjudna vägar.

Jag såg upp mot nämndens ledamöter, gjorde mitt bästa för att ignorera familjen Padgitts hätska blickar, och gav dem en utomordentligt detaljerad beskrivning av våldtäkten och mordet. Jag hävde ur mig allt jag kunde erinra mig, och jag framhöll speciellt det faktum att de två barnen blev vittne till en del eller hela överfallet.

Jag väntade hela tiden på att Lucien skulle protestera, men det var helt tyst på deras sida. De tidigare medvetslösa ledamöterna var plötsligt vakna, alla såg uppmärksamt på mig och insöp mordets blodiga detaljer. Jag beskrev skadorna. Jag beskrev den hjärtslitande scenen när Rhoda dog i armarna på mr Deece och sade: "Det var Danny Padgitt. Det var Danny Padgitt."

Jag kallade Lucien en lögnare och hånade hans hågkomster av rättegången. Det tog juryn mindre än en timme att befinna honom skyldig, förklarade jag.

Och med en minnesgodhet som överraskade till och med mig själv beskrev jag Dannys patetiska uppträdande i vittnesbåset: hans lögner för att dölja sina lögner, hans totala brist på ärlighet. "Han borde ha dömts för mened", sade jag till nämnden.

"Och när han hade avgivit sitt vittnesmål återvände han inte till sin plats utan gick fram till jurybåset, hötte med fingret mot juryn och sade: 'Om ni fäller mig, ska jag ta varenda en av er.'"

En ledamot som hette Horace Adler rätade häftigt på sig och sade till familjen Padgitt: "Är det sant?"

"Det står i rättegångsprotokollet", sade jag snabbt innan Lucien hunnit ljuga igen. Han reste sig långsamt upp.

"Är det sant, mr Wilbanks?" frågade Adler.

"Hotade han juryn?" frågade en annan ledamot.

"Jag har utskriften", sade jag. "Jag skickar den gärna till er."

"Är det sant?" frågade Adler för tredje gången.

"Det fanns trehundra människor i rättssalen", sade jag och stirrade på Lucien medan jag sade med ögonen: Gör det inte. Ljug inte.

"Tyst, mr Traynor", sade en ledamot.

"Det står i protokollet", sade jag igen.

"Det räcker!" skrek Jeter.

Lucien stod upp och försökte komma på ett svar. Alla väntade. Slutligen: "Jag minns inte allt av det som sades", började han, och jag fnös så högt jag kunde. "Kanske sade min klient något i den riktningen, men det var ett känsloladdat ögonblick, och i stridens hetta kan något sådant ha sagts. Men taget i sitt sammanhang..."

"Sammanhang så i helvete heller!" skrek jag till Lucien och tog ett steg mot honom som om jag tänkte slå till. En vakt gick emot mig och jag hejdade mig. "Det finns i svart på vitt i utskriften!" sade jag ilsket. Sedan vände jag mig mot nämnden och sade: "Hur kan ni sitta där och låta dem ljuga på det här sättet? Vill ni inte veta sanningen?"

"Var det något mer, mr Traynor?" frågade Jeter.

"Ja! Jag hoppas att den här nämnden inte hånar vårt rättssystem och släpper den här mannen fri efter åtta år. Han kan skatta sig lycklig som sitter här och inte i en dödscell, där han hör hemma. Och jag hoppas att nästa gång ni har en benådningsprövning, om det blir någon nästa gång, tar ni och inbjuder några av invånarna i Ford County. Kanske sheriffen, kanske åklagaren. Och kunde ni inte meddelat offrets familj? Det har rätt att vara här så ni kan se deras ansikten när ni släpper den här mördaren lös."

Jag satte mig rasande ner. Jag blängde på Lucien Wilbanks och bestämde mig för att jag omsorgsfullt skulle hata honom så länge han eller jag levde, vilken av oss som nu dog först. Jeter meddelade att man skulle göra ett kort uppehåll, och jag förmodade att de måste få samlas i ett inre rum och räkna pengarna. Mr Padgitt kunde kanske kallas dit för att ge litet extra pengar till en ledamot eller två. För att irritera nämndens jurist fyllde jag sidor med anteckningar till den artikel som han förbjudit mig att skriva.

Vi väntade en halvtimme innan de kom tillbaka. Alla föreföll skuldmedvetna för något. Jeter utlyste omröstning. Två röstade för frigivning, två emot, en avstod. "Benådning avstyrks denna gång", meddelade Jeter, och mrs Padgitt brast i gråt. Hon kramade om Danny innan han fördes ut.

Lucien och familjen Padgitt gick mycket nära förbi mig när de lämnade rummet. Jag ignorerade dem och stirrade bara ner i golvet, utmattad, bakfull, chockerad av förnekandena.

"Nu har vi Charles D. Bowie", meddelade Jeter, och det blev rörelse runt borden när näste hoppfulle man fördes in. Jag hörde något om sexualbrottsling, men jag var för medtagen för att bry mig om det. Efter en stund lämnade jag rummet och gick bort genom korridoren, till hälften övertygad om att jag skulle ställas inför familjen Padgitt, och det vore också bra för jag föredrog att få det överståndet.

Men de hade skingrats; det syntes inga spår av dem när jag lämnade huset och körde ut genom grinden och tillbaka till Clanton.

34

Benådningsprövningen var förstasidesnyhet i The Ford County Times. Jag fyllde artikeln med alla detaljer jag kunde erinra mig, och på sidan fem avlossade jag en flammande ledare om saken. Jag skickade ett exemplar av numret till alla ledamöterna i prövningsnämnden och till dess jurist, och eftersom jag var så upprörd fick alla ledamöter i delstatens lagstiftande församling, allmänne åklagaren, viceguvernören och guvernören ett gratisexemplar. De flera ignorerade det, men prövningsnämndens jurist gjorde det inte.

Han skrev ett långt brev till mig där han meddelade att han var djupt bekymrad för min "medvetna överträdelse av prövningsnämndens procedurregler." Han övervägde ett möte med allmänne åklagaren där de skulle "utvärdera allvaret i mina handlingar" och kanske vidta åtgärder som skulle få "långtgående konsekvenser".

Min advokat, Harry Rex, hade försäkrat mig att prövningsnämndens princip med hemliga möten var direkt lagstridig, ett direkt brott mot yttrandefriheten, och han skulle med glädje försvara mig i en federal domstol. För extra lågt honorar, naturligtvis.

Jag utbytte ilskna brev med nämndens jurist under en månad innan han tycktes förlora intresset för att jaga mig.

Rafe, Harry Rex främste uppdragsjägare, hade en kumpan som hette Buster, en storväxt, bredaxlad cowboy med en revolver i varje ficka. Jag betalade Buster hundra dollar i veckan för att han skulle låtsas vara min personlige benknäckare. Några timmar varje dag stod han och hängde utanför redaktionen, eller satt på min uppfart eller på en av mina verandor, var som helst där han blev sedd så folk förstod att Willie Traynor var tillräckligt betydelsefull för att ha en livvakt. Om familjen Padgitt kom så nära att de kunde skjuta, skulle de åtminstone få något tillbaka.

Efter att i många år stadigt ha gått upp i vikt och struntat i läkarnas varningar gav miss Callie slutligen med sig. Efter ett sällsynt trist besök på kliniken meddelade hon Esau att hon skulle hålla diet – 1.500 kalorier om dagen utom, lyckligtvis, torsdagarna. En månad gick och jag kunde inte skönja någon viktminskning. Men dagen efter artikeln om prövningsnämndens möte såg hon plötsligt ut som om hon hade gått ner tjugofem kilo.

Istället för att steka en kyckling, bakade hon in den. Istället för att mosa potatis med smör och vispgrädde och hälla sky över det hela, kokade hon dem. Det smakade fortfarande utsökt, men min kropp hade vant sig vid sin veckodos av mättat fett.

Efter bordsbönen gav jag henne två brev från Sam. Som alltid läste hon dem genast medan jag kastade mig över lunchen. Och som alltid log och skrattade hon och torkade slutligen bort en tår. "Han klarar sig fint", sade hon, och det gjorde han.

Med en målmedvetenhet som var typisk för familjen Ruffin hade Sam tagit sin första universitetsexamen, i ekonomi, och sparade pengar för att börja studera juridik. Han led av svår hemlängtan och hade tröttnat på klimatet. Kort sagt saknade han sin mamma. Och hennes mat.

President Carter hade givit värnpliktsvägrarna amnesti, och Sam kämpade med om han skulle stanna i Kanada eller komma hem. Många av hans landsflyktiga vänner där borta svor på att de skulle stanna och bli kanadensiska medborgare, och han var starkt påverkad av dem. Det fanns också en kvinna med i bilden, fast han inte hade berättat det för sina föräldrar.

Ibland började vi med de senaste nyheterna, men ofta var det dödsrunorna eller till och med radannonserna. Eftersom miss Callie läste vartenda ord visste hon vem som sålde en ny kull beaglevalpar och vem som ville köpa en bra begagnad gräsklippare. Och eftersom hon läste varje ord varje vecka, visste hon hur länge en viss liten gård eller husvagn hade varit till salu. Hon var insatt i priser och valuta för pengarna. En bil kunde köra förbi på gatan när vi åt lunch. Hon kunde fråga: "Vad var det för modell?"

"En Plymouth Duster 1971", kunde jag svara.

Hon funderade litet och sade sedan: "Om den är riktigt ren och fin ligger den runt tvåtusenfemhundra dollar."

Stan Atcavage behövde en gång sälja en tjugofyra fots fiskebåt som han hade återtagit. Jag ringde till miss Callie. Hon sade: "Ja, en herre i Karaway annonserade efter en för tre veckor sedan." Jag tittade i ett gammalt nummer och hittade annonsen. Stan sålde båten till honom nästa dag.

Hon älskade tillkännandegivandena, en av tidningens mest inkomstbringande avdelningar. Överlåtelser, utmätningar, skilsmässoansökningar, testamentsbevakningar, konkursmeddelanden, annexionsprövningar, dussintals olika former av tillkännagivanden måste enligt lag offentliggöras i tidningen. Vi fick in alla, och vi tog bra betalt.

"Jag ser att mr Everett Wainwrights dödsbo ska tas upp av arvsdomstolen", sade hon.

"Jag har ett diffust minne av hans dödsruna", sade jag med munnen full av mat. "När dog han?"

"För fem månader sedan, kanske sex. Det var inte mycket till dödsruna."

"Jag måste arbeta med det familjen ger mig. Kände ni honom?"

"Han hade en speceriaffär vid järnvägen i många år." Jag märkte på hennes tonfall att hon inte tyckte om mr Everett Wainwright.

"Bra eller dålig människa?"

"Han hade två priser, ett för vita och ett högre för negrer. Hans varor var aldrig prismärkta, och han var ensam i kassan. En vit kunde ropa: 'Mr Wainwright, hur mycket kostar den här burken med kondenserad mjölk?' och han kunde skrika tillbaka: 'Trettioåtta cent.' En minut senare kunde jag fråga: 'Ursäkta, mr Wainwright, hur mycket kostar den här burken med kondenserad mjölk?' Och han fräste: 'Femtiofyra cent.' Han gjorde det helt öppet. Han brydde sig inte."

I nästan nio år hade jag hört historier om förr i tiden. Ibland trodde jag att jag hade hört alla, men miss Callies samling var ändlös.

"Varför handlade ni där?"

"Det var den enda butiken där vi kunde handla. Mr Monty Griffin hade en finare butik bakom den gamla biografen, men vi fick inte börja handla där förrän för tjugo år sedan."

"Vem hindrade er?"

"Mr Monty Griffin. Han struntade i om man hade pengar, han ville inte ha några negrer i sin butik."

"Och mr Wainwright brydde sig inte."

"Jodå, han brydde sig. Han ville inte ha oss, men han tog emot våra pengar."

Hon berättade historien om en svart pojke som drev omkring inne i butiken tills mr Wainwrigth slog till honom med en sopkvast och slängde ut honom. För att hämnas bröt sig pojken in i butiken en eller två gånger varje år under lång tid utan att någonsin åka fast. Han stal cigarretter och karameller, och han bröt sönder alla kvastskaft.

"Är det sant att han testamenterade alla sina pengar till metodistkyrkan?" frågade hon.

"Det sägs så."

"Hur mycket?"

"Ungefär hundratusen dollar."

"Det sägs att han försöker köpa sig in i himlen", sade hon. Jag hade för länge sedan upphört att förvånas av det skvaller miss Callie hörde från andra sidan järnvägen. Många av hennes väninnor arbetade som husor där borta. Hembiträdena visste allt.

Hon hade återigen manövrerat samtalet till livet efter detta. Miss Callie var djupt bekymrad för min själ. Hon var orolig för att jag inte hade blivit en riktig kristen; att jag inte hade blivit "pånyttfödd" eller "frälst". Mitt dop som spädbarn, som jag inte mindes, var helt otillräckligt i hennes ögon. När en människa uppnår en viss ålder, "ansvarighetens ålder", måste den människan för att bli "frälst" från den eviga fördömelsen i helvetet vandra uppför mittgången i en kyrka (vilken kyrka som var den rätta var föremål för ständiga diskussioner) och offentligt bekänna sin tro på Jesus Kristus.

Miss Callie bar en tung börda eftersom jag inte hade gjort detta.

Och efter att ha besökt sjuttiosju olika kyrkor måste jag medge att den stora majoriteten invånare i Ford County delade hennes tro. Det fanns en del variationer. En mäktig sekt var Church of Christ. De hade den märkliga åsikten att de, och bara de, skulle komma till himlen. Alla andra kyrkor predikade "sekteristiska dogmer". De trodde också, likt många samfund, att en människa som vunnit frälsning kunde förlora den genom dåligt uppförande. Baptisterna, det populäraste kyrkosamfundet, stod fast vid att "en gång frälst alltid frälst".

Det var uppenbarligen mycket trösterikt för flera urspårade baptister i staden.

Det fanns emellertid hopp för mig. Det gladde miss Callie att jag gick i kyrkan och hörde evangeliet. Hon var övertygad om, och hon bad ständigt för min räkning, att Herren snart skulle sträcka sig ner och röra vid mitt hjärta. Jag skulle bestämma mig för att följa honom, och hon och jag skulle tillbringa evigheten tillsammans.

Miss Callie längtade verkligen till den dag då hon skulle "färdas hem till saligheten".

"Pastor Small ska leda nattvarden på söndag", sade hon. Det var veckans inbjudan att följa henne till kyrkan. Pastor

Small och hans långa predikningar var mer än jag klarade av.

"Tack, men jag ska göra studiebesök igen på söndag", sade jag.

"Gud välsigne er. Var?"

"Maranatha Primitive Baptist Church."

"Den har jag aldrig hört talas om."

"Den finns i telefonkatalogen."

"Var är den?"

"Någonstans borta i Dumas, tror jag."

"Svart eller vit?"

"Jag vet inte riktigt."

Nummer sjuttioåtta på min lista, Maranatha Primitive Baptist Church, var ett litet smycke vid foten av en höjd, intill ett vattendrag och en dunge med ekar som var minst tvåhundra år gamla. Det var en liten vit träbyggnad, lång och smal, med spetsigt plåttak och en röd tornspira som var så hög att den försvann bland ekarnas kronor. Porten stod vidöppen och uppmanade alla att komma in till gudstjänsten. En hörnsten pryddes med årtalet 1813.

Jag smög mig ner i en bänk långt bak, min vanliga plats, och satt bredvid en välklädd herre som var lika gammal som kyrkan. Jag räknade till femtiosex andra gudstjänstbesökare den dagen. Fönstren stod på vid gavel, och utanför drog en svag vind genom trädkronorna och mildrade en hektisk morgons vassa kanter. Under ett och ett halvt sekel hade människor samlats här, suttit i samma bänkar, sett ut genom samma fönster på samma träd, och tillbett samma gud. Kören – alla åtta – sjöng en stilla psalm och jag sjönk tillbaka till ett annat århundrade.

Pastorn var en jovialisk man vid namn J.B. Cooper. Jag hade träffat honom två gånger under årens lopp när jag försökt få ihop material till dödsrunor. En fördel med min rundtur bland kyrkorna var att jag fick träffa alla präster. Det bidrog i hög grad till att krydda mina dödsrunor.

Pastor Cooper såg ut över sin församling och jag insåg att

jag var den ende besökaren. Han sade mitt namn, hälsade mig välkommen och sade någon ofarlig lustighet om att få bra press i The Ford County Times. Efter fyra års farande och sjuttiosju ganska generösa och färgstarka kyrkonotiser var det omöjligt för mig att smyga in på en gudstjänst utan att bli observerad.

Jag visste aldrig vad jag kunde förvänta mig i de där landsortskyrkorna. För det mesta var predikningarna ljudliga och utdragna, och många gånger undrade jag hur så fina människor vecka efter vecka kunde släpa sig dit för att få en utskällning. En del predikanter var nästan sadistiska i sitt fördömande av vad deras församlingsmedlemmar kunde ha gjort den veckan. Allt var syndigt på landsbygden i Mississippi, inte bara de grundsynder som nämndes i de tio budorden. Jag hörde flammande fördömanden av television, film, kortspel, tidskrifter, sport, hejarklacksuniformer, desegregering, kyrkor som släppte in både svarta och vita, Disney – för att de TV-programmen visades på söndagskvällarna – dans, festdrickande, föräktenskapligt sex, allt.

Men pastor Cooper var fridsam. Hans predikan – tjugoåtta minuter – handlade om tolerans och kärlek. Kärlek var Kristus huvudsakliga budskap. Det enda Kristus ville att vi skulle göra var att älska varandra. Under altargången sjöng vi tre verser av "Just As I Am", men ingen rörde sig från sin plats. De här människorna hade gått fram till altaret många gånger.

Som alltid dröjde jag mig kvar några minuter för att prata med pastor Cooper. Jag talade om för honom hur mycket jag hade uppskattat hans predikan, något som jag brukade säga antingen jag menade det eller ej, och jag antecknade körmedlemmarnas namn för min spalt. Kyrkofolk var av naturen varma och vänskapliga, men i det här stadiet av min rundresa ville de prata i evighet och ge mig små upplysningar som kanske kunde komma i tryck. "Min farfar lade det här taket på kyrkan 1902." "Orkanen 1938 tog ett hopp rakt över oss under sommarväckelsen."

När jag lämnade kyrkan såg jag en man i rullstol som rullades nerför handikapprampen. Det var ett ansikte som jag hade sett förut, och jag gick dit för att säga goddag. Lenny Fargarson, den handikappade pojken, jurymedlem nummer sju eller åtta, hade tydligen blivit sämre. Under rättegången 1970 hade han kunnat gå, fast det inte var en vacker syn. Nu var han rullstolsbunden. Hans far presenterade sig. Hans mor stod i en grupp damer som avslutade den sista omgången avsked.

"Har ni en minut ledig?" frågade Fargarson. I Mississippi betydde den frågan egentligen: "Vi måste pratas vid och det kommer att ta ett tag." Jag satte mig på en bänk under en av ekarna. Hans far rullade dit honom och lämnade oss sedan så vi kunde talas vid.

"Jag läser er tidning varje vecka", sade han. "Tror ni att Padgitt släpps fri?"

"Jodå. Det handlar bara om när. Han kan anhålla om nåd en gång om året, varje år."

"Kommer han tillbaka hit, till Ford County?"

Jag ryckte på axlarna, för jag hade ingen aning. "Antagligen. Familjen Padgitt håller sig nära sin mark."

Han begrundade detta en stund. Han var mager och hopsjunken som en gammal man. Om jag mindes rätt var han tjugofem år vid tiden för rättegången. Vi var ungefär jämnåriga, fast han verkade dubbelt så gammal. Jag hade hört historien om hans sjukdom – någon skada på ett sågverk.

"Skrämmer det er?" frågade jag.

Han log och sade: "Ingenting skrämmer mig, mr Traynor. Herren är min herde."

"Ja, det är han", sade jag, fortfarande varm om hjärtat efter predikningen. Lennys fysiska tillstånd och rullstolen gjorde att det var svårt att tyda hans ansiktsuttryck. Han hade utstått så mycket. Hans tro var stark, men jag tyckte för ett ögonblick att jag såg en skymt av ängslan.

Mr Fargarson kom gående mot oss.

"Kommer ni att vara där när han släpps?" frågade Lenny.

"Jag skulle vilja vara det, men jag vet inte riktigt hur det går till."

"Kan ni ringa till mig när ni vet att han är fri?"

"Naturligtvis."

Mrs Fargarson hade en grytstek i ugnen till söndagslunchen, och hon godtog inte ett nej tack. Jag var plötsligt hungrig och det fanns som vanligt ingenting som var ens en aning smakligt i Hocutt House. Söndagslunchen brukade vara en smörgås och ett glas vin på sidoverandan, följt av en lång siesta.

Lenny bodde hos sina föräldrar vid en landsväg tre kilometer från kyrkan. Hans far var lantbrevbärare, hans mor lärarinna. En äldre syster bodde i Tupelo. Över stek och potatis och te nästan lika sött som miss Callies återupplevde vi Kassellawrättegången och Padgitts första benådningsprövning. Lenny var kanske oberörd av att Danny kunde bli frigiven, men hans föräldrar var mycket bekymrade.

35

Stora nyheter nådde Clanton på våren 1978. Bargain City var på väg! Bargain City var i likhet med McDonald's och de snabbmatssyltor som följde dem genom landet en landsomfattande kedja som spred sig genom Söderns småstäder. Större delen av staden jublade. En del av oss ansåg emellertid att detta var början till slutet.

Bolaget betvingade världen med sina rabattvaruhus av lådmodell som erbjöd allt till låga priser. Varuhusen var rymliga och rena och innehöll matserveringar, apotek och banker, till och med optiker och resebyråer. En småstad utan en Bargain City var betydelselös och ointressant.

De skaffade förköpsrätt till femtio tunnland vid Market Street, ungefär en och en halv kilometer från stora torget. En del grannar protesterade och kommunfullmäktige höll ett offentligt möte där det avhandlades om man skulle tillåta anläggningen. Bargain City hade stött på motstånd tidigare, och hade en väloljad och mycket effektiv strategi.

Sammanträdessalen var full av folk med rödvita Bargain City-skyltar – BARGAIN CITY – EN GOD GRANNE och VI VILL HA JOBB. Ingenjörer, arkitekter, advokater och byggmästare var där med sina sekreterare och fruar och barn. Deras talesman målade upp en ljus bild av ekonomisk tillväxt, varuskatteintäkter, etthundrafemtio arbetstillfällen för folk på orten, och de bästa produkterna till de lägsta priserna.

Mrs Dorothy Hockett opponerade sig. Hennes fastighet låg intill platsen och hon ville inte störas av buller och ljus. Stadsfullmäktige verkade förstående, men beslutet hade fattats för länge sedan. När ingen annan ville protestera mot Bargain City, reste jag mig och gick fram till podiet.

Jag drevs av övertygelsen att om vi ville behålla Clantons centrum, måste vi skydda butikerna, serveringarna och kontoren runt torget. Om vi började sprida oss utåt, skulle det aldrig ta slut. Staden skulle sprida sig i ett dussin riktningar som var och en tog med sig sin lilla bit av det gamla Clanton.

Flertalet av de arbetstillfällen de utlovade skulle ge lägsta tänkbara lön. Ökningen av stadens skatteintäkter på försäljningen skulle ske på bekostnad av de småbutiker som Bargain City snabbt skulle ruinera. Invånarna i Ford County skulle inte vakna upp en dag och plötsligt börja köpa fler cyklar och kylskåp bara för att Bargain City hade så snygga skyltningar.

Jag nämnde staden Titus, ungefär en timmes bilresa söderut från Clanton. Bargain City hade etablerat sig där två år tidigare. Sedan dess hade fjorton butiker och en matservering lagts ner. Huvudgatan var nästan övergiven.

Jag nämnde staden Marshall i deltat. Under de tre åren sedan Bargain City invigdes hade småföretagarna i Marshall lagt ner två apotek, två små varuhus, foderbutiken, järnhandeln, en dambutik, en presentbutik, en liten bokhandel och två serveringar. Jag hade ätit lunch på den återstående serveringen och servitrisen, som hade arbetat där i trettio år, sade att omsättningen hade sjunkit till mindre än hälften. Stora torget i Marshall liknade det i Clanton, med den skillnaden att de flesta parkeringsplatserna var tomma. Mycket få människor syntes på trottoarerna.

Jag nämnde staden Tackerville, med samma invånarantal som Clanton. Ett år efter det att Bargain City kommit dit tvingades staden satsa 1,2 miljoner dollar på vägförbättringar för att klara trafiken runt anläggningen.

Jag gav borgmästaren och kommunfullmäktige kopior av en undersökning gjord av en ekonomiprofessor vid University of Georgia. Han hade granskat Bargain Citys framfart i sydstaterna de senaste sex åren och utvärderat de ekonomiska och sociala effekter som bolaget givit upphov till i städer med färre än tiotusen invånare. Varuskatteintäkterna hade förblivit ungefär desamma; försäljningen hade helt enkelt flyttats från de gamla butikerna till Bargain City. Antalet anställningstillfällen var ungefär detsamma; expediterna i de gamla butikerna i centrum ersattes av de nya i Bargain City. Bolaget gjorde inga betydande investeringar i kommunen, frånsett marken och byggnaden. I själva verket placerade de inte ens sina pengar i lokala banker. Vid midnatt varje natt överfördes dagens intäkter telegrafiskt till huvudkontoret i Gainesville i Florida.

Undersökningen konstaterade att utvidgning uppenbarligen var bra för Bargain Citys aktieägare, men den var ekonomiskt förödande för flertalet småstäder. Och den verkliga skadan var av kulturell art. De igenspikade butikerna och tomma trottoarerna gjorde att det mångskiftande stadslivet på huvudgator och torg snabbt dog bort.

En skrivelse till stöd för Bargain City hade 480 namn. Vår motskrivelse hade 12. Kommunfullmäktige röstade enhälligt, 5-0, för att godkänna etableringen.

Jag skrev en ilsken ledare och fick under en månad läsa otrevliga brev adresserade till mig. För första gången kallades jag "trädkramare".

Inom en månad hade bandschaktarna totalt rensat de femtio tunnlanden. Trottoarkanter och rännstenar fanns på plats, och det meddelades att det skulle bli stor invigning den 1 december, lagom till jul. När pengarna hade satsats dröjde Bargain City inte med att bygga sitt köpcentrum. Bolaget hade rykte om sig för slug och beslutsam ledning.

Byggnaden och dess parkeringsplats omfattade ungefär tjugo tunnland. Sidoområdena såldes snabbt till andra kedjor, och snart hade staden godkänt uppförandet av ett snabbtankställe med sexton pumpar, en närbutik, tre snabbmatserveringar, en skoaffär av lågpristyp, ett rabattmöbelvaruhus och ett stort snabbköp.

Jag kunde inte neka Bargain City att annonsera. Jag behövde inte deras pengar; men eftersom The Ford County Times var den enda tidningen med täckning i hela länet måste de annonsera i den. (Som svar på ett bråk om stadsplanering som jag satte igång 1977 hade en liten högervriden tidning som kallades Clanton Chronicle startats, men den måste kämpa för sin överlevnad.)

I mitten av november träffade jag en representant för bolaget och vi lade upp en serie ganska dyra annonser inför invigningen. Jag tog så mycket betalt jag möjligtvis kunde; de klagade inte.

Den 1 december klipptes bandet av borgmästaren, senator Morton och andra dignitärer. En larmande hop trängde in genom dörrarna och började köpa saker som om den hungrige hittat mat. Det blev trafikstockningar på vägarna in till staden.

Jag vägrade att slå upp det på första sidan. Jag gömde en liten notis på sidan sju, och detta upprörde borgmästaren och senator Morton och de övriga dignitärerna. De hade förväntat sig att få sin bandklippning i tryck överallt.

Julen blev hård för butikerna i centrum. Tre dagar efter jul rapporterades det första offret när den gamla butiken Western Auto meddelade att den skulle läggas ner. Den hade funnits på samma plats i fyrtio år och sålt cyklar och hushållsapparater och TV. Ägaren, mr Hollis Barr, berättade för mig att en viss TV från Zenith kostade honom 438 dollar, och att han efter flera prissänkningar försökte sälja den för 510 dollar. Samma modell såldes på Bargain City för 399 dollar.

Nedläggningen av Western Auto var naturligtvis en förstasidesnyhet.

Den följdes i januari av stängningen av Swains apotek intill Tea Shoppe, och sedan Maggie's Gifts intill mr Mitlos herrekipering. Jag behandlade varje nedläggning som om det vore ett dödsfall, och mina artiklar hade drag av dödsrunor.

Jag tillbringade en eftermiddag hos tvillingarna Stukes i deras järnhandel. Det var ett underbart gammalt hus med dammiga trägolv, sviktande hyllor med miljoner småsaker, en vedkamin längst in där allvarliga ämnen avhandlades när det var ont om kunder. Man kunde inte själv hitta någonting i butiken, och det var inte heller meningen. Man skulle fråga en av tvillingarna om "den där lilla platta grejen som man skruvar in i brickan i änden av den där pinnen som går in i manicken som gör att det spolar i toaletten". En av tvillingarna försvann in i de obetydligt ordnade högarna med skräp och uppenbarade sig igen efter några minuter med det som behövdes för att få toaletten att spola. En sådan fråga kunde inte ställas i Bargain City.

Vi satt vid kaminen en kall vinterdag och lyssnade på en gormande herre vid namn Cecil Clyde Poole, en pensionerad armémajor som om han fick sköta utrikespolitiken skulle atombomba alla utom kanadensarna. Han skulle också atombomba Bargain City, och han använde något av det råaste, mest färgstarka språk jag hört när han entusiastiskt angrep och slet sönder bolaget. Vi hade gott om tid att prata eftersom det nästan inte fanns några kunder. En av tvillingarna sade till mig att omsättningen hade sjunkit med sjuttio procent.

Månaden därefter stängde de butiken som deras far hade öppnat 1922. Jag tryckte på första sidan ett fotografi av grundaren sittande bakom disken 1938. Jag skrev också ännu en ledare, ett slags "vad-var-det-jag-sade" för att påminna dem där ute som fortfarande läste mina tirader.

"Du predikar för mycket", sade Harry Rex gång på gång. "Och ingen lyssnar."

Det fanns sällan någon i tidningens reception. Där fanns några bord med det senaste numret kringströdda. Där fanns en disk där Margaret ibland ritade upp annonser. Dörrklockan pinglade hela dagarna när folk kom och gick. Ungefär en gång i veckan tog sig en främmande person uppför trappan till mitt arbetsrum vars dörr brukade vara öppen. Oftast var det någon sörjande anförvant som kom för att diskutera en kommande dödsruna.

Jag tittade upp en eftermiddag i mars 1979 och fann att en herre i snygg kostym stod i dörren. Till skillnad från Harry Rex, vars entré började ute på gatan och kunde höras av alla i huset, hade den här karln gått ljudlöst uppför trappan.

Han hette Gary McGrew, en konsult från Nashville som specialiserade sig på småstadstidningar. Medan jag gjorde iordning litet kaffe förklarade han att han hade en klient med ganska goda ekonomiska tillgångar som planerade att köpa flera tidningar i Mississippi under 1979. Eftersom jag hade sjutusen prenumeranter, inga skulder och en offsetpress, och eftersom vi nu också tryckte sex mindre veckotidningar, plus våra egna inköpsguider, var hans klient mycket intresserad av att köpa The Ford County Times.

"Hur intresserad?" frågade jag.

"Ytterst. Om vi fick titta i era räkenskaper skulle vi kunna göra en värdering av ert bolag."

Han gick, och jag ringde några telefonsamtal för att få hans trovärdighet bekräftad. Han var vad han påstod sig vara, och jag samlade ihop mina aktuella ekonomiska siffror. Tre dagar senare träffades vi igen, den här gången på kvällstid. Jag ville inte att Wiley eller Baggy eller någon annan skulle finnas där. Nyheten att Times skulle byta ägare vore så hett skvaller att man skulle tvingas öppna serveringarna klockan tre på morgonen istället för fem.

McGrew tuggade siffror som en erfaren analytiker. Jag väntade, märkligt nervös, som om utslaget drastiskt skulle kunna förändra mitt liv.

"Ni tjänar hundratusen efter skatt, plus att ni tar femtiotusen i lön. Värdeminskningen är ytterligare tjugo, inga räntor eftersom ni inte har några skulder. Det blir etthundrasjuttio i kassaflöde, gånger standardmultipeln sex, totalt en miljon tjugotusen."

"Och huset?" frågade jag.

Han såg sig omkring som om taket skulle kunna falla ner när som helst. "Såna här ställen brukar inte ge så mycket."

"Hundratusen", sade jag.

"För all del. Och hundratusen för offsetpressen och annan utrustning. Det totala värdet ligger någonstans i trakten av en komma två miljoner."

"Är det ett erbjudande?" frågade jag, ännu mer nervöst.

"Kanske. Jag måste diskutera det med min klient."

Jag tänkte inte sälja tidningen. Jag hade hamnat i branschen av en slump, haft litet tur, arbetade hårt med att skriva artiklar och dödsrunor och sälja annonsplats, och nu, nio år senare, var mitt lilla bolag värt drygt en miljon dollar.

Jag var ung och fortfarande ensamstående, fast jag var trött på att vara ensam och leva ensam i en herrgård med tre överblivna Hocuttkatter som vägrade att dö. Jag hade accepterat faktum att jag inte skulle hitta en hustru i Ford County. Alla de som var bra försvann från marknaden före tjugoårsdagen, och jag var för gammal för att konkurrera på den nivån. Jag umgicks med alla de unga frånskilda damerna som mestadels var snabba att hoppa i säng och vakna i mitt fina hus och drömma om att göra av med alla pengar som det ryktades att jag tjänade. Den enda som jag verkligen tyckte om, och sällskapade med av och till under ett år, var betungad med tre små barn.

Men det är lustigt vad en miljon dollar kan göra med en. När de väl hade kommit in i bilden fanns de aldrig långt borta i tankarna. Arbetet blev tråkigare. Jag började avsky de idiotiska dödsrunorna och den ständiga pressen från lämningstiderna. Jag sade mig minst en gång varje dag att jag inte längre behövde slita med att sälja annonsplats. Jag kunde sluta skriva ledare. Inga fler otrevliga brev till redaktören.

En vecka senare sade jag till Gary McGrew att The Ford County Times inte var till salu. Han sade att hans klient hade bestämt sig för att köpa tre tidningar före årets slut, så jag hade tid att tänka på saken.

Märkligt nog läckte aldrig ett ord ut om våra samtal.

36

En torsdagseftermiddag i början av maj fick jag ett telefonsamtal från prövningsnämndens jurist. Nästa benådningsprövning skulle ske på måndagen.

"Ni har valt en fin tidpunkt."

"Hurså?" frågade han.

"Vi ger ut tidningen på onsdagar, så jag hinner inte trycka en artikel före sammanträdet."

"Vi läser inte er tidning, mr Traynor", sade han.

"Det tror jag inte på", fräste jag.

"Vad ni tror är ointressant. Nämnden har beslutat att ni inte tillåts närvara vid prövningen. Ni bröt mot våra regler förra gången genom att skriva om vad som hände."

"Är jag portförbjuden?"

"Det stämmer."

"Jag kommer i alla fall."

Jag lade på luren och ringde till sheriff McNatt. Han hade också informerats om benådningsprövningen, men han visste inte om han kunde komma. Han letade efter ett försvunnet barn (från Wisconsin) och det var uppenbart att han inte var särskilt intresserad av att ha med familjen Padgitt att göra.

Vår allmänne åklagare, Rufus Buckley, hade en rättegång för väpnat rån i Van Buren County på måndagen. Han lovade att skicka ett brev som protesterade mot en frigivning, men brevet hann inte fram i tid. Tingsdomare Omar Noose skulle döma i samma rättegång, så han slapp. Jag började tro att ingen skulle komma och protestera mot frigivningen av Padgitt.

På skoj bad jag Baggy att åka dit. Han drog efter andan och släppte sedan snabbt loss en flod av undanflykter.

Jag gick till Harry Rex och berättade nyheten. Han hade en otrevlig skilsmässorättegång som började i Tupelo på måndagen; annars skulle han ha följt med mig till Parchman. "Grabben kommer att bli frisläppt, Willie", sade han.

"Vi satte stopp för det förra året", sade jag.

"När benådningsprövningarna har börjat är det bara en fråga om tid."

"Men någon måste kämpa emot det."

"Varför besvära sig? Han kommer ut förr eller senare. Varför göra familjen Padgitt förbannad? Du kommer inte att få några frivilliga."

Frivilliga var verkligen svåra att hitta när hela staden tog betäckning. Jag hade föreställt mig en rasande folkmassa som trängde sig in på mötet och störde förhandlingarna.

Min rasande folkmassa bestod av tre personer.

Wiley Meek gick med på att följa med mig, fast han inte var intresserad av att säga något. Om de menade allvar med att inte släppa in mig i lokalen, skulle han gå in och berätta för mig efteråt. Sheriff McNatt överraskade oss genom att komma.

Bevakningen var hård utanför prövningsnämndens rum. Nämndens jurist blev ilsken när han såg mig, och vi hade en ordväxling. Jag var omgiven av uniformerade vakter. Jag var i minoritet och obeväpnad. Jag fördes ut ur byggnaden och placerades i min bil, varefter jag bevakades av två bredaxlade råskinn med låg intelligens.

Enligt Wiley gick nämndens prövning som ett urverk. Lucien var där tillsammans med diverse medlemmar av familjen Padgitt. Nämndens jurist läste upp en fängelserapport som fick Danny att framstå som en scout. Hans socialhandläggare understödde rekommendationen. Lucien pratade i tio minuter, det vanliga juristtramset. Dannys far talade sist och vädjade känslosamt för sin sons frigivning. Man hade förtvivlat behov av honom hemma, där familjen hade stora intressen i virke, grus, asfalt, transporter, byggverksamhet och frakt. Han skulle få så många sysslor och arbeta så många timmar i veckan att han inte hade en möjlighet att råka ut för fler problem.

Sheriff McNatt kämpade modigt för invånarna i Ford County. Han var nervös och en dålig talare, men han beskrev brottet på ett trovärdigt sätt. Märkligt nog glömde han att erinra nämndens ledamöter om att en jury hämtad ur samma krets människor som valt honom hade hotats av Danny Padgitt.

Danny Padgitt beviljades nåd med fyra röster mot en.

Clanton var milt besviken. Under rättegången var staden ordentligt blodtörstig och blev förbittrad när juryn inte utdömde dödsstraff. Men nio år hade gått, och efter benådningsprövningen hade det accepterats att Danny Padgitt med tiden skulle bli frigiven. Ingen förväntade sig att det skulle ske så snart, men efter sammanträdet hade vi kommit över chocken.

Hans frigivning påverkades av två ovanliga faktorer. Den första var att Rhoda Kassellaw inte hade någon släkt i trakten. Det fanns inga sörjande föräldrar som väckte medlidande och krävde rättvisa. Det fanns inga upprörda syskon som kunde hålla fallet levande. Hennes barn var borta och glömda. Hon hade levt ett ensamt liv och efterlämnade inga nära vänner som kunde bära på agg till mördaren.

Den andra var att familjen Padgitt levde i en annan värld. De sågs så sällan ute bland folk att det inte var svårt att övertyga oss om att Danny helt enkelt skulle bege sig till ön och aldrig ses igen. Vad gjorde det för skillnad för invånarna i Ford County? Fängelse eller Padgitt Island? Om vi aldrig såg honom, skulle vi inte bli påminda om hans brott. Under de nio åren sedan rättegången hade jag inte sett en enda medlem av familjen Padgitt i Clanton. I min ganska skarpa ledare om hans frigivning skrev jag: "En kallblodig mördare finns återigen mitt ibland oss." Men det var egentligen inte sant.

Artikeln på första sidan och ledaren resulterade inte i ett enda brev från läsarna. Folk pratade om frigivningen, men inte länge och inte särskilt högljutt.

Baggy smög sig in i mitt arbetsrum sent en förmiddag en vecka efter Padgitts frigivning och stängde dörren efter sig, alltid ett gott tecken. Han hade hört skvaller som var så saftigt att det måste vidarebefordras med dörren stängd.

En normal dag kom jag till arbetet vid elvatiden. Och en normal dag började han dricka vid lunchtid, så vi brukade ha ungefär en timme på oss att diskutera artiklar och bevaka rykten.

Han såg sig omkring som om det fanns mikrofoner i väggarna och sade sedan: "Det kostade familjen Padgitt hundratusen att få loss grabben."

Summan chockade mig inte, inte heller mutan i sig, men det överraskade mig att Baggy hade snokat fram den upplysningen.

"Nej", sade jag. Det lockade honom alltid att berätta mer.

"Det är vad jag säger", sade han självbelåtet, hans vanliga reaktion när han hade en stor nyhet.

"Vem fick pengarna?"

"Det är det finaste. Du kommer inte att tro mig."

"Vem?"

"Du kommer att bli chockad."

"Vem?"

Han genomförde långsamt sin utdragna ritual med cigarrettändningen. De första åren satt jag som på nålar när han drog ut på de dramatiska informationer han hade luskat fram, men erfarenheten hade lärt mig att det bara försinkade berättandet. Så jag återgick till mitt skrivande.

"Det borde komma som en överraskning, antar jag", sade han och blossade tankfullt. "Mig förvånade det inte alls."

"Tänker du berätta det eller inte?"

"Theo."

"Senator Morton?"

"Det är vad jag säger."

Jag blev tillräckligt chockad, och jag måste visa det, annars skulle luften gå ur historien. "Theo?" frågade jag.

"Han är vice ordförande i senatens kriminalvårdsutskott. Har suttit där i evigheter, vet vilka trådar han ska dra i. Han ville ha hundratusen, familjen Padgitt ville betala det, de gjorde ett avtal, grabben går fri. Svårare var det inte."

"Jag trodde att Theo var höjd över alla mutor", sade jag, och jag menade det. Detta frambringade en överdriven fnysning.

"Var inte så naiv", sade han. Återigen visste han allt.

"Var har du hört det?"

"Kan inte säga det." Det var möjligt att hans pokergäng hade kokat ihop ryktet för att se hur snabbt det kunde löpa runt torget och komma tillbaka till dem. Men det var lika möjligt att Baggy var något på spåren. Fast det spelade egentligen ingen roll. Kontanter kan inte spåras.

Precis när jag hade slutat drömma om en tidig pensionering, om att plocka ut pengarna, ge mig iväg, flyga till Europa och fotvandra genom Australien, precis när jag hade återgått till mitt vardagliga arbete med att skriva artiklar och dödsrunor och sälja annonsplats till alla handlare i staden, dök mr Gary McGrew återigen upp i mitt liv. Och han hade sin klient med sig.

Ray Noble var en av de tre huvudmännen för ett bolag som redan ägde trettio veckotidningar i den djupa södern och ville skaffa sig fler. I likhet med min studiekamrat Nick Diener hade han växt upp i en tidningsägarfamilj och kunde tidningsspråket. Han fick mig att svära på att hålla tyst och framlade sedan sin plan. Hans bolag ville köpa Times tillsammans med tidningarna i Tyler County och Van Buren County. De skulle göra sig av med tryckutrustningen på de båda andra och trycka allt i Clanton, eftersom vi hade en bättre tryckpress. De skulle slå samman bokföringsavdelningarna och en stor del av annonsarbetet. Deras erbjudande om 1,2 miljoner hade legat i övre änden av värderingen.

De erbjöd nu 1,3 miljoner. Kontant.

"Efter skatt kommer ni att ha en hel miljon på fickan", sade Noble.

"Jag kan räkna", sade jag, som om jag gjorde sådana affärer varje vecka. Orden "en hel miljon" genljöd i hela min kropp.

De tryckte på litet. Bud hade lämnats på de båda andra tidningarna, och jag fick en känsla av att affären inte riktigt utvecklades som de önskade. Nyckeln var The Ford County Times. Vi hade bättre utrustning och litet större upplaga.

Jag tackade nej igen och de gick; vi visste alla tre att det inte var vårt sista samtal.

Elva år efter det att Sam Ruffin flydde från Ford County återkom han ungefär likadant som han gav sig iväg – med buss mitt i natten. Han hade varit hemma i två dagar innan jag fick veta det. Jag kom för att äta min torsdagslunch och där satt Sam och gungade på verandan, med ett leende lika brett som sin mors. Miss Callie såg ut och uppträdde som om hon vore tio år yngre nu när han var hemma igen. Hon stekte en kyckling och tillagade alla grönsaker i trädgården. Esau kom hem och vi festade i tre timmar.

Sam hade nu en universitetsexamen på meritlistan och planerade att studera juridik. Han hade nästan gift sig med en kanadensiska, men hennes familjs hårda motstånd satte stopp för det. Miss Callie blev ganska lättad när hon hörde om brytningen. Sam hade inte nämnt kärlekshistorien i breven till sin mor.

Han tänkte stanna några dagar i Clanton, mycket nära hemmet, och våga sig ut i Lowtown bara på nätterna. Jag lovade prata med Harry Rex, höra mig för och se vad jag kunde få fram om polisinspektör Durant och hans söner. I tillkännagivandena som vi tryckte hade jag sett att Durant hade gift om sig och sedan skilt sig igen.

Han ville se staden, så sent den eftermiddagen hämtade jag honom med min Spitfire. Han dolde sig under en baseboll-mössa från Detroit Tigers när han besåg den lilla stad som han fortfarande kallade sitt hem. Jag visade honom redaktionen, mitt hus, Bargain City och de nya bostadsområdena väster om staden. Vi körde runt tingshuset och jag berättade om krypskytten och Baggys dramatiska flykt. Mycket av det hade han hört om i brev från miss Callie.

När jag släppte av honom utanför hans hem frågade han: "Har Padgitt verkligen blivit frigiven?"

"Ingen har sett honom", sade jag. "Men jag är säker på att han är hemma igen."

"Tror du det blir bråk?"

"Inte egentligen."

"Inte jag heller. Men jag kan inte övertyga mamma."

"Ingenting kommer att hända, Sam."

37

D en ensamma kula som dödade Lenny Fargarson avfyrades från ett jaktgevär med kaliber 30,06. Mördaren kunde ha befunnit sig så långt som tvåhundra meter från verandan där Lenny dog. Tät skog började strax bortom den stora gräsplanen runt huset, och det var mycket möjligt att den som sköt hade klättrat upp i ett träd och från sitt gömställe hade perfekt sikt mot stackars Lenny.

Ingen hörde skottet. Lenny satt i sin rullstol på verandan och läste en av de många böcker han varje vecka lånade på biblioteket i Clanton. Hans far var och delade ut post. Hans mor gjorde inköp på Bargain City. Med all säkerhet kände Lenny ingen smärta och avled omedelbart. Kulan träffade höger sida av huvudet, strax ovanför käken, och slog upp ett stort utgångshål ovanför vänster öra.

När hans mor hittade honom hade han varit död ganska länge. Hon lyckades på något sätt behärska sig och avhålla sig från att röra vid hans kropp eller något däromkring. Det fanns blod överallt på verandan, det till och med droppade nerför trappan.

Wiley hörde larmet i sin polisradio. Han ringde mig med det isande meddelandet: "Det har börjat. Fargarson, den handikappade grabben, är död."

Wiley tog en omväg till redaktionen. Jag hoppade in i hans pickup och vi for iväg till brottsplatsen. Ingen av oss sade något, men vi tänkte på samma sak.

Lenny var kvar på verandan. Kulan hade knuffat honom ur rullstolen och han låg på sidan med ansiktet mot huset. Sheriff McNatt bad oss att inte ta några bilder, och vi gick gärna med på det. Tidningen skulle ändå inte ha använt dem.

Vänner och släktingar anlände och skickades av poliserna till en bakdörr. McNatt lät sina män skymma kroppen på verandan. Jag drog mig tillbaka och försökte få grepp om den förfärliga scenen – poliser som stod runt Lenny medan de som älskade honom försökte uppfånga en skymt av honom när de skyndade in i huset för att trösta hans föräldrar.

När kroppen slutligen lyftes upp på en bår och rullades in i en ambulans kom sheriff McNatt över och lutade sig mot pickupen intill mig.

"Tänker du samma som jag?" frågade han.

"Ja."

"Kan du ordna en lista över jurymedlemmarna?"

Jag hade aldrig publicerat namnen på jurymedlemmarna, men jag hade uppgifterna i en gammal arkivmapp. "Visst", sade jag.

"Hur lång tid tar det?" frågade han.

"En timme. Vad tänker du göra?"

"Vi måste meddela dem."

När vi körde därifrån började poliserna genomsöka den täta skogen runt Fargarsons hus.

Jag tog med mig listan till sheriffens kontor, och vi gick tillsammans igenom den. 1977 hade jag skrivit en dödsruna över jurymedlem nummer fem, mr Fred Bilroy, en pensionerad skogvaktare som plötsligt avlidit av lunginflammation. Såvitt jag visste levde de övriga fortfarande.

McNatt lämnade listan till tre av sina poliser. De gav sig iväg för att meddela en nyhet som ingen ville höra. Jag anmälde mig som frivillig att kontakta Callie Ruffin.

Hon satt på verandan och såg på när Esau och Sam utkämpade ett parti dam. De blev förtjusta när de såg mig, men stämningen förändrades snabbt. "Jag har oroande nyheter, miss Callie", sade jag allvarligt. De väntade.

"Lenny Fargarson, den där handikappade pojken som satt i juryn tillsammans med er, mördades i eftermiddags."

Hon förde handen till munnen och sjönk tillbaka i sin gungstol. Sam rätade upp henne litet och klappade henne sedan på axeln. Jag beskrev kortfattat vad som hade hänt.

"Han var en så god kristen pojke", sade miss Callie. "Vi bad tillsammans innan vi började överläggningarna." Hon grät inte, men det var nära. Esau gick för att hämta ett blodtryckspiller åt henne. Han och Sam satt vid hennes gungstol medan jag satt i hammocken. Vi satt tätt tillsammans på den lilla verandan, och en lång stund sade ingen någonting. Miss Callie försjönk länge i tankar.

Det var en ljum vårkväll under en halvmåne, och i Lowtown cyklade barn omkring, grannar pratade över sina staket, en ljudlig basketbollmatch pågick längre ner på gatan. Ett gäng tonåringar blev förälskade i min Spitfire, och Sam jagade slutligen bort dem. Jag hade bara varit där en enda gång tidigare efter mörkrets inbrott. "Är det så här alla kvällar?" frågade jag slutligen.

"Ja, när det är vackert väder", sade Sam, som gärna ville prata. "Det var ett underbart ställe att växa upp på. Alla känner alla. När jag var nio år slog jag sönder vindrutan på en bil med en baseboll. Jag rusade raka vägen hem, och när jag kom hit stod mamma på verandan. Hon visste allt. Jag måste gå tillbaka till brottsplatsen, erkänna och lova att betala full ersättning."

"Och det gjorde du", sade Esau.

"Det tog mig ett halvår att arbeta och spara ihop etthundratjugo dollar."

Miss Callie log nästan vid minnet, men hon var helt upptagen av Lenny Fargarson. Trots att hon inte hade sett honom på nio år, mindes hon honom med värme. Hans död gjorde henne djupt sorgsen, men det var också skrämmande.

Esau bryggde te med citron, och när han återkom från husets inre ställde han snabbt en dubbelpipig hagelbössa bakom gungstolen, inom räckhåll för honom men där hon inte kunde se den.

Allt eftersom timmarna gick glesnade det på trottoarerna och grannarna gick in till sig. Jag ansåg att miss Callie skulle vara ett mycket svårträffat mål om hon stannade hemma. Det fanns hus på båda sidor och på andra sidan gatan. Det fanns inga höjder eller torn eller ödetomter inom synhåll.

Jag nämnde inte detta, men jag var övertygad om att Sam och Esau tänkte likadant. När det var sängdags för henne sade jag godnatt och körde tillbaka till fängelset. Det vimlade av poliser och var fyllt av den festästämning som bara ett fint mord kunde ge. Jag kunde inte låta bli att erinra mig natten när Danny Padgitt greps och fördes in med blod på skjortan.

Bara två av jurymedlemmarna hade inte hittats. Båda hade flyttat, och sheriff McNatt försökte spåra dem. Han frågade om miss Callie och jag sade att hon var i säkerhet. Jag sade inte att Sam hade kommit hem.

Han stängde dörren till sitt kontor och sade att han ville be mig om en tjänst. "Kan du prata med Lucien Wilbanks i morgon?"

"Varför just jag?"

"Nja, jag skulle kunna göra det, men jag avskyr den skiten och han tycker likadant om mig."

"Alla avskyr Lucien", sade jag.

"Utom..."

"Utom... Harry Rex?"

"Harry Rex. Skulle inte du och Harry Rex kunna prata med Lucien? Se om han skulle kunna vara mellanhand mellan oss och familjen Padgitt? Någon gång måste jag ju prata med Danny, inte sant?"

"Jag antar det. Det är du som är sheriff."

"Prata bara litet med Lucien Wilbanks, det är allt jag begär. Hör efter hur han ser på det. Om det går bra kanske jag kan kontakta honom. Det är något annat om sheriffen omedelbart kommer stövlande."

"Jag skulle hellre få en omgång av en oxpiska", sade jag, och jag skämtade inte.

"Men gör du det?"

"Jag ska sova på saken."

Harry Rex var inte heller särskilt entusiastisk. Varför skulle vi båda bli inblandade? Vi utbytte åsikter över en tidig frukost på kaféet, en ovanlig frukost för oss, men vi ville inte gå miste om den första stormfloden av stadsskvaller. Föga förvånande var lokalen full av ivriga experter som upprepade alla slags detaljinformationer och teorier om mordet på Fargarson. Vi lyssnade mer än vi pratade och gick ungefär halv nio.

Wilbanks Building låg två hus från kaféet. När vi kom förbi det sade jag: "Nu gör vi det."

Före Lucien hade familjen Wilbanks varit en hörnsten i Clantons societet, i affärsverksamheterna och rättsskipningen. Under det föregående århundradets gyllene år ägde de mark och banker, och alla männen i familjen hade studerat juridik, en del vid de finaste skolorna på östkusten. Men de hade varit på väg utför i många år. Lucien var den siste i släkten Wilbanks av någon betydelse, och det fanns stora möjligheter att han skulle bli utesluten ur advokatsamfundet.

Hans gamla sekreterare Ethel Twitty tog ohövligt emot oss och nästan fräste åt Harry Rex, som mumlade till mig: "Värsta häxan i stan." Jag tror att hon hörde honom. Det var uppenbart att de hade varit i luven på varandra i många år. Hennes chef var där. Vad ville vi?

"Vi vill prata med Lucien", sade Harry Rex. "Varför skulle vi annars vara här?" Hon ringde till honom medan vi väntade. "Jag har inte hela dagen på mig!" fräste Harry Rex till henne en gång.

"Varsågoda", sade hon, mest för att bli av med oss. Vi gick uppför trappan. Luciens rum var stort, minst tio meter brett och långt, med tre meters takhöjd och en rad franska fönster mot torget. Det låg på norra sidan, mittemot tidningen, med tingshuset mellan oss. Lyckligtvis kunde jag inte se Luciens balkong från min.

Han tog likgiltigt emot oss, som om vi hade stört honom i en lång, viktig meditation. Trots att det var tidigt på dagen gav hans skrivbord intryck av att tillhöra en man som arbetade hela nätterna. Han hade långt grånande hår som hängde ner i nacken, och ett omodernt pipskägg, och en drinkares trötta, rödsprängda ögon. "Vad handlar det om?" frågade han mycket långsamt. Vi stirrade på varandra och båda parter försökte uttrycka så mycket förakt som möjligt.

"Det var ett mord i går, Lucien", sade Harry Rex. "Lenny Fargarson, den där handikappade grabben i juryn."

"Jag utgår från att det här är inofficiellt", sade han åt mitt håll.

"Det är det", sade jag. "Totalt. Sheriff McNatt bad mig titta in och säga goddag. Jag bad Harry Rex följa med."

"Är det bara ett sällskapligt besök?"

"Kanske. Bara litet skvaller om mordet", sade jag.

"Jag vet vad som hänt", sade han.

"Har du pratat med Danny Padgitt på sista tiden?" frågade Harry Rex.

"Inte sedan han blev frigiven."

"Finns han här i länet?"

"Han är i delstaten. Jag vet inte riktigt var. Om han korsar delstatsgränsen utan tillstånd bryter han mot villkoren för frigivningen."

Varför kunde han inte bli frigiven i Wyoming, till exempel? Det verkade underligt att han skulle hålla sig i närheten av den plats där han begått sitt brott. Se till att han försvinner!

"Sheriff McNatt skulle vilja prata med honom", sade jag.

"Vill han? Vad har ni och jag med det att göra? Säg till sheriffen att prata med honom."

"Det är inte så enkelt, Lucien, och det vet du", sade Harry Rex.

"Har sheriffen några bevis mot min klient? Några vittnesmål? Har du någonsin hört talas om sannolika skäl, Harry Rex? Man kan inte bara gripa de vanliga misstänkta, eller hur? Det krävs litet mer än så."

"Jurymedlemmarna utsattes för ett direkt hot", sade jag.

"För nio år sedan."

"Det var ändå ett hot, och vi minns det allihop. Nu, två veckor efter det att han blev frigiven, är en av jurymedlemmarna död."

"Det räcker, grabbar. Visa mig mer så kanske jag pratar med min klient. Just nu finns det bara rena spekulationer. Massor av det, men den här stan översvämmas alltid av skvaller."

"Du vet väl inte var han är, Lucien?" frågade Harry Rex.

"Jag antar att han är på ön tillsammans med de andra." Han uttalade orden "de andra" som om de vore en hord råttor.

"Vad händer om en jurymedlem till blir skjuten?" frågade Harry Rex.

Lucien lät sitt anteckningsblock falla ner på skrivbordet och satte ner armbågarna på bordsskivan. "Vad ska jag göra, Harry Rex? Ringa till grabben och säga: 'Du, Danny, jag är säker på att du inte tar livet av dina jurymedlemmar, men om du av en händelse skulle göra det kan du väl vara en snäll kille och sluta med det.' Tror ni att han skulle lyssna på mig? Det här skulle aldrig ha hänt om den idioten hade lytt mitt råd. Jag tjatade om att han inte skulle vittna till sitt eget försvar. Visst, han är en idiot, Harry Rex! Du är advokat, Gud ska veta att du har haft idiotklienter. Man kan inte göra ett skit för att hålla dem i styr."

"Vad händer om en jurymedlem till blir skjuten?" upprepade Harry Rex.

"Då antar jag att en jurymedlem till dör."

Jag for upp på fötter och gick mot dörren. "Du är en pervers skit", sade jag.

"Inte ett ord av det här i tidningen", fräste han.

"Dra åt helvete!" skrek jag och slängde igen dörren.

Sent den eftermiddagen ringde mr Magargel från begravningsbyrån och frågade om jag kunde komma över. Mr och mrs Fargarson var där för att välja kista och bestämma om de sista detaljerna. Liksom många gånger tidigare träffade jag de sörjande i Rum C, det minsta likrummet. Det användes sällan.

Pastor J.B. Cooper från Maranatha Primitive Baptist Church var med dem, och han var ett helgon. De förlitade sig på honom för alla beslut.

Minst två gånger varje år träffade jag de efterlevande efter ett tragiskt dödsfall. Det var nästan alltid en bilolycka eller någon blodig olycka i jordbruket, något oväntat. Familjemedlemmarna var för chockade för att kunna tänka klart, för kränkta för att kunna fatta beslut. De starka gick bara som i sömnen genom det hela. De svaga var ofta för förlamade för att göra något annat än att gråta. Mrs Fargarson var den starkare av de båda, men det ohyggliga i att hitta sin son med halva huvudet bortskjutet hade förvandlat henne till en darrande vålnad. Mr Fargarson stirrade bara ner i golvet.

Pastor Cooper lockade försiktigt fram grundläggande informationer, som han till stor del redan kände till. Sedan sin ryggradsskada femton år tidigare hade Lenny längtat efter att få komma till himlen, om att få sin kropp helbrägdagjord, om att varje dag få vandra hand i hand med Frälsaren. Vi utarbetade en text i den riktningen, och mrs Fargarson var mycket tacksam. Hon gav mig ett fotografi där Lenny satt med ett metspö vid en damm. Jag lovade att sätta det på första sidan.

Som alltid med sörjande föräldrar tackade de mig översvallande och ville absolut krama mig hårt när jag försökte gå. Sörjande klamrar sig fast på det sättet vid människor, speciellt på begravningsbyrån.

Jag tittade in på Pepe's och köpte ett urval mexikanska

smårätter, sedan körde jag till Lowtown där jag fann Sam i färd med att spela baseboll medan miss Callie sov inne i huset och Esau bevakade huset med sitt gevär. Efter en stund åt vi ute på verandan, fast hon bara smakade litet på den utländska maten. Hon var inte hungrig. Esau sade att hon hade ätit litet på dagen.

Jag hade med mig mitt brädspel och lärde Sam spela det. Esau föredrog dam. Miss Callie var övertygad om att varje verksamhet som inbegrep tärningskast var definitivt syndig, men hon var inte uppe så hon kunde predika. Vi satt i timmar, långt in på natten, och följde Lowtowns ritualer. Skollovet hade just börjat, dagarna var längre och hetare.

Buster, min pitbullterrier på deltid, körde förbi varje halvtimme. Han saktade in utanför Ruffins hus, och om jag vinkade för att säga att allt var i sin ordning, körde han vidare till uppfarten till Hocutt House. En polisbil stannade två hus från Ruffins hem och stod länge där. Sheriff McNatt hade anställt tre svarta poliser, och två av dem hade fått i uppdrag att hålla ett öga på huset.

Andra vakade också. När miss Callie hade lagt sig pekade Esau över gatan mot den mörka, nätskyddade verandan där familjen Braxton bodde. "Tully är där borta", sade han. "Han håller ögonen på allting."

"Han sade till mig att han ska sitta uppe hela natten", sade Sam. Lowtown vore en farlig plats om man tänkte börja skjuta.

Jag gav mig därifrån efter elva, körde över järnvägsspåret och vidare på Clantons öde gator. Staden pulserade av spänning, av föraningar, för det som hade börjat var långtifrån över.

38

Miss Callie ville absolut närvara vid Lenny Fargarsons begravning. Sam och Esau protesterade energiskt, men som alltid var det slutdiskuterat när hon en gång hade bestämt sig. Jag tog upp det med sheriff McNatt, som sammanfattade det hela med att säga: "Hon är en vuxen dam." Han visste inte om några andra jurymedlemmar tänkte komma, men det var naturligtvis svårt att ta reda på sådant.

Jag ringde också till pastor Cooper för att förvarna honom. Han svar var: "Hon är mycket välkommen i vår lilla kyrka. Men kom hit i god tid."

Med sällsynta undantag höll svarta och vita inte gemensam gudstjänst i Ford County. De trodde intensivt på samma gud, men valde helt olika sätt att tillbe honom. Majoriteten av de vita förväntade sig att komma ut ur kyrkan fem över tolv på söndagen, och sitta vid lunchbordet halv ett. De svarta struntade egentligen i när gudstjänsten avslutades, eller för den delen när den inleddes. Under min rundtur bland kyrkorna besökte jag tjugosju svarta församlingar och var aldrig med om en tacksägelsebön före halv två – det vanliga var klockan tre. Flera gudstjänster pågick hela dagen, med kort avbrott för lunch i församlingshuset varefter man återvände till kyrksalen för ännu en omgång.

Den sortens nitälskan skulle ha tagit livet av en vit kristen.

Men begravningarna var helt annorlunda. När miss Callie kom in i Maranatha Primitive Baptist Church i sällskap med Sam och Esau, fick de några snabba blickar men inget mer.

Hade de kommit in en söndagsförmiddag för att delta i en vanlig gudstjänst, skulle de ha mötts av ogillande.

Vi kom tre kvart i förväg, och den underbara lilla kyrkan var nästan fullsatt. Jag såg ut genom de höga öppna fönstren på bilarna som hela tiden kom. En högtalare hade hängts upp i en av de gamla ekarna, och en stor folksamling bildades runt den när kyrkan blivit full. Kören började med "The Old Rugged Cross", och tårarna började rinna. Pastor Coopers tröstande budskap var en mild uppmaning till oss att inte fråga varför goda människor drabbades av ont. Gud styr alltid, och även om vi är för små för att förstå hans oändliga visdom och majestät, kommer han en dag att uppenbara sig för oss. Lenny var nu hos honom, och det var där Lenny längtat efter att få vara.

Han begravdes bakom kyrkan, på en mönstergill liten kyrkogård omgiven av smidesjärnstaket. Miss Callie grep min hand och bad ivrigt när kistan sänktes ner i jorden. En solosångerska sjöng "Amazing Grace", sedan tackade pastor Cooper oss för att vi kommit. Det serverades bål och kakor i församlingshuset bakom kyrkan och de flesta besökarna dröjde kvar en liten stund för att trösta och utbyta ett sista ord med paret Fargarson.

Sheriff McNatt fångade min blick och nickade som om han ville prata. Vi gick runt till kyrkans framsida där ingen kunde höra oss. Han var i uniform och hade den sedvanliga tandpetaren i munnen. "Gick det bra med Wilbanks?" frågade han.

"Nej, inte alls", sade jag. "Harry Rex försökte igen i går och kom ingenstans."

"Jag måste väl prata med honom", sade han.

"Det kan du göra, men du kommer ingen vart."

Tandpetaren förflyttades från ena mungipan till den andra, ungefär så som Harry Rex förflyttade sin cigarr utan att hoppa över ett ord. "Vi har inget annat. Vi har finkammat huset, inga som helst spår. Du tänker väl inte trycka det här?"

"Nej."

"Det finns en del gamla timmervägar långt inne i skogarna runt Fargarsons hus. Vi gick igenom varenda en av dem och hittade absolut ingenting."

"Så ditt enda bevis är en ensam kula."

"Och ett lik."

"Har någon sett Danny Padgitt?"

"Inte än. Jag har två bilar uppe på Highway 401, där den svänger in på ön. De kan inte se allt, men familjen Padgitt vet åtminstone att vi är där. Det finns hundratals vägar till och från ön, men bara de känner till alla."

Familjen Ruffin närmade sig oss långsamt i samspråk med en av de svarta poliserna.

"Hon är antagligen den som är säkrast", sade McNatt.

"Är någon säker?"

"Vi kommer att få veta det. Han kommer att försöka igen, Willie, tro mig. Jag är säker på det."

"Jag också."

Ned Ray Zook ägde fyratusen tunnland i länets östra del. Han odlade bomull och sojabönor, och verksamheten var så omfattande att han fick tillräcklig lönsamhet. Det ryktades att han var en av de få återstående bönderna som tjänade bra på jordbruket. Det var till hans marker, långt inne i ett skogsområde, i en ombyggd ladugård, som Harry Rex tagit mig nio år tidigare för att jag skulle få se min första och sista tuppfäktning.

Någon gång på småtimmarna den 14 juni tog sig en vandal in i Zooks stora maskinlada och tömde motorerna på två av hans stora traktorer på större delen av oljan. Oljan hälldes i kannor och gömdes bland utrustningen, så när traktorförarna kom vid sextiden för att inleda dagens arbete, syntes inga spår av sabotage. En traktorförare kontrollerade oljenivån som han förmodades göra, såg att den var för låg, tyckte det var underligt men sade inget utan fyllde på fyra liter. Den andre traktorföraren hade som han brukade kontrollerat sin traktor på eftermiddagen dagen innan. Den andra traktorn tvärstannade en timme senare när motorn skar ihop. Dess förare promenerade en och en halv kilometer tillbaka till maskinladan och rapporterade saken till förvaltaren.

Två timmar senare skumpade en gröngul servicebil fram på fältet och fram till den obrukbara traktorn. Två reparatörer klev långsamt ut, tittade på den heta solen och den molnfria himlen och gick sedan ett varv runt traktorn för en första titt. De öppnade motvilligt servicebilens lucka och började plocka ut verktyg. Solen brände och de svettades snart.

För att göra dagen litet trevligare satte de på radion och vred upp volymen. Merle Haggards röst ljöd över sojafältet.

Musiken dämpade ljudet av ett gevärsskott på långt håll. Kulan träffade Mo Teale mitt i ryggen, gick genom hans lungor och slet upp ett hål i hans bröst när den gick ut. Teales kollega, Red, sade gång på gång att det enda han hörde var en häftig grymtning någon sekund innan Mo föll ner under framaxeln. Han trodde först något i traktorn hade snärtat loss och skadat Mo. Red drog honom bort till servicebilen och for iväg, betydligt mer orolig för sin kamrat än för vad som kunde ha skadat honom. I maskinstallet ringde förvaltaren efter en ambulans, men det var för sent. Mo Teale dog där, på betonggolvet i ett litet dammigt kontorsrum. "Mr John Deere" hade vi kallat honom under rättegången. Mitt i främre raden, fientligt kroppsspråk.

När han dog bar han samma slags klargula uniformsskjorta som han burit varje dag under rättegången. Det gjorde honom till ett lätt mål.

Jag såg honom på avstånd, genom den öppna dörren. Sheriff McNatt släppte in oss i maskinladan med det nu rutinartade förbudet mot att fotografera. Wiley hade lämnat sina kameror i pickupen.

Återigen hade Wiley avlyssnat polisens radiotrafik när larmet kom – "Skottlossning på Ned Ray Zooks gård!" Wiley fanns alltid nära sin polisradio, och på den tiden var han inte ensam om det. Nervositeten i länet gjorde att varje polisradio var igång, och varje skottlossning var ett skäl att hoppa in i bilen och köra iväg för att titta.

McNatt bad oss snart ge oss iväg. Hans män hittade kannorna med oljan som vandalen hade hällt ut, och de hittade ett fönster som hade brutits upp så någon kunde ta sig in i ladan. De skulle söka efter fingeravtryck utan att hitta några. De skulle leta efter skoavtryck på grusgolvet utan att hitta några. De skulle genomsöka skogen runt sojafältet utan att hitta några spår av mördaren. På marken intill traktorn hittade de en kula med kalibern 30,06, och det konstaterades snabbt att den liknade den som dödat Lenny Fargarson.

Jag dröjde kvar vid sheriffens kontor till långt efter mörkrets inbrott. Som väntat var det fullt av folk, poliser och polisbiträden stod och hängde, utbytte historier, skapade nya informationer. Telefonerna ringde oavbrutet. Och det hade tillkommit något nytt. Invånare i staden som inte kunde behärska sin nyfikenhet började titta in och fråga alla som ville lyssna om det hade hänt något nytt.

Det hade det inte. McNatt barrikaderade sig på sitt rum med sina närmaste män och försökte bestämma sig för vad man skulle göra härnäst. Han måste först och främst skydda de överlevande åtta jurymedlemmarna. Tre var redan döda – mr Fred Bilroy (av lunginflammation), och nu Lenny Fargarson och Mo Teale. En jurymedlem hade flyttat till Florida två år efter rättegången. Just nu hade var och en av de åtta en polisbil stående mycket nära ytterdörren.

Jag gick därifrån till redaktionen för att skriva om mordet på Mo Teale, men jag kom på andra tankar när jag såg att det lyste hos Harry Rex. Han var i sitt sammanträdesrum, vadande till knäna i vittnesmål och protokoll och all slags juridiskt skräp som alltid gav mig huvudvärk så fort jag såg det. Vi hämtade två öl ur hans lilla kylskåp och tog en sväng med bilen.

I arbetardelen av en småstad som hette Coventry körde vi längs en smal gata och passerade ett hus där bilar stod parkerade på gräsmattan likt fallna dominobrickor. "Det är där Maxine Root bor", sade han. "Hon satt i juryn."

Jag hade svaga minnen av mrs Root. Hennes lilla röda tegelhus hade inte mycket till veranda, så hennes grannar satt utspridda i trädgårdsstolar vid hennes carport. Gevär skymtade. Alla lampor i huset var tända. En polisbil stod vid brevlådan, två poliser stod lutade mot motorhuven och rökte, och såg skarpt på oss när vi körde förbi. Harry Rex stannade och sade: "Tjänare, Troy", till en av poliserna.

"Hej, Harry Rex", sade Troy och tog ett steg mot oss.

"Det var en hel del folk här."

"Bara en idiot skulle ställa till bråk här."

"Vi är bara på genomresa", sade Harry Rex.

"Bäst att ni kör vidare", sade Troy. "Det kliar i avtryckarfingret på dem."

"Var försiktig." Vi rullade därifrån och svängde in bortom ladugården norr om staden där en lång skuggig återvändsgata slutade vid vattentornet. Halvvägs dit stod bilar parkerade på båda sidor av gatan. "Vem bor här?" frågade jag.

"Mr Earl Youry. Han satt i bakre raden, längst bort från åhörarna."

En grupp människor satt på verandan. En del satt på trappan. Andra satt i trädgårdsstolar på gräsmattan. Någonstans i den där hopen var mr Earl Youry dold och mycket väl skyddad av sina vänner och grannar.

Miss Callie var inte mindre väl försvarad. Gatan framför hennes hus var full av bilar så man knappt kunde komma fram. Grupper av män satt på bilarna, en del rökte, en del höll i gevär. På granntomterna och på andra sidan gatan var verandor och gräsmattor fulla av folk. Halva Lowtown hade samlats där för att se till att hon kände sig trygg. Det var feststämning, en känsla av att det var en unik händelse.

Våra vita ansikten gjorde att Harry Rex och jag granskades omsorgsfullt. Vi stannade inte förrän vi kunde tala med poliserna, och så fort de godkänt vår närvaro slappnade horden av. Vi parkerade bilen och jag gick upp till huset där Sam tog emot mig på trappan. Harry Rex stannade och pratade med poliserna.

Miss Callie var i sitt sovrum och läste i sin Bibel tillsammans med en väninna från kyrkan. Flera diakoner var ute på verandan tillsammans med Sam och Esau, och de var angelägna om att få veta mer om mordet på Teale. Jag berättade så mycket jag kunde, vilket inte var särskilt mycket.

Vid midnatt började folksamlingen skingras. Sam och poliserna hade organiserat vakthållning hela natten, med beväpnade vakter på både främre och bakre verandan. Det rådde ingen brist på frivilliga. Miss Callie hade aldrig kunnat drömma om att hennes trevliga och gudfruktiga lilla hem skulle bli en sådan väpnad befästning, men som det nu var kunde hon inte vara besviken.

Vi körde på de uppjagade gatorna till Hocutt House, där vi fann Buster sovande i sin bil på uppfarten. Vi hittade litet bourbon och satt på en veranda, slog efter en och annan mygga och försökte tänka igenom situationen.

"Han är mycket tålmodig", sade Harry Rex. "Vänta några dagar tills alla de där grannarna tröttnar på verandasittandet, när alla slappnar av litet. Jurymedlemmarna kan inte leva så länge inspärrade i sina hem. Han väntar."

Ett skrämmande litet faktum som inte hade offentliggjorts var ett reparationsuppdrag som traktorfirman fått en vecka tidigare. På Andersons gård söder om staden hade en traktor gjorts obrukbar på liknande sätt. Mo Teale, som var en av de fyra mekanikerna, hade inte skickats för att reparera den. Någon annans gula skjorta hade följts genom ett jaktgevärs kikarsikte.

"Han är tålmodig och metodisk", medgav jag. Elva dagar hade gått mellan de båda morden, och inga spår hade efterlämnats. Om det verkligen var Danny Padgitt, stod hans första mord – det på Rhoda Kassellaw – i bjärt kontrast mot hans båda senaste. Han hade gått från ett brutalt mord i affekt till kallblodiga avrättningar. Det var kanske vad nio år i fängelset hade lärt honom. Han hade haft gott om tid att minnas ansiktena på de tolv människor som kastat honom i fängelse, och planera sin hämnd.

"Han är inte färdig än", sade Harry Rex.

Ett mord kunde ses som en enstaka händelse. Två innebar att det fanns ett mönster. Det tredje skulle skicka en liten armé av poliser och medborgargarden till Padgitt Island och leda till öppet krig.

"Han kommer att vänta", sade Harry Rex. "Förmodligen länge."

"Jag funderar på att sälja tidningen, Harry Rex", sade jag.

Han tog en stor klunk bourbon och sade sedan: "Varför det?"

"Pengarna. Ett bolag i Georgia har givit ett seriöst bud."

"Hur mycket?"

"Mycket. Mer än jag någonsin har drömt om. Jag skulle inte behöva arbete på länge. Kanske aldrig mer."

Tanken på att aldrig arbeta gjorde djupt intryck på honom. Hans vardag bestod av tio timmars oavbrutet kaos med en del mycket känslofulla och spända skilsmässoklienter. Han arbetade ofta nattetid då det var tyst i huset och han kunde tänka. Han tjänade bra, men han arbetade sannerligen för varje penny. "Hur länge har du haft tidningen?" frågade han.

"I nio år."

"Det är litet svårt att tänka sig tidningen utan dig."

"Det är kanske ett skäl att sälja den. Jag vill inte bli en ny Wilson Caudle."

"Vad ska du göra?"

"Ta ledigt, resa, se världen, hitta en trevlig kvinna, gifta mig med henne, göra henne gravid, få barn. Det här är ett stort hus."

"Så du skulle alltså inte flytta härifrån?"

"Vart? Det här är mitt hem."

Ännu en stor klunk, sedan: "Jag vet inte. Jag ska sova på saken." Därmed gick han ner från verandan och körde därifrån.

39

Det växande antalet döda gjorde det oundvikligt att historien väckte mer uppmärksamhet än Times kunde ge den. Nästa förmiddag kom en journalist från Memphistidningen som jag kände till redaktionen, och ungefär tjugo minuter senare fick vi sällskap ev en journalist från tidningen i Jackson. Båda bevakade norra Mississippi, där de hetaste nyheterna brukade vara en fabriksolycka eller ännu en åtalad ämbetsman.

Jag berättade om bakgrunden till båda morden, frigivningen av Padgitt, och den fruktan som hade gripit om länet. Vi var inte konkurrenter – de skrev för stora dagstidningar som sällan gick in på varandras områden. Flertalet av mina prenumeranter hade också tidningen från Memphis eller Jackson. Den dagliga Tupelotidningen var också populär.

Och uppriktigt sagt började jag förlora intresset; inte för den rådande krisen utan för journalistiken som yrke. Världen kallade mig. När jag satt där och drack kaffe och utbytte historier med dessa båda veteraner som båda var äldre än jag och som vardera tjänade ungefär fyrtiotusen dollar om året, fann jag det svårt att tro att jag kunde ge mig iväg i denna stund med en miljon på fickan. Det var svårt att koncentrera sig.

De gav sig slutligen iväg för att följa upp historien på sitt sätt. Några minuter senare ringde Sam med ett ganska angeläget: "Du måste komma hit."

En liten sliten grupp bevakade fortfarande familjen Ruffins veranda. Alla fyra var rödögda och sömniga. Sam såg till att jag släpptes in genom bivacken och vi gick till köksbordet där miss Callie satt och rensade limabönor, något som hon annars alltid gjorde på den bakre verandan. Hon gav mig ett varmt leende och den sedvanliga kramen, men hon var en bekymrad kvinna. "In här", sade hon. Sam nickade och vi följde henne in i hennes lilla sovrum. Hon stängde dörren efter oss som om vi hotades av inkräktare, sedan försvann hon in i en smal garderob. Vi väntade osäkert medan hon rotade där inne.

Hon dök slutligen upp med en gammal anteckningsbok med spiralrygg, en som uppenbarligen varit ordentligt gömd. "Det är något som inte stämmer", sade hon när hon satte sig på sängkanten. Sam satte sig bredvid henne och jag sjönk ner i en gammal gungstol. Hon bläddrade igenom sina handskrivna anteckningar. "Här är det", sade hon.

"Vi lovade högtidligt att vi aldrig skulle prata om vad som hände i juryrummet", sade hon, "men det här är för viktigt för att inte berättas. När vi bestämde oss för att mr Padgitt var skyldig, var omröstningen snabb och enhällig. Men när det kom till frågan om dödsstraff fanns det en del motstånd. Jag ville verkligen inte skicka någon i döden, men jag hade lovat att följa lagen. Det blev mycket hetsigt, det förekom hårda ord, till och med anklagelser och hotelser. Inte så trevligt att vara med om. När stridslinjerna blivit tydliga var det tre personer som motsatte sig dödsstraff, och de tänkte inte ändra sig."

Hon visade mig en sida i sin anteckningsbok. Där fanns två spalter skrivna med hennes tydliga och karakteristiska handstil – en med nio namn, den andra med bara tre – L. Fargarson, Mo Teale och Maxine Root. Jag stirrade häpet på namnen och tänkte att jag kanske såg mördarens dödslista.

"När skrev ni det här?" frågade jag.

"Jag förde anteckningar under rättegången", sade hon.

Varför skulle Danny Padgitt döda de jurymedlemmar som vägrade ge honom dödsstraff? De som i praktiken hade räddat hans liv?

"Han dödar fel människor, inte sant?" sade Sam. "Alltihop

är ju fel. Om man ska hämnas, varför då ge sig på folk som försökt rädda en?"

"Som sagt, det stämmer inte", sade miss Callie.

"Ni förmodar för mycket", sade jag. "Ni förmodar att han vet hur var och en i juryn röstade. Såvitt jag vet, och jag har snokat länge, berättade jurymedlemmarna aldrig för någon hur de röstade. Rättegången överskuggades ganska fort av desegregeringen. Padgitt skickades till Parchman samma dag som han dömdes. Det är mycket möjligt att han tar de lätta offren först, och mr Fargarson och mr Teale råkade bara vara lättare att komma åt."

"Det är för mycket för att vara en slump", sade Sam.

Vi begrundade det en lång stund. Jag var inte så säker på att det var rimligt; jag var inte säker på någonting. Sedan fick jag en annan idé: "Tänk på att alla i juryn röstade för att han var skyldig, och det var precis efter det att han hade hotat er."

"Jag antar det", sade miss Callie men lät inte övertygad. Vi försökte finna logik i något som var totalt obegripligt.

"Jag måste ändå berätta det här för sheriffen", sade jag.

"Vi lovade att aldrig berätta det."

"Det var för nio år sedan, mamma", sade Sam. "Och ingen kunde ha förutsett det som händer nu."

"Det är speciellt viktigt för Maxine Root", sade jag.

"Tror du inte att några av de andra i juryn har berättat det här?" frågade Sam.

"Kanske det, men det var länge sedan. Och jag tvivlar på att de förde anteckningar."

Det hördes buller från ytterdörren. Bobby, Leon och Al hade kommit. De hade träffats i St Louis och sedan kört hela natten till Clanton. Vi drack kaffe runt köksbordet och jag berättade för dem om de senaste händelserna. Miss Callie vaknade till liv och planerade måltider och gjorde upp en lista över grönsaker som Esau skulle plocka.

Sheriff McNatt var ute på sin runda till alla jurymedlemmarna. Jag måste lätta hjärtat inför någon, så jag stormade in på Harry Rex kontor och väntade otåligt medan han tog emot en edlig försäkran. När vi var ensamma berättade jag för honom om miss Callies lista och oenigheten bland jurymedlemmarna. Han hade ackorderat med ett rum fullt av advokater de senaste två timmarna, så han var på retligt humör.

Som vanligt hade han en annan, betydligt mer cynisk teori.

"De där tre skulle ha sett till att juryn blev oenig i skuldfrågan", sade han efter en kort analys. "De gav vika av någon anledning, antagligen trodde de att de gjorde rätt genom att rädda honom från gaskammaren, men så ser förstås inte Padgitt det. I nio år har han varit förbannad för att hans tre lakejer inte stoppade juryns arbete. Han tänker ta dem först och ge sig på de andra efteråt."

"Lenny Fargarson kan inte ha varit Danny Padgitts lakej", sade jag.

"Bara för att han var handikappad?"

"Bara för att han var en djupt troende kristen."

"Han var arbetslös, Willie. En gång i tiden kunde han arbeta, men han visste att hans tillstånd bara skulle bli värre med åren. Han kanske behövde pengar. För fan, alla behöver pengar. Familjen Padgitt har billass med pengar."

"Jag tror inte på det där."

"Det är vettigare än någon av dina idiotiska teorier. Vad menar du – att det är någon annan som knäpper jurymedlemmarna?"

"Det har jag inte sagt."

"Bra, för jag tänkte kalla dig en jubelidiot."

"Du har kallat mig värre saker."

"Inte i dag."

"Enligt din teori tog alltså Mo Teale och Maxine Root också emot pengar av familjen Padgitt, sedan svek de Danny i skuldfrågan, sedan ändrade de sig när det gällde dödsstraffet, och nu ska de betala med sina liv för att de inte stoppade juryarbetet direkt. Är det vad du menar, Harry Rex?"

"Förbannat rätt!"

"Du är en jubelidiot, vet du det? Varför skulle en hederlig, hårt arbetande, brottshatande, kyrksam man som Mo Teale ta emot pengar av familjen Padgitt?"

"De kanske hotade honom."

"Kanske! De kanske inte gjorde det!"

"Vilken är din bästa teori?"

"Det är Padgitt, och det råkade bara bli så att de båda första han sköt råkade vara två av de tre som röstade emot dödsstraff. Han vet inte hur röstningen utföll. Han var i fängelset inom tolv timmar efter utslaget. Han har gjort upp sin lista. Teale kom som nummer två eftersom Padgitt kunde välja plats."

"Vem blir nummer tre?"

"Jag vet inte, men de där människorna kommer inte att stanna hemma för evigt. Han kommer att bida sin tid, låta allt sjunka undan, sedan börjar han i hemlighet göra upp planer igen."

"Han skulle kunna ha medhjälpare."

"Precis."

Harry Rex telefon hade ringt hela tiden. Han blängde på den under en paus och sade: "Jag har saker att göra."

"Jag måste väl gå till sheriffen. Vi ses senare." Jag hade lämnat hans rum när han skrek: "Du, Willie. En sak till."

Jag vände mig om.

"Sälj den, ta pengarna, ha skoj ett tag. Du har gjort dig förtjänt av det."

"Tack."

"Men flytta inte från Clanton, hör du det?"

"Det ska jag inte göra."

Mr Earl Youry körde en vägskrapa för kommunens räkning. Han skötte landsvägarna på avlägsna platser, bortom Possum Ridge och långt bortom Shady Grove. Eftersom han arbetade ensam beslöts det att han några dagar skulle hålla sig till kommunens maskinlada där han hade många vänner som alla hade gevär i bilarna och var mycket uppmärksamma. Sheriff McNatt överlade med mr Youry och hans förman och utarbetade en plan för att skydda honom.

Mr Youry ringde till sheriffen och sade att han hade viktiga upplysningar. Han medgav att hans hågkomster inte var helt fullständiga, men han var säker på att den handikappade pojken och Mo Teale hade varit orubbligt emot dödsstraff. Han mindes att de fick ytterligare en på sin sida, kanske en av kvinnorna, kanske den färgade damen. Han kunde bara inte minnas exakt, det var trots allt för nio år sedan. Han ställde samma fråga till McNatt – "Varför skulle Danny Padgitt döda dem i juryn som inte ville döma honom till döden?"

När jag kom in på sheriffens kontor hade han just avslutat sitt samtal med mr Youry, och han var så förvirrad som han borde vara. Jag stängde dörren och beskrev mitt samtal med miss Callie. "Jag såg hennes anteckningar", sade jag. "Den tredje rösten var Maxine Root."

Under en timme ältade vi samma argument som jag hade ältat med Sam och Harry Rex, och återigen stämde det inte. Han trodde inte att familjen Padgitt hade köpt eller skrämt vare sig Lenny eller Mo Teale; han var inte så säker beträffande Maxine Root, eftersom hon hade en mer hårdför bakgrund. Han höll i stort sett med mig om att de båda första morden hade begåtts på måfå och att Padgitt med all säkerhet inte visste hur jurymedlemmarna hade röstat. Intressant nog påstod han att han ungefär ett år efter utslaget hade fått veta att juryn hade varit delad 9-3 när det gällde dödsstraff, och att Mo Teale hade varit nästan våldsam i sitt motstånd mot det.

Men, konstaterade vi båda två, eftersom Lucien Wilbanks var inblandad, var det helt möjligt att Padgitt visste mer om överläggningarna än vi. Allt var möjligt.

Och inget stämde.

Han ringde till Maxine Root medan jag var kvar på hans kontor. Hon arbetade som bokhållare på skofabriken norr om staden, och hon hade envisats med att gå till arbetet. McNatt hade varit där på förmiddagen, granskat platsen, talat med hennes chef och medarbetare, försäkrat sig om att alla kände sig säkra. Två av hans män fanns på plats utanför byggnaden där de höll utkik efter problem och väntade på att köra hem Maxine vid arbetsdagens slut.

De småpratade några minuter som gamla vänner, sedan sade McNatt: "Du, Maxine, jag vet att du och Mo Teale och grabben Fargarson var de enda tre som röstade emot dödsstraff för Danny Padgitt..." Han tystnade när hon avbröt honom.

"Det är inte viktigt hur jag fick veta det. Det viktiga nu är att det gör mig verkligt orolig för din säkerhet. Extra orolig."

Han lyssnade en stund på henne. Medan hon pratade på gjorde han ibland små inpass som: "Nja, Maxine, jag kan inte bara storma ut dit och gripa grabben."

Och: "Säg till dina bröder att låta bössorna stanna i bilarna."

Och: "Jag arbetar med fallet, Maxine, och när jag får ihop tillräckligt med bevis kommer jag att ordna en häktningsorder."

Och: "Det är för sent att ge honom dödsstraff, Maxine. Du gjorde vad du ansåg var rätt då."

Hon grät när samtalet avslutades. "Arma människa", sade McNatt, "hennes nerver är totalt slut."

"Jag kan inte klandra henne", sade jag. "Jag hukar mig under fönstren själv."

40

Mo Teale begravdes i Willow Road Methodist Church, nummer trettiosex på min lista och en av mina favoriter. Den låg nätt och jämnt inom Clantons stadsgräns, söder om torget. Jag gick inte på begravningen, eftersom jag aldrig hade träffat mr Teale. Där fanns emellertid många som aldrig hade träffat honom.

Om han hade dött av en hjärtattack vid femtioett års ålder skulle det varit plötsligt och tragiskt, och begravningsakten skulle ha lockat ett imponerande antal personer. Men att han hade skjutits ihjäl som hämnd av en nyligen frigiven mördare var något som de nyfikna helt enkelt inte kunde motstå. I hopen fanns för länge sedan glömda skolkamrater till mr Teales fyra vuxna barn, och snokande gamla änkor som sällan missade en bra begravning, och journalister från andra städer, och flera herrar vilkas enda förbindelse med Mo var att de ägde John Deere-traktorer.

Jag stannade hemma och arbetade på hans dödsruna. Hans äldste son hade varit vänlig nog att titta in på redaktionen och ge mig en del informationer om sin fars liv och verksamhet. Han var trettiotre år – Mo och hans fru hade snabbstartat sin familj – och han sålde Fordbilar i Tupelo. Han stannade i två timmar och var förtvivlat angelägen om att jag skulle försäkra honom om att Danny Padgitt snabbt skulle hämtas och stenas.

Mo Teale begravdes på Clantons begravningsplats. Begravningsföljet var flera kvarter långt och passerade för säkerhets skull torget och fortsatte på Jackson Avenue, precis utanför

343

redaktionen. Det störde inte trafiken det minsta – alla var på begravningen.

Lucien Wilbanks ordnade ett sammanträffande med sheriff McNatt, med Harry Rex som mellanhand. Jag nämndes speciellt av Lucien, och jag var speciellt inte inbjuden. Det gjorde ingenting, Harry Rex gjorde anteckningar och berättade allt för mig, med förbehållet att ingenting fick tryckas.

Närvarande på Luciens kontor var också Rufus Buckley, allmänne åklagaren som 1975 hade efterträtt Ernie Gaddis. Buckley älskade publicitet, och trots att han varit ovillig att lägga sig i frigivningen av Padgitt, var han nu ivrig att anföra lynchmobben. Harry Rex föraktade Buckley, och känslan var ömsesidig. Lucien föraktade honom också, men Lucien ogillade å andra sidan praktiskt taget alla eftersom alla definitivt ogillade honom. Sheriff McNatt avskydde Lucien, tolererade Harry Rex och tvingades arbeta på samma sida av gatan som Buckley, fast han privat avskydde honom.

Med tanke på de känslorna var jag glad för att jag inte blivit inbjuden till mötet.

Lucien började med att säga att han hade talat med både Danny Padgitt och hans far Gill. De hade träffats någonstans utanför Clanton och utanför ön. Danny skötte sig bra, han arbetade alla dagar på familjens byggfirmas kontor, ett kontor som låg behändigt i Padgitt Islands trygga hamn.

Föga förvånande förnekade Danny all inblandning i morden på Lenny Fargarson och Mo Teale. Han var chockad av det som hänt och rasande för att han allmänt ansågs vara huvudmisstänkt. Lucien framhöll att han hade ansatt Danny ordentligt, så mycket att han hade irriterat honom, och han visade aldrig det minsta tecken till att ljuga.

Lenny Fargarson blev skjuten på eftermiddagen den 23 maj. Vid den tidpunkten var Danny på sitt kontor, och fyra personer kunde bekräfta det. Fargarson bodde minst en halvtimmes bilresa från Padgitt Island, och de fyra vittnena var säkra på att Danny hela den eftermiddagen antingen var på sitt rum eller mycket nära det.

"Hur många av de där vittnena heter Padgitt?" frågade McNatt.

"Vi lämnar inte ut några namn än", sade Lucien defensivt, som varje bra advokat skulle göra.

Elva dagar senare, den 3 juni, blev Mo Teale skjuten ungefär kvart över nio på dagen. I det ögonblicket stod Danny intill en nyasfalterad väg i Tippah County och tog emot papper som underskrivits av en av Padgitts förmän. Förmannen och två arbetare var beredda att vittna om exakt var Padgitt befann sig just då. Arbetsplatsen låg minst två timmars bilresa från Ned Ray Zooks gård i östra delen av Ford County.

Lucien framlade vattentäta alibin för båda morden, fast hans lilla åhörarskara var mycket skeptisk. Familjen Padgitt skulle naturligtvis neka till allt. Och med deras förmåga att ljuga, knäcka ben och muta med ordentliga summor, kunde de hitta vittnen till vad som helst.

Sheriff McNatt uttalade sina tvivel. Han förklarade för Lucien att hans utredning fortsatte, och att om och när han fick sannolika skäl till det skulle han skaffa sin häktningsorder och storma in på ön. Han hade flera gånger talat med delstatspolisen, och om det behövdes hundra poliser för att hämta Danny, så skulle de komma.

Lucien sade att det inte skulle bli nödvändigt. Om en giltig häktningsorder skaffades fram, skulle han göra sitt bästa för att själv komma med pojken.

"Och om det sker ett mord till", sade McNatt, "kommer det att bli en explosion här. Tusen bönder kommer att korsa bron och skjuta varenda Padgitt de kan hitta."

Buckley sade att han och domare Omar Noose hade talat om morden två gånger, och han var ganska säker på att Noose var "nästan beredd" att utfärda en häktningsorder på Danny. Lucien angrep honom med en störtskur av frågor om sannolika skäl och tillräckliga bevis. Buckley hävdade att Pad-

345

gitts hot under rättegången var tillräckligt skäl att misstänka honom för morden.

Mötet urartade och de båda grälade hetsigt om juridiska smådetaljer. Sheriffen avbröt slutligen det hela genom att säga att han hört nog, varefter han lämnade Luciens kontor. Buckley följde honom. Harry Rex stannade kvar och småpratade med Lucien under betydligt mer avslappnade former.

"Vi har lögnare som beskyddar lögnare", morrade Harry Rex när han en timme senare vankade fram och åter i mitt arbetsrum. "Lucien berättar sanningen bara när den låter bra, vilket för honom och hans klienter inte är särskilt ofta. Familjen Padgitt har ingen aning om vad sanningen egentligen är."

"Minns du Lydia Vince?" frågade jag.

"Vem?"

"Slampan under rättegången, den som Wilbanks lät vittna under ed. Hon sade till juryn att Danny hade varit i säng med henne när Rhoda mördades. Familjen Padgitt hittade henne, köpte hennes vittnesmål och överlämnade henne till Lucien. De är en samling lögnaktiga tjuvar."

"Sedan blev hennes före detta skjuten, inte sant?"

"Precis efter rättegången. Förmodligen skjuten av en av Padgitts underhuggare. Inga bevis förutom kulorna. Inga misstänkta. Ingenting. Låter bekant."

"McNatt trodde inte på något som Lucien sade. Inte Buckley heller."

"Och du?"

"Nej. Jag har sett Lucien gråta inför en jury förut. Han kan vara mycket övertygande ibland, inte ofta, men ibland. Jag fick en känsla av att han ansträngde sig alldeles för mycket för att övertyga oss. Det är Danny, och han har medhjälpare."

"Tror McNatt det?"

"Ja, men han har inga bevis. Ett gripande vore slöseri med tid."

"Det skulle hålla honom borta från gatorna."

"Det vore övergående. Utan bevis kan man inte hålla honom i fängelse för evigt. Han är tålmodig. Han har väntat i nio år."

Även om skämtarna aldrig blev identifierade, och de var kloka nog att ta sin hemlighet med sig i graven, gissades det ofta under de följande månaderna att de var vår borgmästares båda tonåriga söner. De sågs springa från platsen, alldeles för snabbt för att kunna tas fast. Borgmästarens söner hade sedan gammalt rykte om sig som uppfinningsrika och fräcka skämtare.

I skydd av mörkret tog de sig genom en tät häck och stannade knappt femton meter från hörnet på främre verandan på mr Earl Yourys hus. Där iakttog och lyssnade de på de församlade vänner och grannar som slagit sig ner på gräsmattan för att skydda mr Youry. De inväntade tålmodigt det rätta ögonblicket för att inleda attacken.

Några minuter över elva kastades en lång kedja kinesiska smällare mot verandan, och när de började knalla utbröt nästan totalt krig i Clanton. Män röt, kvinnor skrek, mr Youry slängde sig ner och for på alla fyra in i huset. Hans vaktposter ute på gräsmattan for runt i sina trädgårdsstolar, trevade efter sina vapen och gömde sig i gräset när smällarna for runt och small under häftig rökutveckling. Det tog trettio sekunder för alla åttiofyra att smälla färdigt, och under den tiden rusade ett dussin tungt beväpnade män omkring bakom träden och riktade sina vapen åt alla håll, beredda att skjuta allt som rörde sig.

En deltidspolis vid namn Travis rycktes ur sin sömn på motorhuven till sin bil. Han slet upp sin Magnum 44 och stormade rakt bort mot smällarna. Beväpnade grannar sprang omkring överallt på mr Yourys gräsmatta. Av någon anledning, och varken Travis eller hans överordnade gav någonsin en officiell förklaring till det, om det över huvud taget fanns någon, avfyrade han ett skott i luften. Ett mycket ljudligt skott. Ett skott som hördes tydligt genom smattret från smällarna. Det gjorde att ett annat ivrigt finger, någon som aldrig medgav att han skjutit, avlossade en hagelladdning i träden. Utan tvivel skulle många andra ha börjat skjuta och vem vet hur många som skulle ha dött om inte den andre deltidspolisen, Jimmy, hade skrikit för full hals: "Skjut inte, era idioter!"

Varvid skjutandet omedelbart upphörde, men det återstod några smällare. När den sista knallade gick hela medborgargardet bort till den rykande gräsplätten och granskade det hela. Det spreds att det bara var fyrverkeripjäser. Mr Earl Youry kikade ut genom ytterdörren och förmåddes slutligen komma ut.

Längre bort på gatan hörde mrs Alice Wood oväsendet och rusade mot baksidan av sitt hus för att låsa dörren när de båda ungdomarna hysteriskt skrattande rusade förbi hennes bakdörr. Hon rapporterade senare att de var i femtonårsåldern och vita.

En och halv kilometer därifrån, i Lowtown, hade jag just gått nerför trappan från miss Callies veranda när jag hörde knallarna i fjärran. Nattskiftet – Sam, Leon och två diakoner – for upp på fötter. Fyrtiofyran lät som en haubits. Vi väntade och väntade, och när allt var tyst igen sade Leon: "Det låter som smällare."

Sam hade skyndat in för att titta till sin mor. Han kom ut igen och sade: "Hon sover."

"Jag åker och tittar", sade jag. "Jag hör av mig om det är något viktigt."

Mr Yourys gata badade i röda och blå ljusblänk från ett dussin polisbilar. Trafiken var tät när andra nyfikna försökte komma fram till platsen. Busters bil stod parkerad i ett grunt dike, och när jag hittade honom några minuter senare berättade han för mig vad som hänt. "Ett par ungar", sade han.

Jag tyckte det var lustigt, men jag var i klar minoritet.

41

Under de nio åren sedan jag köpte The Ford County Times hade jag aldrig varit ifrån den längre tid än fyra dagar. Den trycktes varje tisdag och distribuerades varje onsdag, och varje torsdag i mitt liv ställdes jag inför en formidabel sista manuslämning.

Ett skäl till dess framgång var det faktum att jag skrev så mycket om så många i en stad där så litet hände. Varje nummer innehöll trettiosex sidor. Dra av fem för radannonser, tre för tillkännagivanden och ungefär sex för annonser. Varje vecka måste jag fylla ungefär tjugotvå sidor med lokala nyheter.

Dödsrunorna fyllde minst en sida, där jag skrev varje ord. Davey Bigmouth Bass tog två sidor till sporten, fast jag ofta måste hjälpa till med rapporten från en skolmatch eller en viktig artikel om en ståtlig dovhjort som skjutits av en tolvåring. Margaret fyllde en sida med religionsmaterial och en sida med bröllop och ytterligare en med radannonser. Baggy, vars produktivitet nio år tidigare varit klen även i bästa fall, hade nästan helt fallit offer för spriten och klarade nu bara en artikel i veckan, vilken han naturligtvis alltid ville ha på första sidan. Reportrar kom och gick med irriterande regelbundenhet. Vi brukade ha en på tidningen, ibland två, och de var ofta till mer besvär än nytta. Jag måste korrekturläsa och redigera deras texter i sådan omfattning att jag önskade att jag helt enkelt hade skrivit dem själv.

Så jag skrev. Trots att jag hade studerat journalistik, hade jag aldrig haft någon fallenhet för att skriva stora mängder ord på kort tid. Men när jag plötsligt ägde en tidning och det gällde att sjunka eller simma, upptäckte jag en häpnadsväckande förmåga att veva fram mångordiga och färgstarka texter om nästan vad som helst och ingenting. En någorlunda allvarlig bilolycka utan dödsfall var en förstasidesnyhet kryddad med kommentarer av ögonvittnen och ambulansförare. En liten fabriksutvidgning framstod som ett betydande bidrag till landets BNP. En notis om tårtstånd på baptistkyrkans damklubb kunde svälla till åttahundra ord. Ett gripande för knarklangning lät som om columbianerna ohämmat hade givit sig på de oskyldiga barnen i Clanton. En kampanj av Civitan Club för att locka blodgivare framstod som ett försök att mildra blodbrist i krigstid. Tre stulna pickuper under loppet av en vecka lät som organiserad brottslighet.

Jag skrev om invånarna i Ford County. Miss Callie var min första artikel om en intressant person, och under årens lopp försökte jag trycka minst en sådan i månaden. Där förekom en överlevande efter dödsmarschen i Bataan, den siste i trakten som hade deltagit i första världskriget, en sjöman som hade varit i Pearl Harbor, en tillbakadragen präst som hade lett en liten församling i fyrtiofem år, en gammal missionär som hade levt trettioett år i Kongo, en person som nyligen gått ur skolan och nu dansade i en Broadwaymusikal, en dam som hade bott i tjugoen delstater, en man som hade varit gift sju gånger och gärna ville ge råd till framtida nygifta, mr Mitlo – vår egen immigrant, en basketbolltränare som skulle gå i pension, snabbkocken på Tea Shoppe som hade stekt ägg i evigheter. Och så vidare och så vidare. De artiklarna var ofantligt uppskattade.

Men efter nio år fanns det få namn kvar på listan över intressanta människor i Ford County.

Jag var trött på att skriva. Tjugo sidor i veckan, femtiotvå veckor om året.

Varje morgon när jag vaknade funderade jag antingen på någon ny artikel eller en ny variant av en gammal. Varje liten nyhet eller varje slags ovanlig händelse räckte som inspiration för att blåsa upp en text och trycka den i tidningen. Jag skrev om hundar, gamla bilar, en legendarisk storm, ett spökhus, en försvunnen ponny, klenoder från inbördeskriget, myten om den huvudlöse slaven, en rabiessmittad skunk. Och allt det gamla vanliga – rättsprocesser, val, brott, nya firmor, konkurser, nya intressanta människor i staden. Jag var trött på att skriva.

Och jag var trött på Clanton. Staden hade med viss tvekan kommit att acceptera mig, speciellt när det blev uppenbart att jag inte tänkte ge mig iväg. Men det var en mycket liten ort, och ibland kände jag att jag kvävdes. Jag tillbringade så många veckoslut hemma, med mycket litet annat att göra än att läsa och skriva, att jag vande mig vid det. Och det irriterade mig djupt. Jag prövade pokerkvällar med Bubba Crockett och gänget i Rävlyan, och de lantliga grillfesterna med Harry Rex och hans vänner. Men det kändes aldrig som om jag hörde hemma där.

Clanton förändrades, och jag trivdes inte med utvecklingen. I likhet med många småstäder i sydstaterna växte den åt alla håll utan någon plan för tillväxten. Bargain City blomstrade, och området runt anläggningen lockade till sig alla snabbmatskedjor man kan föreställa sig. Stadens centrum avfolkades, även om tingshuset och länsstyrelsen alltid hade besökare. Det behövdes starka politiska ledare, människor med visioner, och sådana var det ont om.

Å andra sidan misstänkte jag att staden var trött på mig. Mitt moraliserande motstånd mot Vietnamkriget gjorde att jag alltid skulle betraktas som vänstervriden. Och jag gjorde mycket litet för att mildra den åsikten. När tidningens upplaga steg och intäkterna med den, och som en direkt följd av att jag blev mer hårdhudad, skrev jag allt fler ledare. Jag angrep de slutna möten som hölls av kommunstyrelsen och länsförvaltningen. Jag gick till domstol för att tillåtas läsa offentliga handlingar. Jag ägnade ett år åt att klaga på den totala frånvaron av stadsplanering i länet, och när Bargain City kom till staden sade jag alldeles för mycket. Jag hånade delstatens lagar för bidrag till valkampanjer, som var utformade för att tillåta rika människor att få sina favoriter valda. Och när Danny Padgitt blev frigiven, angrep jag benådningssystemet.

Under hela sjuttiotalet höll jag ständigt flammande tal. Och även om det skapade intressanta texter och sålde lösnummer, förvandlade det mig också till något av ett original. Jag betraktades som en oppositionsman, en som hade en predikstol. Jag tror inte att jag någonsin var en översittare; jag ansträngde mig för att inte vara det. Men när jag ser tillbaka förekom det strider som jag inte startat av övertygelse utan av leda.

När jag blev äldre ville jag bli en helt vanlig medborgare. Jag skulle alltid förbli en utsocknes, men det besvärade mig inte längre. Jag ville komma och gå, bo i Clanton när det passade, och sedan vara borta under långa perioder när jag blev uttråkad. Det är häpnadsväckande hur möjligheten att få pengar kan förändra ens framtid.

Jag uppfylldes av drömmen att få ge mig iväg, att ta ett sabbatsår på någon plats där jag aldrig hade varit, att se världen.

Nästa möte med Gary McGrew skedde på en restaurang i Tupelo. Han hade besökt mig på redaktionen flera gånger. Om han kom en gång till skulle personalen börja viska. Vi åt lunch och gick återigen igenom mina räkenskaper, pratade om hans klients planer, förhandlade om det ena och det andra. Om jag sålde ville jag att ägaren skulle stå fast vid de nya femårskontrakt som jag givit Davey Bigmouth Bass, Hardy och Margaret. Baggy skulle antingen pensionera sig snart eller dö av skrumplever. Wiley hade alltid varit deltidare, och han var inte längre så intresserad av att jaga fotoobjekt. Han var den ende av de anställda som jag hade diskuterat förhandlingarna med, och han hade uppmanat mig att ta pengarna och springa.

McGrews klient ville att jag skulle stanna kvar minst ett år, med mycket hög lön, för att lära upp den nye chefredaktören. Jag ville inte göra det. Om jag gav mig iväg så gav jag mig iväg. Jag ville inte ha en chef, och jag ville inte utsättas för den kritik som jag skulle få för att jag hade sålt ortens tidning till ett stort bolag i en annan delstat.

De erbjöd 1,3 miljon dollar. En konsult i Knoxville som jag hade anlitat hade värderat tidningen till 1,35 miljon.

"Oss emellan har vi köpt tidningarna i Tyler County och Van Buren County", sade McGrew mot slutet av en mycket lång lunch. "Bitarna börjar falla på plats."

Han var nästan helt uppriktig. Ägaren till tidningen i Tyler County hade sagt ja i princip, men avtalet hade inte undertecknats.

"Men det har tillkommit en sak", sade han. "Tidningen i Polk County kanske är till salu. Uppriktigt sagt kommer vi att ta oss en titt på den om du tackar nej. Den är betydligt billigare."

"Aha, mer påtryckningar", sade jag.

The Polk County Herald hade fyratusen läsare och usel ledning. Jag såg den varje vecka.

"Jag försöker inte pressa dig. Jag är bara helt uppriktig."

"Jag vill egentligen ha en och en halv miljon", sade jag.

"Det är för mycket, Willie."

"Det är mycket, men ni kommer att tjäna igen det. Det tar kanske litet längre tid, men se tio år framåt."

"Jag är inte säker på att vi kan gå så högt."

"Ni måste göra det om ni vill ha tidningen."

Det började kännas mer överhängande. McGrew antydde att det fanns ett sista datum, sedan sade han slutligen: "Vi har pratat i månader nu, och min klient är angelägen om att få ett avslut. Han vill få affären genomförd till den första i nästa månad, annars vänder han sig till någon annan."

Den taktiken oroade mig inte. Jag var också trött på att prata. Antingen sålde jag, eller också sålde jag inte. Det var dags att fatta ett beslut.

"Det är om tjugotre dagar", sade jag.

"Ja."

"Det låter bra."

De långa sommardagarna kom, och den outhärdliga värmen och luftfuktigheten uppenbarade sig för sitt sedvanliga årliga tremånaderspass. Jag gjorde mina vanliga vändor – till kyrkorna på min lista, till bollplanerna, till den lokala golftävlingen, till vattenmelonförsäljningen. Men Clanton väntade, och denna väntan var allt vi pratade om.

Snaran runt halsen på var och en av de återstående jurymedlemmarna kändes naturligtvis litet lösare. De tröttnade naturligtvis på att vara fångar i sina egna hem, på att förändra sina livslånga vanor, på att ha horder av grannar som vakter på nätterna. De började söka sig ut och försöka börja leva normalt igen.

Mördarens tålamod var oroande. Han hade fördelen av att kunna välja tidpunkt, och han visste att hans offer skulle tröttna på allt beskydd. Han visste att de skulle slappna av, göra ett misstag. Vi visste det också.

Efter att för första gången i sitt liv ha missat tre söndagspredikningar i rad, krävde miss Callie att gå i kyrkan. Tillsammans med Sam, Esau och Leon marscherade hon en söndagsförmiddag in i kyrkan och tillbad Herren som om hon hade varit borta ett år. Hennes bröder och systrar omfamnade henne och uppsände brinnande böner för henne. Pastor Small ändrade sin predikan på fläcken och talade om Guds beskyddande av de sina. Sam sade att han höll på i nästan tre timmar.

Två dagar senare sjönk miss Callie ner i baksätet på min Mercedes. Med Esau bredvid sig och Sam som utkik stormade vi ut ur Clanton med en polisbil efter oss. Han stannade vid länsgränsen, och en timme senare var vi i Memphis. Det fanns ett nytt köpcentrum öster om staden som alla pratade om, och miss Callie ville så gärna se det. Mer än hundra butiker under samma tak! Hon åt pizza för första gången i sitt liv; hon såg en isbana, hon såg två män som höll varandra i hand, och en svartvit familj. Hon uppskattade bara isbanan.

Efter drygt en timme av Sams urusla vägledning hittade vi slutligen begravningsplatsen i södra Memphis. Med hjälp av en karta från vaktkuren letade vi oss med tiden fram till Nicola Rossetti DeJarnettes grav. Miss Callie lade en bukett blommor som hon haft med sig hemifrån på graven, och när det stod klart att hon tänkte stanna där en stund gick vi därifrån och lät henne vara ifred.

För att hedra Nicola ville miss Callie äta italienskt. Jag hade bokat bord på Grisanti's, en av de klassiska restaurangerna i Memphis, och vi åt en lång, ljuvlig middag bestående av lasagne och ravioli fylld med getost. Hon lyckades bemästra sin motvilja mot köpt mat, och för att skydda henne från synd krävde jag att få betala.

Vi ville inte lämna Memphis. För några timmar hade vi undflytt det okända och väntandets oro. Clanton tycktes vara tusen mil bort, och det var för nära. När vi körde tillbaka den kvällen fann jag att jag körde allt långsammare.

Vi diskuterade det inte, och samtalet blev allt tystare ju närmare vi kom hemmet, men en mördare var lös i Ford County. Miss Callies namn fanns på listan. Om det inte varit för de två liken skulle det varit omöjligt att tro.

Enligt Baggy, och det bekräftades av en genomgång av tidningens arkiv, hade det inte förekommit några olösta mordfall under det århundradet. Nästan varje mord eller dråp hade varit en impulshandling där handlingen hade setts av vittnen. Gripande, rättegång och dom hade kommit snabbt. Nu fanns det en mycket slug och målmedveten mördare där ute, och alla visste vilka som var hans tilltänkta offer. Detta var ofattbart för ett laglydigt, gudfruktigt samhälle.

Bobby, Al, Max och Leon hade vid olika tillfällen energiskt krävt att miss Callie skulle bo hos dem en månad eller så. Sam och jag, och till och med Esau, hade anslutit oss till dessa kraftfulla krav, men hon var orubblig. Hon stod i nära kontakt med Gud, och han skulle skydda henne.

Under loppet av nio år var den enda gången jag blev arg på miss Callie, och den enda gången hon bannade mig, i samband med en diskussion om att hon borde bo en månad hos Bobby i Milwaukee. "De där stora städerna är farliga", sade hon.

"Ingen plats är så farlig som Clanton just nu", svarade jag.

När jag senare höjde rösten sade hon att hon inte tyckte om min brist på respekt, och jag tystnade snabbt.

När vi sent den kvällen körde in i Ford County började jag titta i backspegeln. Det var fånigt, men samtidigt inte. I Lowtown bevakades familjen Ruffins hus av en polisbil på gatan, och en av Esaus vänner satt på verandan.

"Det var varit en lugn kväll", sade vännen. Med andra ord hade ingen blivit skjuten eller beskjuten.

Sam och jag spelade dam en timme på verandan medan hon somnade.

Vår väntan fortsatte.

42

L okala val genomfördes 1979 i Mississippi, mitt tredje som registrerad väljare. Det var betydligt lugnare än de båda första. Ingen ställde upp mot sheriffen, något som aldrig tidigare hänt. Det hade ryktats att familjen Padgitt hade köpt en ny kandidat, men de drog sig tillbaka efter frigivningen. Senator Theo Morton fick en motkandidat som kom till mig med en annons som skrek ut frågan: VARFÖR SÅG SENATOR MORTON TILL ATT DANNY PADGITT BLEV BENÅDAD? PENGAR! DÄRFÖR! Hur mycket jag än ville ha annonsen hade jag varken tid eller krafter för ett ärekränkningsåtal.

Det var konkurrens om polistjänsterna i Fjärde passet, med tretton kandidater, men för övrigt var det ganska stillsamt. Länet var helt uppslukat av morden på Fargarson och Teale och, ännu viktigare, vem som skulle komma härnäst. Sheriff McNatt och utredarna från delstatspolisen och delstatens kriminaltekniska laboratorium hade gått igenom alla tänkbara ledtrådar. Vi kunde bara vänta.

När fjärde juli närmade sig var det en påfallande brist på entusiasm för det årliga firandet. Alla kände sig trygga, men hela länet var ändå dystert. Märkligt nog ryktades det fortfarande att något förfärligt skulle hända när vi alla den 4 juli samlades runt tingshuset. Rykten hade emellertid aldrig varit så nyskapande eller spritts så snabbt som i juni.

Den 25 juni undertecknade jag på ett advokatkontor i Tupelo en bunt handlingar som överförde äganderätten till The Ford County Times till ett mediabolag som delvis ägdes av mr Ray

Noble i Atlanta. Mr Noble gav mig en check på en och en halv miljon dollar och jag gick snabbt och litet nervöst ett stycke bort på gatan till min nyaste vän Stu Holland som väntade i sitt ganska stora kontorsrum i Merchants Bank. Nyheten om en så stor insättning i Clanton skulle komma ut inom en dag, så jag gömde pengarna hos Stu och körde sedan hem.

Det var mitt livs längsta entimmesresa. Den var glad eftersom jag hade sålt när marknaden låg på topp. Jag hade klämt maximalt ur en förmögen och hedervärd köpare som inte tänkte göra stora förändringar av min tidning. Äventyret kallade mig, och nu hade jag möjlighet att svara.

Och det var en dyster färd eftersom jag lämnade en så stor och givande del av mitt liv. Tidningen och jag hade växt och mognat tillsammans; jag som vuxen, den som ett blomstrande väsen. Den hade blivit vad varje småstadstidning borde vara – en uppmärksam iakttagare av dagens händelser, en upptecknare av historiska skeenden, en kommentator till politik och samhälle. För min del var jag en ung man som blint och envist byggt upp något från grunden. Jag antar att jag borde ha känt av min ålder, men det enda jag ville var att hitta en badstrand. Och sedan en flicka.

När jag kom tillbaka till Clanton gick jag in till Margaret, stängde dörren och berättade för henne om försäljningen. Hon brast i gråt, och snart hade jag själv tårar i ögonen. Hennes brinnande lojalitet hade alltid förvånat mig, och även om hon i likhet med miss Callie oroade sig alldeles för mycket för min själ, hade hon trots allt kommit att tycka om mig. Jag sade att de nya ägarna var fina människor, att de inte tänkte genomföra några drastiska förändringar, och att de hade accepterat hennes nya femårskontrakt med högre lön. Det fick henne att gråta ännu mer.

Harry grät inte. Vid det här laget hade han tryckt tidningen i nästan trettio år. Han var lynnig, grälsjuk, drack för mycket i likhet med flertalet i tidningsbranschen, och om de nya ägarna inte tyckte om honom skulle han helt enkelt säga upp sig och börja fiska. Men han uppskattade det nya anställningskontraktet.

Liksom Davey Bigmouth Bass. Han blev bestört men tog sig snabbt samman vid tanken på att tjäna mer.

Baggy var på semester någonstans västerut, med sin bror, inte sin fru. Mr Ray Noble hade inte gärna velat acceptera ytterligare fem år av Baggys slöa arbete, och jag kunde inte med gott samvete ge honom samma avtal som de andra. Baggy fick klara sig själv.

Vi hade ytterligare fem anställda, och jag berättade personligen nyheten för var och en av dem. Det tog en hel eftermiddag, och när det var klart var jag utmattad. Jag träffade Harry Rex i det inre rummet på Pepe's och vi firade med margarita.

Jag var ivrig att lämna staden och resa någonstans, men det var omöjligt innan morden upphörde.

Under större delen av juni reste familjen Ruffins akademiker fram och tillbaka till Clanton. De mixtrade med uppdrag och ledigheter och gjorde sitt bästa för att se till att minst två eller tre av dem alltid fanns hos miss Callie. Sam lämnade sällan huset. Han stannade i Lowtown för att skydda sin mor, men också för att hålla låg profil. Polisinspektör Durant fanns kvar, fast omgift igen, och hans två bråkiga söner hade flyttat från trakten.

Sam tillbringade många timmar på verandan där han läste allt han kom över och spelade dam med Esau eller vem som helst som tittade in för att hjälpa till med vakthållningen en stund. Han spelade bräde med mig tills han räknat ut hur det gick till, sedan ville han att vi skulle satsa en dollar per match. Snart var jag skyldig honom femtio dollar. Den sortens hasardspel var en absolut hemlighet på miss Callies veranda.

En snabb familjesammankomst ordnades till veckan före festligheterna den 4 juli. Eftersom jag hade fem tomma sovrum och en förfärande brist på mänskligt liv i mitt hus, krävde jag att det skulle fyllas med medlemmar av familjen Ruffin. Familjen hade växt betydligt sedan jag första gången träffade dem 1970. Alla utom Sam hade gift sig, och det fanns tjugoett barnbarn. Det blev totalt trettiofem personer, oräknat Sam, Callie och Esau, och trettiofyra kom till Clanton. Leons fru besökte en sjuk far i Chicago.

Tjugotre av de trettiofyra flyttade in i Hocutt House för några dagar. De kom från olika delar av landet, mest norrifrån, vid alla tider på dygnet, och varje nykommen togs emot med stora ceremonier. När Carlota och hennes man och två små barn anlände från Los Angeles klockan tre på natten, tändes alla lampor i huset och Bobbys fru Bonnie började steka pannkakor.

Bonnie tog över mitt kök, och tre gånger om dagen skickades jag till speceriaffären med en lista med saker som hon måste ha genast. Jag köpte tonvis med glass och barnen lärde sig snabbt att jag ordnade det åt dem vid vilken tid som helst på dygnet.

Eftersom mina verandor var långa och breda och sällan användes, drog sig familjen Ruffin till dem. Sam tog med sig miss Callie och Esau på eftermiddagarna för långa besök. Hon ville bort från Lowtown. Hennes hemtrevliga lilla hus hade blivit ett fängelse.

Av och till hörde jag hennes barn tala oroligt om sin mor. Hälsan diskuterades mer än det påtagliga hotet att någon på något sätt skulle skjuta henne. Under årens lopp hade hon lyckats gå ner någonstans kring fyrtio kilo, beroende på vilken version man hörde. Nu hade hon gått upp i vikt igen, och blodtrycket bekymrade läkarna. Stressen tog sin tribut. Esau sade att hon sov oroligt, något som hon skyllde på medicineringen. Hon var inte längre så pigg, hon log inte så mycket och hon hade påfallande mindre energi.

Allt skylldes på "Padgitteländet". Miss Callie skulle bli frisk igen så fort han greps och morden upphörde.

Det var den optimistiska inställningen, den som delades av flertalet av hennes barn.

Den 2 juli, en måndag, förberedde Bonnie och kompani en lätt lunch bestående av sallad och pizza. Alla tillgängliga medlemmar av familjen Ruffin var där, och vi åt på en sidoveranda under långsamma och praktiskt taget meningslösa takfläktar. Det blåste emellertid en smula, och vi kunde avnjuta en lång, loj måltid i en temperatur som låg litet över trettio grader.

Jag hade ännu inte funnit det rätta tillfället att berätta för miss Callie att jag skulle lämna tidningen. Jag visste att hon skulle bli bestört och mycket besviken. Men jag kunde inte se något skäl till att vi inte skulle fortsätta med våra torsdagsluncher. Det skulle kanske bli ännu roligare att räkna tryckfel och misstag som någon annan gjort sig skyldig till.

På nio år hade vi bara missat sju stycken, samtliga på grund av sjukdom eller tandläkarbesök.

Det loja pratet efter maten upphörde plötsligt. Det hördes sirener i fjärran, någonstans på andra sidan staden.

Lådan var nästan tre decimeter i kvadrat, tolv centimeter djup, vit till färgen, med röda och blå stjärnor och ränder. Det var en presentförpackning från Bolan Pecan Farm i Hazelhurst i Mississippi, skickad till mrs Maxine Root från hennes syster i Concord i Kalifornien. En present på självständighetsdagen bestående av äkta pekannötter. Den kom med posten, avlämnad av brevbäraren vid middagstid, nerstoppad i Maxine Roots brevlåda och sedan inburen i huset, förbi den ensamme vaktposten som satt vid ett träd framför huset, och in i köket där Maxine fick syn på den.

Det hade gått nästan en månad sedan sheriff McNatt frågade henne om hur hon hade röstat i juryn. Hon hade motvilligt medgivit att hon inte ville ge Danny Padgitt dödsstraff, och hon erinrade sig att de två män som delat hennes åsikt var Lenny Fargarson och Mo Teale. Eftersom de nu var döda hade McNatt givit henne den obehagliga informationen att hon kunde bli nästa offer.

Maxine hade vridit och vänt på utslaget i åratal efter rättegången. Staden var förbittrad för det, och hon kände fientligheten. Lyckligtvis höll jurymedlemmarna sitt tystnadslöfte, och hon och Lenny och Mo utsattes inte för extra glåpord. Tidens lugnande inverkan gjorde att hon kunde distansera sig från efterverkningarna.

Nu visste alla hur hon hade röstat. Nu jagades hon av en galning. Hon hade tjänstledigt från sitt arbete som bokhållare. Hennes nerver var i trasor; hon kunde inte sova; hon var utled på att gömma sig i sitt eget hem; utled på en tomt full av grannar som samlades varje kväll som om det handlade om en bjudning; utled på att alltid krypa samman och smyga under fönstren. Hon tog så många olika tabletter att de motverkade varandra så mycket att inget gjorde nytta.

Hon såg en låda med pekannötter och brast i gråt. Någon ute i världen tyckte om henne. Hennes älskade syster Jane tänkte på henne. Åh så hon längtade efter att vara hos Jane i Kalifornien just nu.

Maxine började öppna paketet, sedan hejdade hon sig. Hon gick till telefonen och slog Janes nummer. De hade inte talat med varandra på en vecka.

Jane var på arbetet och blev förtjust när hon hörde henne. De pratade om det ena och det andra och sedan om den förfärliga situationen i Clanton. "Det var rart av dig att skicka pekannötterna", sade Maxine.

"Vilka pekannötter?" frågade Jane.

Paus. "Presentförpackningen från Bolan Pecans i Hazelhurst. En stor låda, ett och ett halvt kilo."

En ny paus. "Det var inte jag. Det måste ha varit någon annan."

Maxine lade på luren strax därefter och granskade lådan. En lapp på ovansidan meddelade: En present från Jane Parham. Hon kände naturligtvis ingen annan Jane Parham.

Hon lyfte mycket försiktigt upp den. Den kändes litet väl tung för att vara ett och ett halvt kilo pekannötter.

Deltidspolisen Travis råkade komma förbi huset. Han hade sällskap av en viss Teddy Ray, en finnig grabb med för stor uniform och en tjänsterevolver som han aldrig hade avfyrat. Maxine drog in dem i köket där den rödvitblå lådan välvilligt låg på diskbänken. Den ensamme vaktposten hängde också med, och en lång stund stod de fyra bara och stirrade på paketet. Maxine återgav sin samtal med Jane.

Travis lyfte med stor tvekan lådan och skakade litet på den. "Den känns litet tung för att vara nötter", sade han. Han såg på Teddy Ray som redan hade bleknat, och på grannen med geväret, som verkade beredd att ducka vid minsta anledning.

"Tror du att det är en bomb?" frågade grannen.

"Gode Gud", mumlade Maxine och tycktes vara nära att bryta samman.

"Kanske det", sade Travis och såg sedan förfärat på det han höll i.

"Ta ut den", sade Maxine.

"Borde vi inte ringa till sheriffen?" lyckades Teddy Ray fråga.

"Jag antar det", sade Travis.

"Tänk om det finns något tidur eller så?" frågade grannen.

Travis tvekade ett ögonblick, sedan sade han med den totala oerfarenhetens röst: "Jag vet vad man ska göra."

De gick ut genom köksdörren till en smal veranda som sträckte sig längs hela baksidan på huset. Travis placerade försiktigt lådan längst ut på kanten, ungefär en meter ovanför marken. När han drog sin fyrtiofyra Magnum sade Maxine: "Vad gör du?"

"Vi ska se om det är en bomb", sade Travis. Teddy Ray och grannen skyndade bort från verandan och intog säkra positioner i gräset ungefär femton meter bort.

"Tänker du skjuta på mina pekannötter?" frågade Maxine.

"Har du någon bättre idé?" fräste Travis.

"Kanske inte."

Med större delen av kroppen inne i köket stack Travis ut sin kraftiga högerarm och sitt ganska stora huvud genom dörröppningen och tog sikte. Maxine stod omedelbart bakom honom, nerhukad och kikande förbi hans midja.

Det första skottet missade verandan helt och hållet, fast det tog andan ur Maxine. Teddy Ray skrek: "Snyggt skott", och han och grannen skrattade litet.

Travis siktade och sköt igen.

Explosionen slet bort hela verandan från huset, slog upp ett gapande hål i köksväggen och spred ut splitter över en radie av hundra meter. Den krossade fönster, skrapade upp plank och skadade de fyra åskådarna. Både Teddy Ray och grannen fick metallsplitter i bröst och ben. Travis högra arm och revolverhand blev illa tilltygade. Maxine fick två skador i huvudet – en glasskärva slet bort höger örsnibb, och en liten spik trängde in i högra sidan av käken.

En kort stund var alla medvetslösa, utslagna av ett och ett halvt kilo sprängdeg tillsammans med spik, glas och kullagerkulor.

När sirenerna fortsatte tjuta i andra änden av staden gick jag bort till telefonen och ringde till Wiley Meek. Han skulle just ringa till mig. "De försökte spränga Maxine Root", sade han.

Jag sade till familjen Ruffin att det hade inträffat en olycka och lämnade dem på verandan. När jag närmade mig den stadsdel där Root levde var gatorna avspärrade och trafiken dirigerades bort. Jag körde till sjukhuset och frågade en ung läkare som jag kände. Han sade att det var fyra skadade, ingen av dem tycktes löpa allvarlig fara.

Domare Omar Noose satt ting i Clanton den eftermiddagen. Faktum var att han senare sade att han hörde explosionen. Rufus Buckley och sheriff McNatt hade ett timslångt möte med honom i hans ämbetsrum, och det avslöjades aldrig vad de diskuterade. När vi väntade i rättssalen var Harry Rex och flertalet av de övriga advokaterna som stod och hängde där övertygade om att de diskuterade hur de skulle formulera en häktningsorder för Danny Padgitt när det fanns så få bevis för att han hade gjort något.

Men något måste göras. Någon måste gripas. Sheriffen hade människor att skydda; han måste agera, även om det inte var helt lämpligt.

Vi fick veta att Travis och Teddy Ray hade förts till ett sjukhus i Memphis för att opereras. Maxine och hennes granne opererades just nu. Läkarna ansåg att ingen svävade i livsfara. Men Travis skulle kunna förlora sin högra arm.

Hur många i Ford County kunde konsten att tillverka en paketbomb? Vem hade tillgång till sprängämnen? Vem hade motiv? När vi diskuterade den saken i rättssalen diskuterades den uppenbarligen också inne i ämbetsrummet. Noose, Buckley och McNatt var valda till sina ämbeten. De hederliga invånarna i Ford County behövde deras beskydd. Eftersom Danny Padgitt var den ende tänkbara misstänkte, utfärdade domare Noose slutligen en häktningsorder för honom.

Lucien informerades, och han tog emot beskedet utan att protestera. I den stunden kunde inte ens Padgitts advokat säga emot tanken att hämta in honom för förhör. Han kunde alltid friges senare.

Några minuter efter fem dundrade en konvoj av polisbilar ut från Clanton på väg mot Padgitt Island. Harry Rex hade nu en polisradio (det fanns ganska många nya sådana i staden) och vi satt på hans kontor och drack öl medan vi lyssnade på dess höga ljudvolym. Det måste vara det mest spännande gripandet i länets historia, och många av oss ville vara där. Skulle familjen Padgitt spärra vägen och förhindra gripandet? Skulle det bli skottlossning? Ett mindre krig?

Radiopladdret gjorde att vi kunde följa större delen av händelseutvecklingen. På Highway 42 möttes McNatt och hans män av tio "enheter" från delstatspolisen. Vi förmodade att en "enhet" inte var något annat än en bil, men det lät betydligt värre. De fortsatte till Highway 401, svängde in på den landsväg som ledde till ön, och på bron där alla förväntade sig något slags dramatisk sammandrabbning satt Danny Padgitt i en bil tillsammans med sin advokat.

Rösterna i polisradion var snabba och nervösa:

"Han är med sin advokat!"

"Wilbanks?"

"Ja."

"Vi skjuter båda två."

"De kliver ur bilen."

"Wilbanks håller upp händerna. Viktigpetter!"

"Jodå, det är Danny Padgitt. Med händerna i vädret."

"Jag skulle vilja slå bort det där flinet ur hans ansikte."

"De har satt på honom handbojorna."

"Helvete!" skrek Harry Rex över sitt skrivbord. "Jag ville ha litet skjutande. Som förr i tiden."

Vi var vid fängelset när karavanen av röda och blå larmljus kom farande en timme senare. Sheriff McNatt hade klokt nog placerat Padgitt i en av delstatspolisens bilar, annars kunde hans män ha misshandlat honom på vägen. Två av deras kolleger opererades i Memphis, och stämningen var bister.

En folkhop hade samlats utanför fängelset. Padgitt hånades och förbannades när han hastigt fördes in, sedan sade sheriffen till hetsporrarna att åka hem till sig.

Folk blev lättade när de såg honom i handbojor. Och nyheten att han hade gripits var som balsam för hela länet. Den dystra atmosfären hade skingrats. Clanton fick liv den natten.

När jag efter mörkrets inbrott återkom till Hocutt House var klanen Ruffin på festhumör. Miss Callie var mer avslappnad än jag sett henne på länge. Vi satt länge på verandan, berättade historier, skrattade, lyssnade på Aretha Franklin och Temptations, lyssnade till och med på en och annan fyrverkeripjäs.

43

Utan att någon visste det gjorde Lucien Wilbanks och domare Noose en uppgörelse under de hektiska timmarna före gripandet. Domaren var orolig för vad som kunde hända om Danny valde att dra sig tillbaka in i öns trygghet eller, ännu värre, motsatte sig ett gripande med våld. Trakten var en kruttunna som väntade på en tändsticka. Poliserna ville se blod på grund av Teddy Ray och Travis, vars revolvermannaenfald tillfälligt ignorerades medan de återhämtade sig från sina skador. Och Maxine Root tillhörde en ökänt hårdför timmerhuggarfamilj, en stor eldfängd släkt som var känd för att jaga året runt, livnära sig på sin egen mark och inte glömma några oförrätter.

Lucien insåg hur det låg till. Han gick med på att överlämna sin klient på ett villkor – han ville ha en omedelbar borgensförhandling. Han hade minst ett dussin vittnen som var beredda att ge Danny "vattentäta" alibin, och Lucien ville att folk i Clanton skulle höra deras vittnesmål. Han trodde verkligen att någon annan låg bakom morden, och det var viktigt att övertyga staden.

Lucien var också en månad från att uteslutas ur advokatsamfundet på grund av en helt annan historia. Han visste att slutet närmade sig, och borgensförhandlingen skulle bli hans sista uppvisning.

Noose gick med på att hålla en förhandling och bestämde att den skulle hållas klockan tio nästa dag, den 3 juli. I en scen som på ett spökligt sätt påminde om den nio år tidigare fyllde Danny Padgitt återigen Ford Countys tingshus med folk.

Det var en fientlig folkhop, ivrig att få se honom, full av förhoppningar om att han skulle bli hängd på fläcken. Maxine Roots familj kom tidigt och placerade sig långt fram. De var ilskna, bredaxlade, skäggiga män i overaller. De skrämde mig, och vi påstods vara på samma sida. Maxine sades vila ut och förväntades komma hem om några dagar.

Familjen Ruffin hade inte så mycket att göra den förmiddagen, så de ville inte gå miste om den spännande utvecklingen i tingshuset. Miss Callie envisades med att komma dit tidigt för att få en bra plats. Hon var förtjust över att komma in till centrum igen. Hon var söndagsklädd och gladdes åt att sitta på en sådan offentlig sammankomst omgiven av sin familj.

Rapporterna från sjukhuset i Memphis var blandade. Teddy Ray hade blivit hopsydd och var på bättringsvägen. Travis hade haft en svår natt och man var mycket orolig för om det skulle gå att rädda hans arm. Deras kolleger var mangrant i rättssalen och väntade på en ny chans att få blänga elakt på bombmakaren.

Jag såg paret Fargarson sitta långt bak, två bänkrader från änden, och jag kunde inte föreställa mig vad de tänkte.

Ingen i familjen Padgitt fanns där; de hade vett nog att hålla sig borta från rättssalen. Anblicken av någon av dem skulle ha startat ett upplopp. Harry Rex viskade att de satt i juryrummet en trappa upp, med dörren låst. Vi såg dem aldrig.

Rufus Buckley anlände med sitt följe för att representera delstaten Mississippi. En fördel med att sälja tidningen var att jag aldrig skulle tvingas ha med honom att göra. Han var arrogant och pompös, och allt han gjorde syftade till att han skulle bli guvernör.

Medan jag väntade och såg rättssalen fyllas slog det mig att detta var sista gången jag skulle bevaka en sådan förhandling för tidningens räkning. Jag sörjde inte över det. Jag hade mentalt sett lämnat den, mentalt sett börjat använda pengarna. Och nu när Danny hade gripits var jag ännu mer angelägen om att fly bort från Clanton och se världen.

Det skulle bli en rättegång om några månader. Ännu en cirkusföreställning med Danny Padgitt, men jag tvivlade allvarligt på att den skulle hållas i Ford County. Jag struntade i det. Den fick någon annan skriva om.

Klockan tio var alla platser upptagna och en tjock krans av åhörare löpte längs väggarna. En kvart senare hördes rörelser bakom podiet, en dörr öppnades och Lucien Wilbanks kom ut. Det var som ett sportevenemang; han var en spelare; vi ville bua allihop. Två rättsbiträden kom snabbt ut efter honom och en av dem sade: "Samtliga rese sig!"

Domare Noose lunkade in i sin svarta klädnad och satte sig på sin tron. "Sitt ner", sade han i mikrofonen. Han granskade publiken och tycktes förbluffas av hur många vi var.

Han nickade, en sidodörr öppnades och Danny Padgitt fördes in av tre poliser, försedd med handbojor, fotjärn och iförd den orange fängelseoverall han haft tidigare. Det tog några minuter att befria honom från hans olika fjättrar, och när han var fri böjde han sig fram och viskade något till Lucien.

"Detta är en borgensförhandling", förkunnade Noose när det blivit stilla i rättssalen. "Det finns inga skäl till att den inte ska kunna skötas klokt och snabbt."

Det skulle gå snabbare än någon hade anat.

En kanon avfyrades någonstans ovanför oss, och ett ögonblick trodde jag att vi alla hade blivit skjutna. Något snärtade genom rättssalens kvava luft och eftersom vi redan var en stad med nerverna på helspänn stelnade vi till i en ohygglig bild av misstro. Sedan grymtade Danny Padgitt till i en fördröjd reaktion och helvetet bröt lös. Kvinnor skrek. Män skrek. Någon hojtade: "Omkull!" när hälften av åhörarna duckade och en del slängde sig ner på golvet. Någon skrek: "Han är skjuten!"

Jag sänkte huvudet en decimeter, men jag ville inte gå miste om något. Alla poliserna slet upp sina tjänsterevolvrar och stirrade åt olika håll för att hitta någon att skjuta. De pekade uppåt och nedåt, framåt och bakåt, hit och dit.

Det diskuterades visserligen om saken i åratal, men det andra skottet kom bara tre sekunder efter det första. Kulan träffade Danny i bröstet, men den hade inte behövts. Den första hade gått igenom hans huvud. Det andra skottet gjorde att en polis i rättssalens främre ände reagerade. Jag kröp samman ännu mer, men jag såg att han pekade upp mot läktaren.

Dubbeldörrarna till rättssalen slängdes upp och den vilda flykten inleddes. Under den följande hysterin stannade jag på min plats och försökte insupa allt. Jag minns att jag såg Lucien Wilbanks böja sig ner över sin klient. Och Rufus Buckley på händer och knän som kröp framför jurybåset i ett försök att komma ut. Och jag skall aldrig glömma domare Noose som lugnt satt på sin plats med läsglasögonen på nästippen och betraktade virrvarret som om han såg sådant varje vecka.

Varje sekund tycktes pågå en minut.

Kulorna som träffade Danny hade avlossats från taket ovanför läktaren. Och trots att läktaren var full av folk hade inget sett geväret sänkas någon decimeter, tre meter ovanför deras huvuden. I likhet med oss andra var de fullt upptagna av att ta sig en första titt på Danny Padgitt.

Myndigheterna hade reparerat och renoverat rättssalen vid olika tillfällen under årens lopp, närhelst man kunde klämma fram en liten slant ur kassakistorna. I ett försök att förbättra belysningen hade man sänkt taket i slutet av sextiotalet. Krypskytten hittade en perfekt plats i en lufttrumma strax ovanför en panel i undertaket. Han väntade tålmodigt i det mörka kryputrymmet och bevakade rättssalen genom en decimeterlång springa som han hade skapat genom att lyfta upp en av de vattenfläckade panelerna.

Jag kröp närmare skranket när jag trodde att skjutandet var över. Poliserna skrek åt alla att lämna rättssalen. De knuffade på folk och röt alla slags motstridiga befallningar. Danny låg under bordet där han togs om hand av Lucien och flera poliser. Jag kunde se hans fötter, och de rörde sig. En minut

eller två gick, och oredan mildrades. Plötsligt hördes ny skott-
lossning; lyckligtvis var det nu utomhus. Jag tittade ut genom
ett fönster och såg folk rusa in i butikerna runt torget. Jag såg
en gammal man peka uppåt, litet ovanför mitt huvud, mot
något ovanpå tingshuset.

Sheriff McNatt hade precis hittat kryputrymmet när han
hörde skottlossning ovanför sig. Han och två poliser skynda-
de uppför trappan till tredje våningen, varefter de långsamt
fortsatte uppför en spiraltrappa till överbyggnaden ovanpå
kupolen. Dörren till den var spärrad från insidan, men strax
ovanför den kunde de höra krypskyttens snabba steg. Och de
kunde höra patronhylsor slå i golvet.

Det enda han sköt på var Lucien Wilbanks advokatkontor,
närmare bestämt fönstren en trappa upp. Han sköt omsorgs-
fullt sönder dem ett efter ett. På bottenvåningen låg Ethel
Twitty under sitt skrivbord och grät och skrek samtidigt.

Jag lämnade slutligen rättssalen och skyndade ner till bot-
tenvåningen där folk väntade, osäkra på vad de skulle ta sig
till. Polischefen sade till alla att hålla sig inomhus. Det pladd-
rades snabbt och nervöst mellan skottsalvorna. När skottloss-
ningen började såg vi på varandra. Alla tänkte: "Hur länge
ska det här hålla på?"

Jag anslöt mig till familjen Ruffin. Miss Callie hade svim-
mat när det första skottet skakade om rättssalen. Max och
Bobby höll om henne, angelägna om att få ta henne hem.

Efter att ha hållit staden som gisslan under en timme tog
ammunitionen slut för krypskytten. Han sparade den sista
kulan åt sig själv, och när han avfyrat den föll han tungt ner
på den lilla luckan i överbyggnadens golv. Sheriff McNatt
väntade några minuter, sedan lyckades han få upp luckan.
Hank Hooten var helt naken igen. Och död som ett nyöver-
kört djur.

En polis rusade nerför trappan och skrek: "Det är över!
Han är död! Det är Hank Hooten!"

De förvirrade ansiktsuttrycken var nästan komiska. Hank Hooten? Alla sade namnet men inte ett ljud hördes. Hank Hooten?

"Advokaten som blev tokig."

"Jag trodde han blev inspärrad."

"Sitter han inte på Whitfield?"

"Jag trodde han var död."

"Vem är Hank Hooten?" frågade Carlota mig, men jag var för förvirrad för att kunna svara. Vi spred ut oss under de skuggande träden och dröjde där en stund, osäkra på om vi borde stanna för den händelse att det skulle inträffa ytterligare något otroligt, eller bege oss hem och försöka begripa det vi just hade upplevt. Familjen Ruffin gav sig snabbt iväg; miss Callie mådde inte bra.

Litet senare svängde en ambulans med Danny Padgitt ut från tingshuset och körde därifrån utan någon som helst brådska. Det var litet mer komplicerat att avlägsna Hank Hootens kropp, men med tiden lyckades de få ner hans lik och rullade ut det från tingshuset på en bår, täckt från huvud till fot med ett vitt lakan.

Jag gick till redaktionen, där Margaret och Wiley drack nybryggt kaffe och väntade på mig. Vi var för omskakade för att kunna föra ett intelligent samtal. Hela staden var dämpad.

Litet senare ringde jag några telefonsamtal, hittade den jag sökte och lämnade redaktionen vid middagstid. När jag körde runt torget såg jag mr Dex Pratt, som ägde glasmästeriet och annonserade i tidningen varje vecka, som stod på Luciens balkong, redan i färd med att haka av de franska fönstren och sätta in hela glasrutor. Jag var säker på att Lucien var hemma vid det laget och söp på verandan varifrån han kunde se tingshusets kupol med dess överbyggnad.

Det var tre timmars bilväg söderut till Whitfield. Jag var inte helt säker på att jag kunde köra så långt, för när som helst skulle jag kunna svänga åt höger, bege mig västerut, korsa floden vid Greenville eller Vicksburg, och vara någonstans långt inne i Texas i skymningen. Eller svänga åt vänster, köra österut och äta en mycket sen middag någonstans i närheten av Atlanta.

Vilket vansinne. Hur kunde en trevlig liten stad hamna i en sådan mardröm? Jag ville bara bort.

Jag var nära Jackson innan jag vaknade ur min dvala.

Delstatens mentalvårdsanstalt låg vid en huvudväg tre mil öster om Jackson. Jag bluffade mig förbi vakten med hjälp av namnet på en läkare som jag hade hittat när jag ringde runt och snokade.

Doktor Vero var strängt upptagen, och jag satt en timme och läste veckotidningar utanför hans rum. När jag meddelade receptionisten att jag inte tänkte gå, och att jag skulle följa honom hem om det behövdes, lyckades han på något sätt få litet tid över för mig.

Vero hade långt hår och grånande skägg. Hans dialekt placerade honom tydligt i den övre mellanvästern. Två diplom på hans vägg visade hans väg via Northwestern University och Johns Hopkins University, men i det svaga ljuset i hans nedskräpade rum kunde jag inte urskilja några närmare detaljer.

Jag berättade för honom vad som hade hänt i Clanton på förmiddagen. Efter min redogörelse sade han: "Jag kan inte prata om mr Hooten. Som jag förklarade i telefonen har jag tystnadsplikt."

"Hade. Inte har."

"Det kvarstår, mr Traynor. Det lever vidare, och jag är rädd att jag inte kan diskutera den här patienten."

Jag hade umgåtts med Harry Rex så länge att jag visste att man aldrig skall låta sig hejdas av ett nej. Jag gav honom en lång och detaljerad beskrivning av fallet Padgitt, från rättegången till benådningen förra månaden, och av den spända stämningen i Clanton. Jag berättade att jag hade sett Hank Hooten sent en söndagskväll i Calico Ridge Independent

Church, och att ingen tycktes veta något om honom under hans sista år.

Jag menade att staden måste få veta vad som utlöste det hela. Hur sjuk var han? Varför släpptes han ut? Det var många frågor, och innan "vi" kunde lägga den tragiska händelsen bakom "oss" måste "vi" få höra sanningen. Jag kom på mig själv med att tigga och be om informationer.

"Hur mycket tänker ni publicera?" frågade han, vilket bröt isen.

"Jag publicerar det ni låter mig publicera. Och om något är inofficiellt, är det bara att säga till."

"Vi tar en promenad."

Vi drack kaffe ur pappmuggar på en betongbänk på en liten skuggig gård. "Det här kan ni trycka", började Vero. "Mr Hooten skrevs in här i januari 1971. Han fick diagnosen schizofreni, hölls kvar här, behandlades här och skrevs ut i oktober 1976."

"Vem ställde diagnosen?" frågade jag.

"Nu är det inofficiellt. Överenskommet?"

"Överenskommet."

"Det här måste stanna mellan oss båda, mr Traynor. Jag måste ha ert ord på det."

Jag lade ifrån mig papper och penna och sade: "Jag svär på Bibeln att det här inte kommer att hamna i tryck."

Han tvekade en lång stund, tog några klunkar kaffe, och en stund trodde jag att han skulle förbli tyst och be mig gå. Sedan slappnade han av en smula och sade: "Jag behandlade mr Hooten i början. Det fanns schizofreni i hans släkt. Hans mor och möjligen hans mormor led av det. Det förekommer ofta genetiska faktorer i sjukdomen. Han var intagen för vård under studietiden, och märkligt nog lyckades han avsluta sina juridiska studier. Efter den andra skilsmässan flyttade han till Clanton i mitten av sextiotalet för att börja om på en ny plats. Ännu en skilsmässa följde. Han dyrkade kvinnor men klarade inte av ett förhållande. Han var mycket förälskad i

Rhoda Kassellaw och påstod att han flera gånger hade friat till henne. Jag är säker på att den unga damen var litet tveksam när det gällde honom. Mordet på henne var mycket traumatiskt för honom. Och när juryn vägrade att ge hennes mördare dödsstraff, gick han, kan vi säga, över gränsen."

"Tack för att ni använder lekmannauttryck", sade jag. Jag erinrade mig diagnosen i staden – "Bindgalen".

"Han hörde röster, först och främst miss Kassellaws. Hennes två barn talade också till honom. De bad honom beskydda henne, rädda henne. De beskrev fasan när de såg sin mor bli våldtagen och mördad i sin egen säng, och de anklagade mr Hooten för att han inte hade räddat henne. Hennes mördare, mr Padgitt, plågade honom också med glåpord från fängelset. Jag såg många gånger via intern-TV hur mr Hooten skrek åt Danny Padgitt i sitt rum här."

"Talade han om jurymedlemmarna?"

"Oh ja, hela tiden. Han visste att tre av dem – mr Fargarson, mr Teale och mrs Root – hade vägrat gå med på dödsstraff. Ibland skrek han deras namn mitt i natten."

"Det är fantastiskt. Jurymedlemmarna lovade att aldrig tala om sina överläggningar. Jag visste inte hur de hade röstat förrän för en månad sedan."

"Nja, han var biträdande åklagare."

"Ja, det var han." Jag mindes tydligt hur Hank Hooten satt bredvid Ernie Gaddis under rättegången, att han aldrig sade ett ord, att han verkade uttråkad och ointresserad av målet. "Sade han något om att hämnas?"

En klunk kaffe, ännu en paus medan han övervägde om han skulle svara. "Ja. Han hatade dem. Han ville att de skulle dö tillsammans med mr Padgitt."

"Varför skrevs han då ut?"

"Jag kan inte diskutera utskrivningen, mr Traynor. Jag var inte här då, och institutionen har kanske något slags ansvar för det här."

"Var ni inte här?"

"Jag undervisade i Chicago i två år. När jag kom tillbaka för arton månader sedan var mr Hooten utskriven."

"Men ni gick igenom hans journal."

"Ja, och hans tillstånd förbättrades dramatiskt medan jag var borta. Läkarna hittade rätt blandning av antipsykotiska medel och hans symptom mildrades i hög grad. Han skickades till ett behandlingshem i Tupelo, och sedan försvann han på något sätt ur vårt synfält. Jag behöver knappast nämna, mr Traynor, att behandling av mentalsjuka inte har högsta prioritet i den här delstaten, och inte i många andra heller. Vi är starkt underbemannade och har otillräckliga anslag."

"Skulle ni ha skrivit ut honom?"

"Jag kan inte svara på det. Nu tror jag att jag har sagt tillräckligt, mr Traynor."

Jag tackade honom för hans uppriktighet och försäkrade återigen att jag skulle respektera hans önskan och behålla de känsliga uppgifterna för mig själv. Han bad att få ett exemplar av tidningen när jag skrev om saken.

Jag stannade vid ett snabbmatställe i Jackson och åt en ostburgare. Jag ringde till redaktionen från en telefonhytt, till hälften osäker på om jag hade missat någon ytterligare skottlossning. Margaret blev lättad när hon hörde min röst.

"Du måste komma hem fort, Willie", sade hon.

"Varför det?"

"Callie Ruffin har fått ett slaganfall. Hon är på sjukhuset."

"Är det allvarligt?"

"Jag är rädd för det."

44

Ett kommunalt obligationslån 1977 hade betalat en fin renovering av vårt sjukhus. I ena änden av bottenvåningen fanns ett modernt, men ganska mörkt kapell där jag en gång satt med Margaret och hennes familj när hennes mor gick bort. Det var där jag hittade familjen Ruffin, alla åtta barnen, alla de tjugoen barnbarnen och alla ingifta utom Leons fru. Pastor Thurston Small var där tillsammans med en stor grupp från församlingen. Esau väntade utanför miss Callies rum på intensivvårdsavdelningen högre upp.

Sam berättade att hon hade vaknat efter en tupplur med en skarp smärta i högra armen, sedan förlorade hon känseln i benen och snart mumlade hon osammanhängande. En ambulans körde henne snabbt till sjukhuset. Läkaren var övertygad om att det ursprungligen var ett slaganfall som utlöst en lätt hjärtattack. Hon var starkt medicinerad och övervakades. Den sista rapporten från läkaren hade givits vid åttatiden på kvällen; hennes tillstånd beskrevs som "allvarligt men stabilt".

Besökare släpptes inte in till henne, så det återstod inte mycket annat än att vänta och be och hälsa på vänner som kom och gick. Efter en timme i kapellet var jag redo för sängen. Max, den tredje i ålder men den obestridlige ledaren, organiserade vakthållningen för natten. Minst två av miss Callies barn skulle alltid finnas någonstans i sjukhuset.

Vi hörde med läkaren igen klockan elva, och han lät ganska optimistisk när han sade att läget fortfarande var stabilt. Hon "sov", som han uttryckte det, men vid ytterligare utfrågning erkände han att de hade sövt ner henne för att förhindra ännu ett slaganfall. "Åk hem och vila er", sade han. "Det blir en lång dag i morgon." Vi lämnade Mario och Gloria i kapellet och begav oss gemensamt till Hocutt House där vi åt glass på en sidoveranda. Sam hade tagit med sig Esau till Lowtown. Det gladde mig att resten av familjen föredrog mitt hus.

Av de tretton vuxna som var där ville bara Leon och Carlottas man Sterling dricka alkohol. Jag öppnade en flaska vin och vi tre skickade glassen vidare.

Alla var uttröttade, speciellt barnen. Dagen hade börjat med en äventyrsutflykt till tingshuset för att titta på mannen som hade terroriserat vår stad. Det kändes som det vore för en vecka sedan. Vid midnatt samlade Al familjen i mitt arbetsrum för en sista bönestund. En "kedjebön", som han kallade det, där varje vuxen och barn tackade för något och bad att Gud skulle beskydda miss Callie. När jag satt där i soffan och höll hand med Bonnie och Marios fru kände jag Guds närvaro. Jag visste att min älskade vän, deras mor, farmor och mormor, skulle klara sig.

Två timmar senare låg jag klarvaken i sängen och hörde återigen det skarpa gevärsskottet i rättssalen, dunsen när kulan träffade Danny, paniken som följde. Jag återkallade och spelade återigen upp varje ord som doktor Vero sagt, och undrade i vilket slags helvete Hank Hooten hade levt de senaste åren. Varför hade han släppts lös i samhället igen?

Och jag oroade mig för miss Callie, trots att hennes tillstånd tycktes vara under kontroll och hon var i goda händer.

Jag sov slutligen i två timmar, sedan smög jag mig ner till bottenvåningen där jag fann att Mario och Leon drack kaffe vid köksbordet. Mario hade lämnat sjukhuset en timme tidigare; inget hade förändrats. De planerade redan den hårda bantning som familjen skulle tvinga miss Callie att underkasta sig när hon var hemma igen. Och hon skulle påbörja ett träningsprogram som innefattade långa promenader runt Lowtown varje dag. Regelbundna läkarkontroller, vitaminer, mager mat.

De menade allvar med denna nya hälsokur, fast alla visste att miss Callie skulle göra precis som hon ville.

Några timmar senare inledde jag slitet med att packa ner alla de saker och det skräp som jag hade samlat ihop under nio års tid, och tömma mitt arbetsrum på redaktionen. Den nya chefredaktören var en trevlig dam från Meridian i Mississippi, och hon ville komma igång till veckoslutet. Margaret erbjöd sig att hjälpa mig, men jag ville ta det lugnt och minnas saker medan jag tömde skrivbordslådor och arkivmappar. Det var en privat stund, och jag ville vara ensam.

Mr Caudles böcker avlägsnades slutligen från de dammiga hyllor där de hade ställts långt innan jag kom dit. Jag tänkte lagra dem någonstans hemma, för den händelse att någon av hans släktingar skulle dyka upp och ställa frågor.

Mina känslor var blandade. Allt jag rörde vid uppväckte minnet av en artikel, en bilfärd ut på landsbygden för att kontrollera ett tips, tala med ett vittne eller träffa någon som jag hoppades skulle vara tillräckligt intressant för en personprofil. Och ju fortare jag var klar med packandet, dess fortare skulle jag lämna huset och flyga iväg.

Bobby Ruffin ringde halv tio. Miss Callie var vaken och satt upp i sängen och drack te, och besökare släpptes in några minuter. Jag skyndade till sjukhuset. Sam mötte mig i korridoren och förde mig genom en labyrint av rum och utrymmen på avdelningen. "Berätta inget om det som hände i går", sade han medan vi gick där.

"Visst."

"Inget som gör henne upprörd. De vill inte ens släppa in barnbarnen; det skulle kunna få hennes hjärta att klappa alldeles för våldsamt. Allt är mycket stillsamt."

Hon var vaken, men bara nätt och jämnt. Jag hade förväntat mig att få se de klara ögonen och det strålande leendet, men miss Callie var nätt och jämnt vid medvetande. Hon kände igen mig, vi kramades, jag klappade hennes högra hand.

I den vänstra satt en kanyl. Sam, Esau och Gloria fanns i rummet.

Jag ville vara ensam med henne en liten stund, så jag äntligen kunde tala om för henne att jag hade sålt tidningen, men hon var inte i rätt tillstånd för en sådan nyhet. Hon hade varit vaken nästan två timmar, och hon behövde uppenbarligen mer sömn. Om en dag eller två kunde vi kanske ha ett livligt samtal om saken.

Efter en kvart dök läkaren upp och bad oss gå. Vi gick, vi kom tillbaka, och vakan fortsatte under hela helgdagen den 4 juli, fast vi inte släpptes in igen.

Borgmästaren beslöt att det inte skulle förekomma några fyrverkerier den 4 juli. Vi hade haft nog med explosioner, lidit tillräckligt av krut. Stadens kvardröjande nervositet gjorde att det inte förekom några organiserade protester. Musikkårerna marscherade, paraden paraderade, de politiska talen var desamma som tidigare, fast kandidaterna var färre. Senator Theo Morton var påfallande osynlig. Det fanns glass, saft, grillar, sockervadd – den vanliga maten och tilltugget på gräsmattan framför tingshuset.

Men staden var dämpad. Eller det kanske bara var jag. Jag var kanske bara så trött på platsen att inget där verkade riktigt. Jag hade definitivt botemedlet.

Efter talen lämnade jag torget och körde tillbaka till sjukhuset, en liten sväng som började bli alltför välbekant. Jag talade med Fuzzy som sopade på parkeringsplatsen, och med Ralph som tvättade fönstren i entréhallen. Jag tittade in i serveringen och köpte ännu en läskedryck av Hazel, sedan pratade jag med mrs Esther Ellen Trussel som satt i informationen och representerade Pink Ladies, sjukhusets hjälpförening. I väntrummet på andra våningen hittade jag Bobby tillsammans med Als fru; de såg på TV som två zombier. Jag hade just slagit upp en tidning när Sam som inrusande.

"Hon har fått en ny hjärtattack!" sade han.

Vi tre for upp på fötter som om vi hade någonstans att bege oss.

"Det hände just! Krisgruppen är där!"

"Jag ringer hem", sade jag och gick ut till telefonautomaten i korridoren. Max svarade, och en kvart senare strömmade familjen Ruffin in i kapellet.

Läkarna tog en evighet på sig innan de informerade oss om det nya läget. Klockan var nästan åtta på kvällen när Callies läkare kom in i kapellet. Läkare är notoriskt svåra att tolka, men hans trötta ögon och rynkade panna gav oss ett omisskännligt budskap. När han beskrev ett "signifikant hjärtstillestånd" sjönk miss Callies barn samman. Hon låg i respirator eftersom hon inte längre kunde andas av egen kraft.

Inom en timme var kapellet fullt av hennes vänner. pastor Thurston Small ledde en bönegrupp som oavbrutet höll bön vid altaret, och folk anslöt sig och gick som de ville. Stackars Esau satt hopsjunken längst bak, totalt utmattad. Hans barnbarn omgav honom, mycket tysta och respektfulla.

Vi väntade i timmar. Och stämningen var dyster, fast vi försökte le och vara optimistiska. Det var som om begravningen redan hade börjat.

Margaret tittade in och vi pratade litet ute i korridoren. Senare hittade paret Fargarson mig och bad att få tala med Esau. Jag förde dem in i kapellet där de fick ett varmt mottagande av familjen Ruffin, som alla uttryckte stor medkänsla med deras förlust av sin son.

Vid midnatt var vi domnade och förlorade snabbt alla begrepp om tid. Minuterna släpade sig förbi, sedan kunde jag kasta en blick på väggklockan och undra vart den senaste timmen tagit vägen. Jag ville gå därifrån, om så bara för att gå ut och inandas litet frisk luft. Läkaren hade emellertid uppmanat oss att stanna på nära håll.

Eldprovets verkliga fasa kom när han samlade oss och allvarligt sade att det var dags för en "sista stund med familjen". Det hördes flämtningar, sedan kom tårarna. Jag glömmer aldrig hur Sam sade: "En sista stund?"

"Är det dags?" frågade Gloria förfärat.

Vi följde skrämda och förvirrade läkaren ut ur kapellet, bort genom korridoren och uppför en trappa, alla rörde sig med de tunga stegen hos den som går till sin egen avrättning. Sköterskorna hjälpte oss genom det labyrintiska sjukhuset, och deras ansikten sade oss vad vi mest fruktade.

När familjen gick in i det lilla överbelamrade rummet rörde läkaren vid min arm och sade: "Det här bör bara gälla familjen."

"Ni har rätt", sade jag och stannade.

"Det är som det ska", sade Sam. "Han tillhör oss."

Vi samlades runt miss Callie och hennes apparater, som till större delen hade stängts av. De två yngsta barnbarnen placerades vid sängens fotände. Esau stod närmast och klappade lätt hennes ansikte. Hennes ögon var slutna; hon tycktes inte andas.

Hon var mycket fridfull. Hennes man och barn rörde vid någon del av henne, och gråten var hjärtslitande. Jag stod i ett hörn, inklämd mellan Glorias man och Als fru, och jag kunde helt enkelt inte fatta var jag befann mig eller vad jag höll på med.

När Max fått sina känslor i styr rörde han vid miss Callies arm och sade: "Låtom oss bedja." Vi böjde våra huvuden och den mesta gråten upphörde, åtminstone för tillfället. "Gode Gud, ske din vilja, icke vår. I dina händer överlämnar vi anden av detta trogna Guds barn. Skänk henne nu en plats i ditt himmelska rike. Amen."

I gryningen satt jag på balkongen utanför mitt arbetsrum på tidningen. Jag ville vara ensam, få gråta ut ensam. Gråten i mitt hus var mer än jag stod ut med.

När jag fantiserade om att resa runt i världen, hade jag hela tiden haft en vision av hur jag kom tillbaka till Clanton med presenter till miss Callie. Jag skulle ge henne en silvervas från

England, linne från Italien som hon aldrig skulle få se, parfym från Paris, choklad från Belgien, en urna från Egypten, en liten diamant från Sydafrikas gruvor. Jag skulle ge det till henne på verandan innan vi åt lunch, sedan skulle vi prata om de platser de kom från. Jag skulle skicka vykort till henne från varje anhalt. Vi skulle gå igenom mina fotografier in i minsta detalj. Genom mig skulle hon se världen i andra hand. Hon skulle alltid finnas där och ivrigt invänta min återkomst, full av längtan efter att få se vad jag hade med mig till henne. Hon skulle fylla sitt hem med små delar av världen, och äga ting som ingen, svart eller vit, någonsin hade ägt i Clanton.

Förlusten av min kära vän plågade mig. Plötsligheten var så brutal, som den alltid är. Djupet var så ofantligt att jag just då inte kunde föreställa mig ett tillfrisknande.

När staden långsamt vaknade till liv omkring mig gick jag bort till mitt skrivbord, föste undan några flyttkartonger och satte mig. Jag grep min penna och såg en lång stund på ett tomt anteckningsblock. Sedan började jag långsamt, med stor vånda, skriva den sista dödsrunan.

Efterord

Mycket få lagar förblir oförändrade. När de väl har antagits är det mycket sannolikt att de granskas, modifieras, förbättras och sedan upphävs helt och hållet. Detta ständiga pillande av domare och lagstiftare är vanligen av godo. Dåliga lagar rensas bort. Svaga lagar förbättras. Bra lagar finslipas.

Jag tog mig stora friheter med några av de lagar som fanns i Mississippi på sjuttiotalet. De som jag misshandlade i denna bok har nu korrigerats och förbättrats. Jag missbrukade dem för att få intrigen att röra sig framåt. Jag gör ständigt detta och jag känner mig inte skuldmedveten för den sakens skull, eftersom jag alltid kan frånsäga mig ansvaret på denna sida.

Var snäll och skriv inte till mig om ni hittar dessa misstag. Jag erkänner mina misstag. De var medvetna.

Tack till Grady Tollison och Ed Perry i Oxford, Mississippi, för deras hågkomster av lagar och förfaringssätt. Och till Don Whitten och mr Jessie Phillips vid The Oxford Eagle. Och till Gary Greene för tekniska råd.